S0-BWS-233

大胆披露265个人类未解之谜
启示你对茫茫宇宙探秘的兴趣

RENLEI SHENMI XIANXIANG
QUAN JILU XUJI

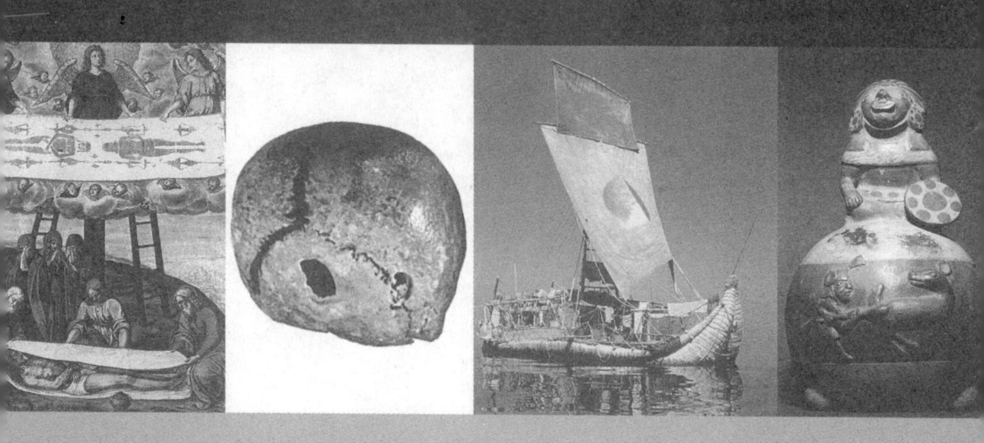

人类
神秘现象
全记录续集

人类神秘现象

全记录续集

（下）

邢万里／编著

大众文艺出版社

·北京·

四、中古人类神秘现象全记录

火药与造纸的发明，标志着中古的人们已经步入了昌盛的文明时期，哥伦布的远航开启了人类崇尚交往的新篇。尽管古罗马的覆灭，引起了东西半球的急骤变化，但成吉思汗的征战，又缔造了一个迄今仍是史无前例的更大的帝国……尽管居住在撒哈拉以南的非洲及大洋洲的人们，仍旧停留在石器时代，但这并没有阻止他们与东方人和欧洲携起了手，制造了一个又一个令现代人迷茫的疑团。他们的尸骨可以化为灰烬，但他们的提问却依依回响在我们的耳边：你们可知人吃人的谜底？你们可知荒野中的几何图形的含义？你们可知道点石成金的秘诀？你们可知海底村庄的奥秘？……我们也许并不急于回答，我们也许根本无法回答，但我们可以置身到那个年代，可以同古人一起去体味那段生活，让我们走进它——公元450年—公元1500年……

1. 亚瑟王之谜

亚瑟王及其英勇圆桌武士的传说，对基督教世界起鼓舞作用历时一千多年。在某些人的心目中，亚瑟王及其武士，是维护文明不受强盗与蛮族摧毁的战士；另外一些人则认为他们是扶危救难的勇士。在一个罪恶弥漫的世界里，圆桌武士是出色的忠勇坚忍象征。汤姆斯·马罗莱爵士所写的《亚瑟之死》（1485 年作，据称距亚瑟王生存时代，已有 1000 年）种种传说中，甚至还有相信亚瑟王当时并没有死的说法，说他带着武士回来，以“过去和未来之王”身份继续奋斗，为世界治疗创伤。

圆桌是亚瑟王宫廷正中央的陈设。犹如国王加冕时手握的宝球，圆桌象征了伸展到全国各地的王权和荣耀。但圆桌的含义远不止此。在实际意义上，圆桌象征的是和谐与友爱。坐在圆桌周围，任何武士都不致觉得地位低于别人，不会有半点委屈。圆桌是嫉妒、野心、贪图高位与权力的解药，而上述种种人类缺点正是中古时代动乱与战争的根源。然而亚瑟王规定，圆桌武士必须是最杰出的“武士，本事极大，威严无比”。

英国故都曼彻斯特的王宫大厅里，600 年来一直悬挂一张圆桌面，作为墙上装饰摆设，据说是亚瑟王及其武士确有其人的重要证据。这张桌面在 1970 年代末期，成为一项有趣的研究探查工作目标。

有关亚瑟王最早的传说，并没有提到圆桌。许多学者都说桌上所绘装饰是后来加上去的，因为圆桌中央有一朵象征都铎王朝的玫瑰，和一幅看来是年轻国王亨利八世的肖像。1970 年代对这些绘饰研究的结果证明那是十六世纪初期作品；但制造那张桌面的木料，则早于十六世纪。这样看来，亨利八世是不是仅仅在这张皇室传家宝上面，加绘了以上的装饰图案呢？

这张桌子还经过一位精通历代木工的专家检查。他认为这张桌子大概是十四世纪的制品。他的看法并且得到碳 14 年代测定法证实，断定圆桌的木料，大概是用 1330 年代所砍伐的树木制成。所以，这张桌子如果不是亚瑟王所造，是谁制的呢？最可能的制造者是英王爱德华一世，他于1272到1307年当政。

亚瑟王的传说，跟十一至十三世纪日渐形成的保卫宗教的见义勇为的理想，是密切配合、相辅相成的。所有战士要做成功的十字军士兵，要追寻耶稣基督举行首次弥撒所用圣杯，都应该效法亚瑟王的武士。到了十四世纪，见义勇为的骑士精神，发展到了极致。当时爱德华三世企图征服法国，就像传说中亚瑟王要和罗马“独夫卢修斯”打仗一样。由于崇尚骑士精神，加上对亚瑟王传说的宗仰，爱德华便想到设立一个新的武士精英勋位。这个新勋位的活动中心是伦敦西边的温莎宫。据法国史家让·福罗萨特记载，在1344年4月23日圣乔治节，爱德华在一次盛大的马上比武庆典上宣布了这项计划。

纪念爱德华此一梦想的事物现在依然存在。其一是嘉德勋位，这是爱德华新武士勋位正式名称。这个勋位订立于1348年，至今仍是英国最高的爵士勋位。另一个是温莎宫的大圆塔，这是爱德华始建的，现在看起来，目的就是要容纳一张圆桌。曼彻斯特那张共重1270公斤的巨型圆桌，正适合那座圆塔，据今人考证圆桌是爱德华一世在位期间制造的。

这样说来，曼彻斯特那张圆桌虽然不是亚瑟王与其武士坐过的圆桌，却显示了亚瑟王传说经久不灭的光辉。据说如果有一天英国急切需要援助，亚瑟王和他的武士还会回来。为了让人们记得这个传说，亨利七世把长子命名为亚瑟。1982年，英国皇储查理斯王子为纪念亚瑟王，也给儿子即未来皇位继承人，起名威廉亚瑟。

但是，历史上真的有亚瑟王吗？

如果历史上真有亚瑟王其人，他大概生活在五世纪末或六世纪初，此一时期英国历史几乎并无正式的文献记载。盎格鲁撒克逊民族的历史六世纪才开始。

当时意志坚强的战争领袖，如能坚守罗马及英国生活方式，精通罗马帝国晚期的兵法，说不定能够暂时号召人民抵抗盎格鲁撒克逊民族的侵略。塞尔特人聚居的康瓦尔、威尔斯、诺森布里亚等郡，或甚至苏格兰低地小国诸王，说不定都愿臣服。这位领袖可能指挥罗马帝国后期身披重铠的机动骑兵，里面包括一支精选的御林军，这就是亚瑟王精英武士的起源。

根据盎格鲁萨克逊历史记载，从西萨克逊人于530年攻占惠特岛，到552年于索尔斯堡击败英格兰人，英格兰从没有打过胜仗。这22年的间隔期，可能是亚瑟王打了胜仗，为内地赢得了一时平安。因此我们猜想亚瑟王可能生存于470与550年之间，不过这只是一项有点理由的猜测。

亚瑟王的首都坎末洛特又在什么地方呢？马罗莱说坎末洛特就是曼彻斯特。这种说法很可信，因为曼彻斯特接近西萨克逊，位于南安普敦湖上端，与惠特岛遥遥相对。但我们可以假定，十四世纪让·福罗萨特宣称坎末洛特即为温莎，意在讨好恩主爱德华三世，因为温莎的兵力难以保卫西部。康瓦尔的廷塔哲也显然太靠西了。剩下来只有英国西南部的要冲索美塞得郡，正好截击西萨克逊人从英伦海峡海岸发动的突击；还可以沿罗马时代修筑的道路，向北及向东迅速出击。最近在葛莱斯顿堡东南坎德培里古山寨，发现罗马文物。在这前哨站以北的加莱古堡，还有一批更加错综复杂的人造土碉堡，可是有一半给现代村镇掩盖了。索美塞得很可能是坎末洛特的故地，只是康瓦尔、诺森布里亚、苏格兰或威尔斯等地的人，永远不会同意而已。

2. 龙门石窟之谜

公元471年，一个五岁孩子做了鲜卑王朝北魏的皇帝，这就是孝文帝，他当然不能处理国家大事，故由其祖母文明太后主理朝政。文明太后颇有些才略，在献文帝时已掌握大权，并且排除了鲜卑贵族和汉族的阻挠，做过一些改革。

龙门石窟中的佛像。

但据说文明太后并不喜欢孝文帝，因为这个孩子早熟、机灵，太后生怕孩子长大后会对自己不利。有一次，文明太后将孝文帝关在空屋里，数九隆冬，只让他穿单衣，还三天三夜不给饭吃，打算令他饥寒而死；又有一次，太后听信宦官说孝文帝坏话，打了他数十大板，皮开肉裂，气息奄奄。假如太后得逞，废了孝文帝，恐怕不会出现与大同云岗、敦煌莫高窟齐名的龙门石窟了。

然而开凿龙门石窟，也不是皇帝一声令下便能成事的。这么大的一项工程，必须具备各种条件，才能凭经年累月的努力，以至于成。当时北魏以平城（今天山西大同）为都，城西30里武州山北崖，于公元460年前后，已经开凿云岗石窟。后因平城位置偏北，不利统管国家政治经济大事，所以孝文帝于公元493年迁都洛阳。

中原地区物阜民丰，北魏道武帝、明元帝均有觊觎之心，曾有过迁都打算。可是当时北魏基础未稳固，与汉族尚有隔阂，迁都时机仍未成熟。但经文明太后施行怀柔政策，孝文帝宣扬“文治”，以征伐为本的平城就不能担当“文教”的任务。当时北魏朝中，并非人人有此眼光，所以孝文帝借南伐为名，领军30万迳下洛阳，留守不动，同时借机凭吊古代镐京残留的宫阙。

公元493年秋天，洛阳秋雨连绵，文武百官也不知道皇帝是否欲行又止，只好枯候。雨势越来越大，到9月丙子，孝文帝突然全副戎装上马，下令三军南行。此时大臣一个个跪在马前，叩头谏止。孝文帝假装发怒，骂群臣妨碍他南伐大计，便催马欲行。有一位叫拓跋休的鲜卑贵族仍然不起，还涕泪交流，孝文帝乘此就说：此次行军不可劳而无功，不南伐便要迁都。

北魏既然迁都，云岗石窟便渐渐人稀，并于公元494年开始，在洛阳城南，濒临伊水与香山夹岸对峙的龙门山峻峭山崖，营造了规模宏大的龙门石窟。以后历经东魏、西魏以及隋唐五代，宋元明清，1000多年间，合共营造了大大小小2100多个窟龛，10多万座造像，3600多块碑碣，近40座各类佛塔，成为世界著名古代佛教石窟艺术的宝库之一。

但龙门石窟的开凿，和其他宗教艺术有些不同的地方。这些石窟主要是为帝王将相树碑立传、歌功颂德的。例如宾阳洞就是宣武帝为父母孝文帝及文昭皇太后做“功德”而营造的，而古阳洞里，则大都为支持孝文帝迁都的王公贵胄，发愿开龛所造。宾阳洞里面的“帝后礼佛图”，现今只留下一个凹坑，是1934年给不肖分子偷凿一空的，此图辗转归美国堪萨斯纳尔逊艺术馆收藏。

龙门石窟的碑石造像，多有纪年，因此可知某些窟龛的开凿年代，假如依次排列，那就好比是1000多年来的石窟艺术编年史。而且，龙门石窟可以作为研究其他并不纪年石窟艺术的依据，真像极了艺术字典。比如龙门石窟中最大的奉先寺卢舍那佛，佛座北侧石碑仍有唐高宗咸亨3年（公元672年）“皇后武氏助脂粉钱两万贯”字眼，一望即知与武则天有关。但特为武则天建造的摩崖三佛龛，就因武则天病逝，中宗复位，而致半途而废。但北魏宦官刘腾的故事，更加奇诡，他在监修宾阳洞时，与领军元义合谋宫廷政变，幽禁代孝明帝摄政的灵太后。刘腾死后，灵太后重执朝政，立刻挖了刘腾的坟墓，连带宾阳南北二洞也停工不凿。

龙门位于伊水入口，好比天然门阙，所以又称“伊阙”，形势险要，风景秀美，古来即有“龙门山色”的盛誉，列为洛阳八大景之首。龙门石窟不但有各宗各派的佛教造像，兼且具大量碑碣石铭，是研究中国书法发展的珍贵资料，而“龙门二十品”、五十品以及褚遂良所书“伊阙佛龛之碑”，更是中国书法艺术的珍品。

但如果文明太后害死了孝文帝，或者孝文帝不是假借南伐之名迁都洛阳，那么这个艺术宝库恐怕就不可能存于世上。

3. 玄奘取经之谜

中国和印度光辉灿烂的古文明虽然在隔绝的环境各自辉煌，经年积雪的喜马拉雅山脉横亘中印两国边境，正是一道巨大的天然屏障，但两国人民并非完全不知道对方的存在。比如藉中亚细亚各游牧民族经陡峭险峻路途来回两国作媒介，中、印国民则利用海路交通，两国就有了物资交流的商业联系。但中古时代中印两国最密切的文化联系，并非通过贸易而是通过宗教——佛教——达致的。佛教比基督教创立更早，是根据印度圣人释迦牟尼所传教义发展出来的，释迦牟尼的弟子都尊他为佛陀。

佛教教义约于基督出生时传入中国。早在公元二世纪，佛教就受到中国宫廷垂青；印度僧人于是开始一个接一个到中国弘法，而中国佛门弟子也不远千里、长途跋涉到印度去朝拜求经。其后，在络绎于途、不辞劳苦到佛教发源地求法、并于归国后更增慕道之志者当中，有一人道行远远高出侪辈，不但当时受人敬重，尊为大法师，就是后代学者也目之为了不起的探险家和地理学家。这个人中叫玄奘，通称三藏法师，其人坚韧卓绝、才华出众，而且经历绝非常人可比。有关他的故事多姿多采，传说纷纭，到底哪一样是史实，哪一样是虚构，真真假假，常常难以分辨。

玄奘生于公元602年，受传统儒家思想教化，儒家教育思想及学说比较关心现实世界，较少注重宗教问题。玄奘未满20岁就皈依佛教，出家做和尚，而且很快即以学识渊博、志行高洁和孜孜不倦而知名于时。玄奘越来越觉得当时汉文佛经实在太少，供不应求，同时既有的佛经矛盾重重，多无定论。所以，为了解这些“纷纭争论凡数百年”的问题，他决心西游出访印度，逐一到各佛门圣地求法。玄奘此行的经历，后来在他所撰的《大唐西域记》中，有详尽记载。因当时各师所说不一，经典也不尽相同，所以西行求法，以释所惑。但玄奘陈表朝廷，奏请去西方“遵求遗法”，未被允纳。

“唐僧”西天取经的故事妇孺皆知，但这其中又隐藏着多少秘密呢？

唐太宗贞观元年（公元627年）玄奘约25岁，是年长安饥荒，朝廷准百姓自行求生，玄奘于是只身徒步出发，离开长安西行，路途极艰苦，就是配备齐全的取经队伍，也常常走不到目的地。

世界上恐怕再难找到一条路线比玄奘所行的更加艰苦危险。玄奘是一个身高貌俊的文弱书生，有雅好，喜爱优游生活，尤其爱穿颜色鲜艳的衣服。当时的人说他双眼炯炯有神，说起话来声音洪亮，人人爱听。这位文质彬彬的学者意志坚强，离乡背井，勇往直前。他西行迢迢 8000 余公里，经华北，出敦煌，过戈壁沙漠，越天山山脉连绵冰峰，至撒马尔罕（今中亚细亚南部），然后南行至喀布尔（今阿富汗），再下印度次大陆西北部。他辗转奔波，尚有几百公里路才到达西行求经的目的地：摩揭陀国王舍城以东、当时印度的佛教中心那烂陀寺。那烂陀的意思是“施无厌”。

其后 19 年，这位“三藏法师”玄奘所历种种冒险事迹，不但多彩多姿，还惊险刺激，实在无须凭空臆造，加油添醋，就是一篇篇骇人听闻的历险故事。据称当玄奘徒步穿越戈壁沙漠（那片几乎广阔无边、横布中亚细亚，有妖魔鬼怪作祟的流沙）时，险些给极度骇人的妖魔鬼怪形相吓死；而且曾经一连 4 天 5 夜无水解渴，几乎渴死了。有一次碰上雪崩，差一点就丧失了性命。总之，玄奘或冒着灼人的酷热，或顶着冰霜雪雨，勉力而行；不时更有盗贼来掠劫，有一次还几乎被恒河上的强盗杀死。在好一大段日子里，特别是开始西行时，玄奘是孑然一身的，但是他性格坚韧，取经途中，先后有不少人与他偕行。

尽管玄奘虔诚事佛，时时刻刻莫不在钻研佛法，却同时是一个凡事喜欢寻根究底、兴致勃勃的施行家。玄奘每到一地，总不忘观察当地的民情风俗，景物特色，但也毫无忌讳，所见所闻若不合情理，便直言无隐。譬如印度有些苦行僧，因不讲究卫生，即令他望之生畏。玄奘面对几个邋邋遢遢、自称圣人的僧人：一个满身涂上灰垢；一个全身赤裸，处处伤疤创口；一个佩着一串髑髅；一个身上黏满牛马粪便。玄奘这位凡事认真的高僧，便义正辞严地一一指斥他们一个个像“睡在火炉里的猫，一棵枯萎的树，坟地里的吸血鬼，猪圈晨的猪”。

后来玄奘在佛教圣地那烂陀寺经过长久修行，于贞观19年（公元645年），即离国19年后，重新返回京城长安。玄奘带回了印度佛教徒所送赠、需20匹马驮运的梵文佛经和佛教圣物。印度的佛教徒对玄奘恋恋不舍，不愿他就此离去。玄奘凯旋久违的故国，因为他学佛国外，悟道弘法，早已声誉极隆，消息传回中土，连皇帝都希望听玄奘亲自讲述取经的种种见闻和经历。事实上，皇帝听了许多，也深深感动，要留玄奘在朝中作宫。但是玄奘无意于仕途，只愿利用余年，写下一生经历，并将带回来的珍贵梵文佛经译成汉文。

玄奘于公元664年逝世，肉身虽灭，有关他的故事，却方兴未艾。事实上玄奘死后，有关他的种种传言才使他在史册上，享有卓尔不群的地位。学者高僧，如他那样死后成为民间传说中英雄人物的能有几位？玄奘可以跟西方的亚历山大大帝、查理曼大帝和亚瑟王等武功盖世的人相提并论，绝非过誉。玄奘死后，不知道有多少通俗小说、民间寓言，都以他的生平事迹为题材。到十六世纪，吴承恩将这些洋洋大观的事迹收集穿插，编写为一部情节离奇、想像丰富、场面壮观、诡异生动的史诗体小说《西游记》。这部小说，是中国四大奇书之一，书中对人性的缺点，有入木三分的讽刺，同时将精神的探索，真诚专一的观念，一炉共冶，构成新颖奇趣、别具风格的东方“天路历程”。《西游记》是一曲千古传诵的赞歌，对一心一意追求真义、影响深远的玄奘法师备极推崇。

玄奘虽然一表堂堂，风度翩翩，但在印度各处旅行，并非一帆风顺，无往不利。有一次，他结伴沿恒河而下，中途就被一群强盗所掳。

这批强盗崇奉印度教的女神难近母，每次找到容貌出众的年轻男人，即用于向女神献祭。玄奘显然正合这女神所求，因此尽管旅伴苦苦哀求，那帮强盗也不放过这和尚。强盗把玄奘拖到河畔，置于凹凸不平的祭坛上，以剑尖逼使他跪下。玄奘定心静性，不为所惑。

此时狂风骤起，飞沙走石，浪涛滚滚，打翻系于岸边的几条强盗船。强盗以为是不祥之兆，惊惧不已，因而问同行众人：“这人是何方神圣？”玄奘的同伴据实以告，说玄奘是从中国来求法的得道高僧，还说假如杀了玄奘，定遭天诛。风暴骤起正表示诸神显灵，上天震怒。强盗吓得面无人色，立刻把玄奘放了，并且再三认错，声言从此洗心革面，改邪归正，重新做人。

4. 北欧海盗之谜

从1000多座教堂、大寺院和修道院，有这样祈求的喊声传出：“主啊，求您息怒，拯救我们脱离海盗的杀掠吧！”公元八世纪末期，北欧海盗（维京人）在欧洲横行，从德国汉堡到法国波尔多的弧形地带，到处杀人掠夺。这些北欧蛮人驾浅浅的长舟，翘着赤龙为记的船头，溯河流、港湾疾驶而上，绕岬角扬帆快航，深入欧洲内陆奸淫掳掠，杀人放火。公元793年，英国东北海岸外圣岛上的林迪斯法恩修道院遭洗劫，僧侣惨死。两年后，北欧海盗在都柏林附近爱尔兰海岸出没，公元799年则蹂躏法国海岸。法国北部里昂附近圣伯丁大寺院志记载841年“丹麦海盗四处抢掠、放火、屠杀”；一个法国僧人记叙885年丹麦人围攻巴黎的史实，称北欧海盗为“漫山遍野骑马及徒步奔来的猛兽……残杀婴儿、孩童、青年、老汉……杀人放火，无恶不作……”换一句话说，北欧海盗凶残成性，使人退避三舍！

有一点却不能忽略，就是以上种种记述全出于受害者，也正是统统出自教会人士之手，在当时的欧洲，亦唯有教会人士才懂得读书写字。当然，谈到教会财物被劫掠，就任何痛毁极诋的辞句都可以用出来。那么，要探究历史的真面目，难道我们不应该查看一下北欧海盗遗留的记载吗？可惜今天并无发现此种记载，因为北欧海盗都是文盲。于是我们得靠考古所得资料或由第三者，主要是阿拉伯人的记载，寻求较公正的记述。这么一来，事情就看似不那么一面倒了。

一点不错，北欧海盗的确到处抢劫和破坏，特别是抢劫、破坏教堂和寺院，因为基督徒不恋财物，教堂里满是金银礼拜用品、圣物，除了僧侣再没有别人看守。这些唾手可得的丰富财物、不设防的市镇村庄，怎不成为掠取目标？然而维京人并非只是到处留下残垣败瓦，不旋踵又去别处抢掠的。他们虽到处破坏，也进行建设，只是北欧劫掠者强取豪夺，整个欧洲人人自危，北欧海盗的形象，也就从此深入人心，牢不可破而已。因此，维京人善于经商却不大为人所知，他们的货船穿梭来往于格陵兰至里海各欧洲航道，并以新赚来的、劫掠所得的财富购买船只，与远方国家进行贸易，或者举家离开土地贫瘠的斯堪底纳维亚，移居更为丰饶的土地。

举一个名叫罗里克的丹麦人为例：他多次劫掠莱茵河口的多雷斯塔德后，更在那里落户，后来成为富裕的生意人。也有别的丹麦人更富冒险精神，去得更远，建立了日后的大城市、商埠，例如爱尔兰的都柏林和俄国的基辅等城市都是他们所建。虽然维京人初来时通常为了抢劫，但是往往留下来做买卖，因为同一条河流，同一条航道，既然可利用于进内陆去抢劫，亦能利用来做生意。罗马帝国时代，斯堪底纳维亚半岛的贸易已相当兴旺发达。他们用兽皮、牛只、牛奶制品和波罗的海琥珀换取南方的奢侈品。其后几个世纪的商业活动并没有太多历史记载，但隆重的海葬礼仪和埋藏已千年的宝物都可作证据，证明欧洲大部分地区动乱不安时斯堪底纳维亚人一直在从事贸易、聚积财富，置身于历史大事之外。

到了十世纪，维京人大致不用再抢劫，而成为开拓殖民地的人。例如在911年，他们获授法国一大片土地，后来此地称为诺曼第，移居诺曼第的维京人迅速受同化，不仅采用邻近地区的语言，同时改承法国人的宗教。诺曼第大公后来更成为欧洲势力最大的统治者之一，大公的基督大军曾于1066年征服整个英国，几年后又征服整个意大利南部和西西里岛。至于仍在北方的挪威人也比过去的航海者航行得更远，那些早期航海者因为不敢航入深海大洋，唯有沿海岸往来。但维京人既无罗盘，也无航海地图，竟敢乘长16至23米的单桅船，航遍没有人到过的茫茫大海，勇气实在不小。

在过去无人居住的冰岛，他们建立了由农民与渔民组成的共和国，其议会组织极为独特，容许所有公民在议会投票和发言。这个古希腊时代以后世界上首创的共和国，至今仍然存在，正足以证明维京人不仅破坏，也在建设。离冰岛再往西航，隐约中又有一个更大、气候更冷的岛。这个岛由一个名叫“红脸埃里克”的挪威人在公元982年发现，当时他满怀乐观，把这个地方叫做格陵兰，意思是绿洲。过了几年，埃里克的儿子里夫航行到一处叫葡萄国度的地方，那大概是新西兰；他也想在那里殖民，但是并不成功。如果当年他成功了，首先发现美洲大陆的就不会是意大利人而是一个维京人了。

瑞典东部菲特亚附近有一座坟墓，埋葬了一个生意人（或是海盗，也许跟许多维京人一样兼有双重身分）。考古学家发掘这座坟墓，发现了维京人贸易往来源远流长的明确证据：出土古物有很多银器，分别来自西班牙南部柯多瓦、埃及和叙利亚、巴格达，甚至遥远的东方城市如中亚细亚塔什干。

九世纪和十世纪的时候，北欧海盗维京人凭娴熟的航海技术，纵横内陆水道和海洋，寻求贸易渠道，以土产交换阿拉伯银器和中国丝绸等奢侈品。他们也到处殖民；不少僻远的殖民区要依赖定期的物资供应来维持，所以维京人建造了一种叫“诺尔”的坚固补给货船，此外又建造一种较小巧轻盈的内陆水路货船。

公元十一世纪，维京人在丹麦的洛斯基德峡湾蓄意弄沉与艘“诺尔”，造成一道屏障，防御敌人自海上袭击洛斯基德。从这五艘船的残骸，我们可知道“诺尔”的构造。“诺尔”主要用作载货，航速不高。跟快速的狭长战船相比，“诺尔”的船身较深较阔，两者同样以特殊的方法建造：纵深而微弯的龙骨连结首尾两端，成为对称的艏柱和艉柱。船身用木板重叠搭成，每块下侧覆盖下面一块的上侧。船身的肋骨并不连接龙骨，而是紧贴木板，此种结构富有弹力，船只航行时不怕波浪撞击。巩固船身的横梁可支撑甲板铺板，或者作为桨手座，所以“诺尔”虽轻盈而吃水不深，也特别坚固和有弹力。“诺尔”利用风力航行，辅以船桨。船舵像块木桨，用绳穿过船板缚在船尾右舷，再以一根木杆控制选定航向。艏艉部分的龙骨还偶尔特别延长，便于掌舵和避免船只漂移。

虽然“诺尔”用于远洋航行，但基本上是一种敞舱船。整艘船只首尾有甲板铺板，因此货物、船夫、乘客及航程所需的粮食等，都暴露在风雨中。只要有人控制船帆、掌舵、了望和舀出积水便可出海。

维京人往往航行得很远，显出他们是熟练的航海家。虽然没有指南针或准确的计时器辅助，没有经度概念，他们仍可以几天不见陆地而保持航向。他们藉太阳和星宿观察纬度，依着航向驶往目的地。

这种坚固的商船雄霸海上300年，到后来才更庞大的“科格”货船取代。不过，敢于冒险的北欧海盗到过很多国家，把造船技术广为传播，甚至到今天，挪威部分地方仍保存这些传统技术。伊本·法尔丹奉委为阿拉伯大使，在公元922年代表巴格达哈里发统治区出使“东方维京人”殖民地。他跟维京人一起生活，据观察所得写成第一手报道：“我从来没有见过体格更好的人；他们高得像椰树，肤色红润。”这些记录出自较客观公正的第三者，所以弥足珍贵。伊本·法尔丹发现，维京人身体强壮，但是肮脏极了。

“他们是神的最肮脏儿女。吃饭后、大小便后从不洗手，就像是迷途的驴子……10个或20个人可能同住在一所房子里，每个男人有自己的卧榻供坐卧；可以在同伴面前，在榻上跟带在身边准备出售的美丽女奴为所欲为，有时候也会演变为集体纵欲狂欢。一天之内他们用同一盆水洗脸洗手……女奴端一大盆水给主人应用，又用这盆水洗头发，利用水中倒影梳理头发，然后往水里擤鼻涕吐唾沫。女奴把同一盆水端给坐在他旁边的另一人，如此一个一个依据盥洗，全屋的人就是轮流用这一盆水！”

这些俄罗斯的维京人都非常粗野，但是也有细腻的一面，以酋长的火葬礼为例：把尸体放在用缎子覆盖的船里，由一个叫做死亡天使的老妇主持祭礼。一个自愿陪葬的女奴进入特设的帐篷，被主持祭礼的老妇刺死，男人在帐篷外敲打盾牌以盖过女奴的喊叫。最后放火烧船，女奴和酋长片刻之间就进天堂了。

在伊本·法尔丹之后的几十年间，阿拉伯地理学家伊本·罗斯特笔下，对维京人也有较正面的描写：“他们穿得非常考究，既好客，对陌生人也殷勤。可是有人挑战他们其中一分子，就会团结一致对抗敌人，不胜不休。”伊本·罗斯特也批评维京人：“他们彼此相处时毫无安全感，且常常猜忌，必要时就是兄弟朋友，也不惜杀戮劫掠。”这两位阿拉伯人都说这些北欧人性喜争吵，还说他们常向附近斯拉夫人村庄勒索财物。

这样说来维京人并不讨人喜欢。精力旺盛、进取心强、好勇

1000多年前全副武装的维京武士。

斗狠无疑是他们的特点，但跟他们一起生活毫无情趣可言。

5. 天方夜谭之谜

从前有位国王（极多受欢迎的故事也是这样开头的），对婚姻生活感到悲观失望，因为生怕妻子不忠，所以决定每晚娶一个新妻子，到第二天早上把她杀掉，以免她红杏出墙。莎拉赛达有天晚上不幸被选中，她为了拯救自己的性命，当晚就给国王说故事，一直说到第二天早上还没有完。国王由于想听到她故事的结局，次晨没有杀她。第二天晚上她虽然说完第一个故事，但第二个故事到天亮时才说了一半，于是国王再次让她活下去。

如是者一夜复一夜，总共说了一千零一夜。这些据说是由莎拉赛达说的故事既包括神仙故事，也有爱情故事，从此便一代传一代，反复传述了不知多少百万次；听故事的人听到这些故事中的奇异情节，都觉得津津有味。这些故事后来称为《天方夜谭》，亦称《一千零一夜》，是世界上最著名的阿拉伯文学作品。

不过，《天方夜谭》中的故事并非纯属虚构，或出于丰富的想像力。这些故事都有一个真实的地方为依据，那个地方又确实曾出现故事中那些人物。事实往往要比小说更出人意表：《天方夜谭》的故事背景，其实是中古时代的巴格达社会。

巴格达是762年由阿拔斯王朝建立的城市，是一个从埃及伸展至印度的王国首都。当时的统治者哈伦·阿拉悉是阿拔斯王朝第五任君主，亦是当时最有权势的人。哈伦在位时（786至809年）的光辉事迹和浪漫行径，就是《天方夜谭》中许多故事的主题。哈伦是音乐与诗的行家，对文学艺术活动常常慷慨资助。《天方夜谭》中有关他的故事，多把他描写成一位公正、贤明和宽大的理想君主，并说他常常带几名亲信微服出巡，晚上在巴格达城四处漫步，为被压迫的人主持公道，惩罚恶徒骗子。诚然，有些较为刻薄的故事把这位君主说成一名酒徒，但由于《可兰经》明确规定不准饮酒，这种说法很可能是诽谤，而不像是一位虔诚回教领袖所为。

哈伦统治下的巴格达就是《天方夜谭》中许多故事的背景。巴格达是一个富庶城市，积聚了与东方贸易赚来的大量财富。据说巴格达太富庶了，城中不大能找到穷人，就如在无神论者的家里找不到《可兰经》一样。巴格达的上层人物，尤其是他们的妻妾，都过着穷奢极侈的生活，竞相铺张浪费，建造华美房舍，以及花大钱找乐。国王在宏伟的“金宫殿”里，支配着非常讲究、丰盛富足的宫廷生活：神学家、学者和哲学家尽献精神食粮，弹唱者、说笑者和歌女则供声色之娱。

当时奴隶买卖在巴格达极为兴盛，具有资质的年轻女奴先要经过文化教养、体能训练，才送到高价奴隶的市场上拍卖。歌唱一向受人重视，因为宫中妃嫔如果能凭清吟妙唱赢得国王欢心，可望一朝得宠，享尽荣华。哈伦之母喀苏兰甚得全国臣民敬畏，也是女奴出身，在789年逝世前一直掌理国事。哈伦最宠爱的妃嫔素贝达原是阿拉伯公主，也是性格坚强的人，常以高贵气派和优美仪态炫耀宫廷，食物如不是用镶满钻宝石的金银器皿盛装，就不动食指。

但哈伦治下的巴格达人并非整天享乐，哈伦亦非老是因娱乐和享受而挥金如土。哈伦虽然颇有才能，受人爱戴，但反复无常，有时更暴戾恣睢、器小量浅，睚眦必报。

哈伦这个性格上的缺点，从他亲手倾覆著名的巴玛基家族一事可见一斑。巴玛基家族虽信奉回教，却是波斯裔而非阿拉伯裔。这家族三代以来一直是阿拔斯王朝的忠臣和谏官，协助管理这个回王国的朝政，家族财富亦供给哈伦的宫廷挥霍。

可是，阿拉伯人和波斯人始终像油和水一样不相融，803年哈伦突然废了他一向信任的臣仆，命人杀害长久于私人宴会和宫廷庆典随侍的查法·巴玛基。查法暴尸于巴格达某一桥上示众，其家人则全部投狱，家产悉数抄没。当时传说哈伦勃然大怒，起因是查法与哈伦亲妹艾巴莎生出恋情，甚至说哈伦盛怒之下将艾巴莎活埋。至于究竟是什么事情引起这次报复，我们永远无法知道，不过很可能是哈伦本人对巴玛基家族左右国事而怀恨在心，以及他治下的波斯臣民，容忍犹太教徒与基督教徒，而与正统阿拉伯臣民之间夙怨难消。那时宫中支持波斯人最坚定的太后喀苏兰已经逝世，波斯人失去了极具权势的靠山，而国王最宠爱的妃嫔，那目中无人的素贝达，则据说向来鄙视波斯人。不管哈伦宫廷中真实情况如何，总之显然是妒恨与阴谋的温床。

巴玛基家族失宠之后，哈伦立刻遇上麻烦。面临内乱和种族冲突的威胁，哈伦企图将王国一分为二，分给两个儿子管治，藉以平息纠纷。哈伦一子是纯阿拉伯血统，另一子则为波斯女奴所生。但这种分而治之方法只将分裂加剧，而哈伦虽有一些才能，却不是一位能干的治国人才。由于已无巴玛基家族协助处理国事，哈伦的王国不久便分崩离析。公元809年哈伦驾崩，酝酿已久的内战随即爆发，阿拔斯王朝统治者的权势日趋衰弱。

不过，在现代保存下来的古代艺术建筑之中，仍可看到哈伦统治时期的光辉。因此难怪那些受过他礼遇的人（在宫中逢场助兴的诗人和说故事者），藉《天方夜谭》的故事以报知遇之恩，使哈伦和巴格达城的名字永垂不朽。

6. 食人岛之谜

索具在风中劈啦作响，风帆张满，稍倾斜的船身随着起伏的波浪航向大海。这不是一艘普通船，而是十足仿照八世纪阿拉伯帆船构造、用大象从印度马拉巴海岸森林拖来 140 吨坚硬木材建造的仿古船。船长 28 米，船上高 18 米的主桅和 22 米的主帆桁，都以手工用整棵树干雕制而成。同时，由于中古时代阿拉伯人造船不用铁材（当时铁极昂贵罕有，铁钉又容易使木材破裂），这艘二十世纪仿造的船只，建造时也不用一枚铁钉，船板和肋材上的 20000 个孔眼都是手工钻出，再用总长约 650 公里的椰子纤维绳索将它们缀合而成。

《天方夜谭》故事中所载的传奇商人辛巴达，就是乘坐这样的一般船进行了七次航行，从巴格达和巴斯拉港（伊拉克境内）出发探险和追求财富。辛巴达也正是坐着这样的一艘船航行到巨鹏谷（巨鹏据说是可以把整头大象吞下的巨鸟）、到恐怖的“海上老人”家乡，而且航遍了《天方夜谭》故事书中所描述的很多其他离奇古怪、子虚乌有的地方。

现代这一次航行，所有船员可不是故事中的人物。这艘船在波斯湾海岸建成，命名为“苏哈尔”号（据说苏哈尔是辛巴达出生地），船员都是阿曼酋长国的阿拉伯人。这艘船的启航日期是 1980 年 11 月某天，由一位名叫薛弗林的英国人指挥。他专长于验证古代传说中的种种事物，方法是到现场实地测试以证真假。

这次航行前三年，薛弗林乘坐过一艘用木材和皮革造成的 11 米长小船，从爱尔兰航行到新西兰，从而证明六世纪时一名爱尔兰修士圣布伦丹可以乘坐类似的小船，在哥伦布之前约1000年到达北美洲。这一次，薛弗林认为有关辛巴达的传奇事迹，很可能是根据八世纪至十一世纪时阿拉伯航海者的实际经历而构想出来的，因此，他仿照古法建造了这一艘木船，并打算乘这船前往亚洲远方。他决定沿途以中古时代水手的眼光，观察所经的这一部分世界，看看他们有些什么经历，可让人编写辛巴达神奇之旅时夸张成为惊险刺激的故事。

中古时期的阿拉伯人依靠如此简陋的测量工具，在海洋上驰骋着。

尽管帆船饱受害虫侵损、盐分腐蚀和热带风暴的吹袭，这艘手工建造的“苏哈尔”号，竟然航行了7个月仍然安然无恙，从阿曼到中国广州，航程共9000多公里。薛弗林造船时遵照的古代造船技术，似乎比一些近代或现代造船术还要高明。例如，船身外面是用一种防水的树脂与石灰混合物保护，里面则只用植物油涂擦椰子纤维绳索保养。结果，即使能咬穿最坚实木板、成为后期熟带船只克星的船蛆虫，也没有对“苏哈尔”号的船身造成重大损害。所以，这一次航行的主要目的算是达到了，因为薛弗林在航程中找到辛巴达故事与真实世界之间一些令人兴奋的联系。

例如，辛巴达作第七次航行时，被海盗卖给一个象牙商为奴。后来他被象牙商派去一座森林工作，发现了一处象墓。虽然未经证实的报道曾说有人看见一头象把另一头象的骨骼搬到一处不明的地点，但直至今天，仍无人确实知道一头死去或垂死的象究竟下落如何，因为从来极少有人发现象的尸体。因此，这种重物很可能有一个极特别的集体藏尸之处，我们虽然无法知道象墓的确实地点，但是这一点认识可能就是辛巴达故事的依据。

另一个故事说辛巴达到了一个后人鉴定为斯里兰卡（从前称为锡兰）的遥远地方。他在那里发现一个由毒蛇保护的钻石山谷，但终于能设法逃脱，而且口袋里塞满了无数宝石。虽然今天斯里兰卡不再开采钻石，但这个岛仍然有许多种宝石出产，例如红宝石和蓝宝石。

正如在辛巴达故事中所说的一样，这些宝石，是从山谷地下的冲积土层中开采出来的，而清凉潮湿的矿坑，往往是蛇类躲避热带热浪的上佳藏身之所。同时，据薛弗林发现，今日斯里兰卡的宝石贸易大部分仍然由回教徒控制，他们的回教信仰就是七世纪是由阿拉伯航海者传去的。

在另一次航行中，辛巴达曾在一个叫做“女人岛”的地方娶妻和居留。他丧妻时像陪葬品般遭活埋（当然后来逃脱了），而这刚巧与印度古代一度盛行的寡妇自焚殉夫习俗大异其趣。薛弗林认为，描写这种极不寻常场面的灵感，几乎毫无疑问是来自目睹米尼可岛葬礼习俗的阿拉伯航海者所述经历。米尼可岛是印度西部海岸外拉喀地夫群岛中的一个小岛，古时一度受十分强烈的母权中心文化支配。

辛巴达传奇故事最著名的“海上老人”和“食人岛”两个故事，很可能源于中古时代航海者在苏门答腊的经历。苏门答腊位于马来半岛西岸外，是一个像根粗大狼雅棒那样的大岛。

在“海上老人”的故事中，辛巴达沉船之后遇见一个坐在溪涧旁边、全身毛茸茸用树叶遮体的动物。辛巴达以为那个动物是个老头子，便把它背在肩上，帮他渡过溪流。岂料到达另一边，那个从不说话的家伙不肯下来，只做出手势和发出咕噜的声音。它用双腿紧缠辛巴达的脖子，几乎令他昏厥，然后把他当牛马一样驱驶。它一面吃树上的果实，一面夹住他、打他。辛巴达后来发现这个役使他的动物双脚皮肤既粗且黑，它不是老人，而是一头野兽。过了几个星期，辛巴达才想出办法，诱骗那家伙喝下发酵的果子汁，等它喝醉后将它杀死，才能逃走。薛弗林指出，“海上老人”的形象和苏门答腊特产的一种颇有智慧的猩猩极为相似。这种猩猩似身躯萎缩的老人，脚上皮肤粗黑，日常以果实充饥。此外，虽然动物学家认为这种猩猩是胆怯的动物，但居住在荒僻森林村落中的许多苏门答腊人，至今仍然害怕这种动物，认为是非常危险的似人的生物。

另一个“食人岛”故事中辛巴达及其船员流落到一个奇怪的

岛上。薛弗林认为这个岛也是苏门答腊。故事说他们被带到一个村庄，那里的土人似乎对他们非常友善，而且送上丰富的食物款待他们。所有人中，只有辛巴达感到这种慷慨事有跷蹊，因此一点东西也不吃。后来辛巴达看见同伴一个个神志不清，更深信食物中掺了麻醉药物。日复一日，水手越来越胖，整天恹恹欲睡。最后，辛巴达看见族长的盛宴中有人肉时，才发觉这些主人的不良动机，于是设法逃走。但这时想拯救那些被麻醉的水手已来不及了。他最后一次看见属下的船员时，只见他们在田野中手脚爬地，在牧人看管下像牛群一样吃青草。

据薛弗林研究所得，食人习俗在中古时代印度尼西亚群岛并非罕见。在这个直接与苏门答腊岛有关的故事中，最突出的一点就是用药物麻醉受害者。薛弗林报道说，在苏门答腊北部地区，大麻至今仍是烹饪时采用的一种香草。他认为苏门答腊是前往附近一个香料港口的必经途径，而当时阿拉伯人又经常到个港口交换阿拉伯人制药普遍采用的樟脑，所以他们一定会经接触过食人族及食人族使用的麻醉药。这些经历极可能成为构思“食人岛”故事的素材。

7．欧洲修道院之谜

中古时代，整个欧洲的本笃会修道院内，所有的修士仅睡草席，盖粗毛毯，凌晨二时便给铜声敲破好梦。醒来后不多久，他们就匆匆走过冰冷的石砌走廊，赶到设于每所修道院中心位置的大教堂，参加每日六次崇拜的第一次。大教堂的祭坛满布华瓦的金银装饰，千百根蜡烛燃点起来，映照得祭坛光亮耀眼。修士的生活方式永远不变，每天硬性规定做4小时宗教礼拜，4小时默想灵修，6小时在农田或工场干活。在祈祷时间和工作时间中，每每要抽出小段时间供默想用。到了晚上6时半，修士通常上床休息。夏天每日只吃一顿饭，并没有肉头佐膳，到了冬天，他们每天可以吃两顿饭，以抵御严寒。

以上是“圣本笃教徒”规定的修道院生活方式。本笃是努西亚人，创立了本笃会修道院，死后被封为圣者。“圣本笃教徒”便是他在六世纪时订立的。圣本笃为修士制订一种贫苦、贞节和服从的生活方式，修道院由院长管治，这位院长的说话，院内每个人都得服从。公元814到840年，世人称为虔诚者的路易一世统治查理曼帝国期内，鼓励修士遵从“圣本笃教徒”。到了1000年，差不多所有的西欧的修道院都采用了本笃会修道院的日课规定，就如许多修道院仿照公元820年为瑞士圣加伦修道院绘画的“蓝图”而建筑一样。本笃在意大利南部蒙特卡西诺修道院出任院长时，订出“圣本笃教徒”。蒙特卡西诺修道院在公元529年创建，到今天仍然是世界有名的大修道院。本笃是该修道院的第一任院长，确立了早期修道院教徒所提倡的自给自足模式。修道院生活所需，完全依靠本身的农田和工场。几百年来，西方基督教国家的修道院一直奉行不渝，不少新修道院亦相继仿效。

在每间早期的本笃会修道院里，修士都过着集体的生活。日课中的主要部分，就是圣本笃所称的“上帝作工”——长时间和越来越繁复的赞颂和祷告仪式，其他一切都属次要。教徒中规定的体力劳动，不仅为修士提供食物、衣服和其他物质需要，而且免让他们变得闲散疏懒，并借以充实心灵。其后主要因为虔诚的富人捐献，修道院逐渐富裕起来，修士毋须再住公共宿舍，可以拥有个人的睡房，也开始雇请佣工种田，不少修士有充足时间执行其他职务，包括研究学问。所以，本笃会修道院修士后来以学问渊博著称，具备真才实学、博古通今的修士辈出，不可胜数。

修士在修道院围墙内的园地种植药草，以作医疗用途。从一个没有人确知的时间开始，他们想到用白兰地酒把一些药草浸渍，由此发明一种叫本笃的酒。乍听之下，修士简朴的生活，和象征奢华的酒类似乎格格不入，但本笃会修士一向可以喝酒。他们的食物简单，主要是面包、鸡蛋、奶酪、鱼等，正好和酒类配合。早期的修士戒荤，但由于创办人没有指明不可食用飞禽的肉，后来一些修道院把家禽和野鸟也列入菜谱之内。不过，修士用膳时必须寂静无声。所以“圣本笃教条”虽然在多方面规定严格，却能在苦行节制和放纵沉迷之间取得平衡。

本笃对人性显然有相当深刻的认识。虽然修士要绝早起床，但本笃叫他们“互相温言勉励，因为贪睡的人借口最多。”夏天他又准许修士午睡。此外，清晨的第一首赞美诗必然慢慢唱出，以便迟来的修士能赶上。修道院要求清静，但那是指“清心虚静”，并非完全沉默无语。事实上，修道院特设一个房间，冬天还生火驱寒，供修士在里面交谈。另一项同样考虑周到的措施，就是为修士配给简朴洁净的衣服，包括一套替换的长袍和内衣。那时埃及和叙利亚的修道会强调极端的苦行修炼，但本笃并没有仿效之意。不过洗澡被视为非常奢侈的享受，除非染上疾病，否则不得洗澡。

在那些作息极有规律的日子里，本笃会修士无论在生活和工作方面，必须绝对服从院长的命令。院长由修士选举出来，一旦出任院长便终生管治修士的一举一动。院长也决定修道院的风气：譬如是以庄严肃穆、精于烹调，或学术研究而闻名。欧洲有一段长时期饱受侵略和内战的蹂躏，不过基督徒不敢攻打修道院，因此藏书室托庇于高大坚固的围墙，得以完整保存了古代社会许多文艺遗产。

事实上，修道院既可供给生活所需，又可保障性命，这显然是吸引修士的一个主要因素。几百年来，本笃会及其他修道会的修士，一直无须惊怕饥饿、战争和遣散，经年平静地生活。他们也欣然相信，到了最后的日子，必然比那些没有修道、俗世的农民或武士较容易获得上帝的救赎。

自从旧约圣经描述的先知时代以来，各宗派的男女圣徒都渴望走到荒野，独自或与其他信念相同的人一起退隐苦修。一批信徒在耶稣被钉十字架后约300年，退隐到埃及的沙漠，成为首个这一类的基督教教团。被誉为沙漠之父的埃及圣安东尼以摒弃世俗享乐为宗旨，在红海岸边山头建立一所修道院，开风气之先。几年后，塔比纳修道院在埃及内陆落成，奉行的生活方式后来成为中东修道会的楷模。

塔比纳修道院有修士1300人，加入修道会前必须先任侍奉工作3年。3名修士共住一间密室，睡觉时也不准躺卧。他们的饮食十分俭约，进餐时更要蒙上脸巾，不得交谈或四处张望。祷告之余，修士分别担当铁匠、面包师、木匠等职责，有些则负责抄写（后来成为重要专责）。此外，一些修士负责撰写训诫和宗教论文，其中部分文献对奠立早期基督教的基本教义有重大建树。

六世纪初期，圣本笃在蒙特卡西诺创办欧洲最大修道院。这时修士团和独行隐士散布埃及各地。传说隐士与野兽友善，而圣者更能与狮子、豹甚至鳄和睦共处。不过，埃及修道院的不朽形象，是凭禁止私欲和优秀著述而树立，于是触发欧洲基督徒创办修道院的念头。查理曼王朝时代在西欧各地建成的本笃会大修道院，到今天已经荡然无存。不过瑞士康士登湖附近的圣加伦修道院藏书室内，保存一份精细的设计图，让我们得知本笃会修道院原貌和修士的生活情况。这份总平面图所示的修道院没有建成，却显示了一间理想修道院的样子及其中应有的设施。

"圣本笃教条"规定修士要过一种自给自足的生活，注重默想和崇拜。修道院的蓝图就依这个意念而设计，载入每项细节，为每幢建筑物派定用场，并绘出各建筑物的布局和陈设。修道院设置的教堂，供修士和当地教区的居民使用，但普通居民只可以使用教堂的西部。教堂东西两端各有一个竖立柱廊的半圆形范围，名为"天堂"，供默想和祈祷用。东部的"天堂"为修士专用，他们每天在内崇拜六次。教堂南面是主要的回廊，周围是修士宿舍。其他各处包括院长居所、供访客和佣人留宿的地方及一所学校等。教堂东面有两个小型的修道院，分别供见习修士和患病修士居住，医生居所就在毗邻。果园和工场出产可以提供修士的物质需要，一切有佣工和工匠代劳，所以修道院能够自给自足。

8. 敦煌石窟之谜

敦煌位于浩瀚的戈壁沙漠边缘、中国西部荒凉的不毛之地，严寒，气温经常降到冰点以下，更有狂风怒号，黄沙吹积成一座座庞大沙丘。但数百年来，敦煌名扬中外，令人神往，因为那儿曾是遐迩闻名的丝绸之路重要起点。载运中国丝绸及奇货穿越沙漠的商队，都是从这里开始迢迢西行。虽然这条贸易古道早已废置不用，成群访客依然跑来，因为敦煌城东南鸣沙山东麓断崖上，可以看到全中国最神奇壮丽的景色之一：千佛洞的一大片蜂窝样石窟庙宇。

石窟洞壁布满千百幅神态生动、内容丰富的壁画，刻画出中国古代社会生活和思想的绚丽多彩。除这些经变、佛传、佛本生故事的壁画，洞窟里还有上千尊彩塑佛像，千佛洞的旧称即由此而来。此外，还有据说藏书达 30 万卷的藏经阁，收藏十一世纪或更早有关农事、医药、法律、佛学、天文、历史、文学和地理的经籍，更有一批精美丝绢及彩绘图卷。但经籍和艺术藏品大都遭劫夺而散失不全。经籍和艺术藏品当然不会不翼而飞，所以称“文物盗窃案”的故事有必要一谈。

十九世纪末，敦煌石窟早已一片荒芜，没有佛教徒前去朝拜。日积月累的流沙，也将洞口堵塞。当时一个名叫王圆箓的道士，看到这一片破落凋零景象，颇为吃惊，就雇了一些工人，决心修缮寺院，重现佛门圣地往昔的壮观。工人清理其中一窟时，弄开了画壁上一道裂缝，发现一间密室，从地到顶堆满古籍以及其他物件。因为王道士并非饱学之士，所以选了一些样本呈给地方官。地方官看到样本，令王道士将密室重新封堵，听候处置，于是王道士便成了敦煌宝藏的唯一保管人。

敦煌发现宝物的消息不胫而走，传到考古学家史坦因耳中。史坦因生于奥地利，后来入了英国籍，在印度替英国政府做事，对于中国文化并没有什么认识。然而他有冒险家追寻“宝藏”的本能，一听到这个消息便匆忙赶到中国去，带着一个姓蒋的助手直奔敦煌，想办法结识王道士。但是当时王道士好像对史坦因不大友善。

图中的牵狗者，就是盗走敦煌宝物的英国籍人史坦因。

1907 年五月，史坦因在一篇文章里谈到他们初次见面的情况，有这样的描述：“这个人看起来高深莫测，显得顾虑殊多，偶尔更神态闪烁，露出奸狡之色，一点都不容易相处。”史坦因这位渴望寻宝的考古学家看到这种情形，即刻明白如果不要些手段赢取王道士的信任，恐怕连一睹宝物的机会都没有，更不用说打什么据为己有的主意了。

因此史坦因小心翼翼在王道士身上做工夫，告诉王道士说只想拍摄些壁画的照片。过了些时候，才提到那间藏满古籍的密室。史坦因问王道士能不能拿出几个样本监赏一下？一看到王道士惴惴不安，史坦因随即撇开话题，不再提这件事。

过后史坦因旧话重提，说尽甜言蜜语，用尽了阿谀奉承手段，并说可以捐助王道士修缮寺院所需费用，以博取欢心，因为王道士的生平之愿是修缮寺院。于是王道士终于逐渐上了史坦因的当，首先拿出一些手抄本给史坦因阅览，最后又在其言引诱下，允许史坦因和助手进入密室。

史坦因和助手看见所藏古籍卷帙浩繁，惊喜不已，信手抽阅几本，更教他们叹为观止，因为这些古老卷帙毫无残缺迹象，完整如新，既不见碎裂，连一页也没有松脱。密室在沙漠边缘的断崖下，密封了900多年，水雪不侵，里面极为干燥，正是最好的藏书地方。这些卷帙堆中更有精美绝伦的绢帛，以及绘上各种佛像的华丽横幅，颜色鲜艳，就像刚刚画上去的一样。

史坦因心中暗喜，表面上却露出不屑一顾的神情，使王道士以为他保管的这些希世奇珍毫无价值，只不过是一堆废物。史坦因诡诈得逞，王道士即不再防备，任由那英国人自由进出密室，为所欲为。到时机成熟，史坦因立即筹划第二步行动。他告诉王道士说有几捆藏品要暂时拿出来作学术研究，而这样做绝非渎圣，因为抄本、画卷让诚心向道的人监赏等同宣扬佛法，功德无量。史坦因当然不敢要求购买千佛洞所藏宗教典籍，只是不断以“捐一点钱”资助重修寺院的方式，讨得王道士的欢心。自此王道士逐渐不能信守看管密室的许诺，并且不知不觉间引致名誉扫地。

史坦因暗中行动，利用中国助手屡次乘夜窃取大捆的珍贵文物背到营房。最后，这个以“寻宝”有功而被英国皇家封为爵士的家伙，共弄到24箱希世之珍，内容计3000多卷经籍，另外5箱装得满满的绢帛，以及200多幅绘画。这一大批无价之宝，史坦因只花了约值今日50美元（当年约五百庐比）的银两，就借“随缘乐助”的美名从那个憨实的道士处“买”到了！

史坦因巧取豪夺所得珍贵敦煌文物，至今仍然存放在伦敦大英博物馆。这些赃物中以绘画作品最为珍贵，因为多属唐代（公元618至907年）的罕见精品。有些绘画画幅奇大，当时必然是庆典节日挂在壁上的。史坦因被称为“强盗”、“窃贼”，并不冤枉，因为他以诈骗手法、下流行径，掠夺了中国的珍贵文物。

史坦因首次获准入敦煌千佛洞密室，初睹其中所藏丰盛文物，简直目瞪口呆。他看见那小小密室里的物品，虽然不是井井有条，却是前所未见的经文卷帙。王道士提着暗淡的油灯照明下，密麻麻、一包包的手抄本堆在那里，几乎有三米高。后来经过度量，知道这密室容积近14立方米，几乎满是手抄本和画卷，密室内只留下仅能容两人站立的空间。

为什么这些令人叹为观止的艺术和文学瑰宝，要藏在那个秘密的地方呢？经过研究，证实所有手抄本全是宋真宗在位（公元997至1022年）之前的文物。历史记载敦煌于十一世纪初期几次为鞑靼（蒙古）骑兵所攻占，因此看来这些珍贵的文物，是为免遭敌人破坏而藏起来的。蒙古人既然统治了中国数十年，这些宝物自然被人遗忘了。

但遗憾的是，不少珍品又落到了英国强盗之手。

9. 阿拉伯数字之谜

1971年，埃及阿思温大水坝在盛大庆祝仪式中宣告落成。水坝高114米，长3600米，人工湖面积达5180平方公里。水坝建成后，长久以来尼罗河洪水每年为患的问题终于解决，从此滔滔河水可供灌溉之需。当时参加水坝揭幕仪式的人恐怕没有几个知道，早在1000年前便有个“疯癫”科学家想出过如阿思温大水坝一样的工程构想，只是由于那个时代的技术不足以应付所构想的巨大工程，才无法实现而已。这位阿拉伯思想家，就是伊本·阿尔海森姆，西方历史学家则称他为阿尔哈森。阿尔哈森虽然称疯子，可是一点不疯，而是高瞻远瞩的天才、中古时代最伟大的伊斯兰科学家，其创造才华和进取精神足以与克卜勒、达文奇和牛顿等人相提并论。

公元965年阿尔哈森生于伊拉克，30岁时便精通数学、哲学、物理和医学，因此当时对科学极有兴趣的埃及国王阿尔赫金请阿尔哈森到开罗继续进行研究工作。阿尔哈森加入国王资助的科学研究机构不久，提出了一项见解，认为尼罗河应该筑水坝蓄水防洪，而阿思温的河峡是理想的筑坝地点。国王听了非常高兴，立即命令阿尔哈森着手进行，并且派了人批工程师和工人同往。但这位科学家实地视察并与工程师商讨过各项技术问题，即断定凭当时所能运用的工具，这项筑坝蓄水的计划是不切实际的。

不幸的是他在国王心里挑起了极大的希望，而国王的可怕习惯是把引致他失望的人处死。阿尔哈森知道这点，于是鼓起勇气承认失败，同时表示他当时精神错乱，所以不能为此事负责。原来回教法律禁止用残暴方式对待发疯的人，认为这种人是受真神"感染"才有疯癫行为。因此，这位假装疯子的科学家死罪得免、活罪难饶，被投入狱中。他在狱中获准继续进行各种研究，直至1021年国王逝世才获释。

从那时开始，阿尔哈森便抄写、售卖欧几里德、托雷米等希腊学者名著的阿拉伯文版本，以维持生计，而大部分时间仍用于研究工作。后来他写了一篇非常出色的论文，题目叫做《论光学》，其中谈到人的视觉原理，指出人能视物不是因眼睛发射光线到物体上，而是物体向每一个角度发出或反射的光线到眼睛里去。同时，他是历史上第一个能够解释为什么物体距离越远，便显得越细小。这项解释在今天看来，当然是简单易明的道理，但是在17世纪之前，并不易为人接受。由于阿尔哈森的确是一位科学先驱，思想和认识都远远超越时代，难怪当时比他落后的人都把他看成了真正的疯子。

假如阿尔哈森有一群门生，能将他的思想概念发扬光大，那么人类的科学发展史便可能早已改写。例如，阿尔哈森证明将一件物体放在黑暗房间外面，让物体反射光线透过小孔，可在黑暗房间内的白屏幕上形成这件物体的颠倒影像，而这正是摄影术的最基本原理。但那时没有人想到将这个原理加以应用，否则照相机就可能成为中古时代埃及的一项发明了。透镜本来也有相似的利用价值，可是也无人加以利用。阿尔哈森追寻探索的范围涉及多方面的知识，这从他对阿思温大坝的远大眼光，可见一斑，不过他似乎对眼睛的研究，特别专长。他对眼球结构的描写，为后来的发明家发明透镜奠下基础。由于他对眼球结构的描述正确，1246年他的光学论文译成拉丁文后，大部分采入标准医学书籍。今日英文中眼球水晶体一字来自拉丁文小扁豆，因为阿尔哈森当日谈到眼睛这一部分时，把水晶体形容为小扁豆状。

阿尔哈森是中古时代的科学家，其超时代又最不同凡响的一点，是喜欢引用真凭实据来证明各种假设正确无误，而并非任何时候都把阿基米德或亚里士多德等古代权威的说法奉为万应灵药。据说伽利略曾自比萨斜塔抛下轻重不一的物件，以否定亚里士多德所说重物比轻物下降较快的说法，事实上阿尔哈森做这个实验比伽利略还要早。在阿尔哈森设计用来测验其假设的许多实验中，最具有成效的也许是测验光线折射的办法。例如他将一个玻璃圆筒放进水中，测验光线透过不同密度的介质时会发生怎样的折射。他还进行了各种实验以确定透镜的放大性能，又建造了一副车床用来制造曲面透镜。

在因循守旧的文化环境中，无论宗教领袖或政治领袖都很可能排斥“危险”的新见解，因此要坚持实事求是的精神，不但需要想像力，而且需要勇气。阿尔哈森1039年逝世后足足600年内，他的科学方法，仍被许多人视作疯癫的表现。

阿尔哈森生在回教世界哲学与科学思想百家争鸣时期。穆罕默德逝世后不到一百年，回教信徒已建立从印度伸展到西班牙的阿拉伯大帝国。虽然帝国不久便瓦解，但宗教、经济，甚至语言仍然大致统一。撒马尔罕、巴格达、开罗、托利多、柯多瓦，及其他大城市，都成了回教世界知识互通的中心。

阿拉伯人在思想上兼收并蓄，从希腊、犹太、波斯民族及信奉基督教的叙利亚人中吸收他们感兴趣的思想，以及建筑术等学问。不过他们最向往希腊哲学家亚里士多德的思想，又将古代哲学与科学著作翻译过来，供回教世界的学子阅读研究。虽然当时西班牙柯多瓦市的学府已拥有图画 60 万册闻名，但西欧其他地区则陷入无书可读的深渊。直至 12 世纪时，才有一位阿拉伯哲学家阿佛洛斯借个人著术，将亚里士多德的思想重新介绍到基督教徒支配的欧洲。

大部分回教徒接受古希腊人对自然现象的解释，只有阿尔哈森和其他几位极具慧眼的思想家质疑，据说在实验物理学和医学方面写过 250 卷书的阿维辛纳（980 至 1037 年）即其中之一。这些学者对欧洲的科学思想影响极大。今天英文中的某些数学和化学名词就是从阿拉伯语而来。氨、硼砂、硝酸和硫酸等不过是回教科学家鉴定的众多化合物中几种而已；他们的零和十进法概念演变成现代算术和数目字，使我们得益不少。如果没有这些概念，就不会有现代人每天都用的阿拉伯数目字了。

到十三世纪，由于内部冲突和蒙古人入侵，回教势力日趋式微，连西班牙也再度为基督教徒统治。所以回教世界的人对科学与创造性人文学科失去热情，而且无法回复旧观。

10. 荒野中的几何图形之谜

过去人类许多特异成就有何用处，至今仍未揭晓，而且继续引起学者热烈争论。以那斯克荒原一项古怪发现为中心引起的争论，便属于这一类。那斯克荒原是秘鲁南部那斯克镇附近一片干旱高原。这地区一度是那斯克印第安人的故乡。15世纪，那斯克文化为印卡帝国吸收后，随而由于西班牙人入侵，差不多完全消灭。但在那斯克河畔有一座包括六个尖塔的庙宇遗址，足以证明过去这里曾有一个重要的文化存在，可惜这类线索极少留存。

1926年，秘鲁考古学家泰罗率领一个研究小组来到这个地区。当时他们并不知道自己实际上站在那斯克人最伟大也最令人不解的成就上。直至一天下午，秘鲁籍组员瑟斯丕和美国籍组员克罗伯攀上一座山头，才发现这个奇观。他们居高临下，忽然见到在许多绵长的模糊线条在荒原上纵横交织，是他们在平地上看不出来的。研究人员经过考察，发现这些线条是清除地上石块后露出浅黄色泥土而造成的。泥土露出来，日久逐渐变成与荒原表面其他地方一样的紫褐色，因此，那些线条只有从高处才能看得出来。

最初的一种说法，认为这些线条是古代那斯克人的道路。但在1920年代后期和1930年代初期，考古学家利用飞机多次在荒原上空飞越考察，发现大批分布很广的复杂记号，此说从此被推翻。除了线条，机上考察人员还看到许多巨大长方形和其他几何图形，以及许多种动物的优美线条画，包括猴子、蜘蛛、蜂鸟甚至鲸，也有花朵、手掌和螺旋形图案，每个长约1米至183米不等。这样的线条显然不是道路。

虽然有些线条长达数公里，但不论它们越过哪一种地形，或甚至伸展到山顶，其直线的偏差在1公里内不过1、2米。究竟那斯克人在荒原上留下这样的记号来干什么？这些线条绝不是艺术作品，因为当时那斯克人不可能由高空俯瞰欣赏。同时，这些线条不管在高空摄影照片上显得多么壮观，也不是古代科学或工程杰作；因为只要动员1000名印第安人，费时3个星期，便可把所要移去的石头移去。至于线条何以会笔直，则可能是先排列几根标杆，在其间拉绳索画出直线来。用这种简单办法，如果与远方的一个准则点连合运用，只需要两三根木杆即可。

最使学者感到兴趣的并不是线条如何造成，而是线条有何用途。1941年，美国考古学家科索克首先到那斯克研究，发现许多线条和图案，并且一一记录下来。他的结论是：线条用以观察天文。此一说法引起德国数学家赖歇的兴趣。从1946年开始，她穷毕生精力，企图揭开这些线条的奥秘。赖歇和科索克一样，相信这些线条指向主要星座或太阳，以便那斯克人计算日期。她认为那些动物以及别的图形，也许代表某些星座，因此整个复杂的记号网很可能是一个巨型日历。

赖歇发现许多记号似与太阳或星座排成直线，但缺少确实证据支持她的说法。1968年，华盛顿史密生天体物理学天文台的天文学家霍金斯，在英国南部著名的新石器时代遗迹“巨形石柱”发现类似的天文定线之后，接着便将注意力转向那斯克线条。霍金斯拥有一种极有利的工具，用以探查那斯克人们的奥秘。这种工具就是电脑。他将彻底考察得到的资料输入电脑，藉以查测每一条直线在过去7000年内，是否曾对准太阳、月亮或一个主要星座。结果显示出一些使人耳目一新的定线。例如，一个名为“大长方形”的图形，在公元610年及其前后各30年内，对准昴星团。这个日期，与现场发现的一根木柱经放射性的碳素测定法鉴定的年代不谋而合。这个办法虽然可证明那些图形年代久远，但电脑仍不能解开线条的奥秘，因为那些似有特殊意义的定线，看来只是巧合而已。

1977年，英国电影制片家莫理林亦加入这项研究。莫理森曾在南美洲拍过几部电视片，其中包括赖歇和霍金斯的研究工作纪录片，因此也对这个谜团深感兴趣，决心要找出答案。莫理森认为要寻求解答，必须明了那斯克人的风俗和宗教。虽然那斯克人早已消失，但在安第斯山脉其他地区，某些地点亦有类似的线条存在，因此他希望居住在那些地点的印第安人，能够透露造这些线条的意图。

莫理森的好奇心受1926年发现这些线条的瑟斯丕启发。瑟斯丕告诉莫理森说，他相信这些线条是印第安人专作宗教用途的路径。瑟斯丕早在1939年就提出这种说法，但苦于找不到证据。莫理森则发现了一点线索，那是一本记载1653年以后事迹的西班牙编年史，里面记载印卡帝国首都库斯科的印第安人如何从太阳神殿出发，踏上伸向四面八方各直线，到沿途安设的神龛参拜。既然那斯克荒原上的线条在一堆堆石头之间，那些石堆不就是笔直的神圣路径连接的神龛吗？

于是，莫理森前往库斯科，希望找到那些神圣路径。他此行没有成功，因为路径的痕迹早已全部湮灭。但是他并不气馁，继续到邻国玻利维亚搜寻。1977年6月，莫理森终于在一个艾马拉人聚居的荒僻地区，找到了一整批并非移去荒原上的石块，而是割除灌木形成的线条。这些线条和那斯克荒原的线条一样笔直，也是不顾任何地势阻挡成直线向前伸展的。同时，正是这些线条将用石堆筑的神龛连接起来，而且许多神龛还筑于山顶。

艾马拉印第安膜拜这些石堆，相信石堆里面住着祖先和魂魄或当地神明，常常供奉一些小祭品或古柯叶（一种作用和缓的麻醉剂）。莫理森发现，好几条连接神龛的路线在一座庙宇会合。印第安人即沿着这些路线前往庙宇，途中不时停下来向沿路的神龛参拜。在他们看来，偏离这些路线就会走入妖魔鬼怪领域。艾马拉人还相信，神龛位置越高，其中神灵越具神威，由此可知为什么这里的路径也和那斯克的一样，不避任何险阻而直达山顶。

莫理森在后来所著的《朝圣之途》一书中，以生动笔法叙述他冒险探秘的经历，而且说出他相信那些线条就是“朝圣之途”。他认为那斯克图形可能是代表神灵及动物的精灵，那些已经清除石头的大块土地则可能是宗教集会的地点。至于这些线条的历史年代，由于缺乏足够证据，尚无法确定。最多我们只能说那斯克线条可能有1000至2000年的历史。

那斯克线条之谜乞今尚未完全揭晓，莫理森的结论仍然有待证实。而且不管是出于巧合还是有意，有些线条的确像天文学上的定线。目前，那斯克线条受到保护，以供日后研究，因为每一块没有翻起的石头可能隐藏着重要的线索。

11. 贝育兹织锦画之谜

诺曼第大公威廉于1066年进攻并征服英国，也许是英国历史上一件最重要、最令人难忘的大事。可是那时并没有摄影机将这件大事记录下来。不过事发后几年，有人将这件事的始末精心拼成了一套出色的连环图画，其故事内容以至细节都极生动翔实，而且色彩绚丽，足以与任何现代电影纪录片媲美。

与《清明上河图》齐名的英国贝育兹织锦画。

贝育兹织锦画长约70米，由70幅刺绣故事画组成，描绘从1064年至1066年间发生的重大事件，特别是描绘英国罗德王与诺曼第大公威廉（英国王位竞争者）两者之间的关系。这套织绵画展现的场面，有人目之为“封建戏剧”，包括宣誓、背叛、饮宴、造船、血腥屠杀和悲惨死亡；描写哈罗德怎样向威廉宣誓效忠，后来怎样加冕为王，诺曼人怎样入侵，最后在1066年哈斯丁斯一役中，哈罗德又怎样被杀，以及威廉如何夺得英国王位。

这套具有900年历史的织锦画，目前收藏在玻璃柜中，存于法国西北部一个名叫贝育兹的古老城镇。根据传说，这套织锦画是英王威廉一世之后马蒂尔达所作。但今日大多数历史学家认为这套织锦画，很可能是威廉的同父异母兄弟贝育兹主教奥多下令，由一名极有才华的艺术家监督制成的。

奥多这个人野心勃勃，热衷名利，在进攻英国时担当过很重要的角色。征服英国之后，他成为英国南部的肯特郡伯爵。每当英王威廉出国，奥多便和另外两名伯爵共同负起治理英国的职责。这织锦画在1066年过后不久便开始制造。这虽然可能在法国制成，但鉴于当时英国刺绣工艺出众，更可能是英国的出品。尤其可能的是织锦画在坎特伯雷市圣奥古斯丁修道院的一附属工场，由英国刺绣女工制成。坎特伯雷是奥多伯爵采邑的首府，而且是当时一个绘画学派的蓬勃活动中心。织绵画在英国制造的说法，更可由图中一些名字的拼法进一步获得证实。那些名字是盎格鲁撒克逊文（古英文），而不是法文。不过毫无疑问，奥多下令制造这套织锦画时，必有一个动机。他的动机可能就是自我吹嘘，这从故事后半段他个人地位突出的情况中可以见到。然而直至不久前，仍有人认为这织锦画是供1077年贝育兹新教堂落成时做宗教装饰之用。此说于1966年首次受到质疑。辩者的理由是，最早有人提到这套织锦画出现于贝育兹教堂是1476年后的事。

况且，织锦画描绘的事物没有一样与教会有关，整个主题都是描写战争与征服，显然极不适合在教堂悬挂。后来的人越来越相信，这画与宗教完全无关，只是用来装饰奥多主教的宫邸，而非他的教堂，目的在宣传诺曼人进攻英国师出有名。虽然这织锦画似乎如实记述历史事件，实则另有真正含意，特别是描写哈罗德向威廉宣誓效忠后又如何背叛的情节，显然对诺曼人极为偏袒。

然而，不管是否宣传，贝育兹织锦画始终是一份颇具历史价值的文物。描绘的事实正确与否否或可疑，但它情节丰富，色彩艳丽，至少是一件极为杰出的艺术品，何况，它还是英国受到入侵和被人征服的唯一留存记录。

贝育兹织锦画虽有人称为挂毯，但严格说来是一件刺绣品而不是编织品。

这画由八块长度不同的麻布织成，小心缝合后构成一幅长70.34米、阔约50厘米的长布。织锦画上图像用八种颜色毛线绣成，包括红色、深浅不同的两种蓝色、三种绿色和两种黄色。除主题故事画外，上下两端还有狭幅长条，绣有各种动物、神话和日常生活情景。画中有600多个人物，700多个动物，还有船只、树木和房屋。这大堆丰富无比和描绘细致的事物，为后人提供了有关当时人民日常生活的丰富资料。

为了方便制作，可能在麻布上先划刺绣图，然后将每块麻布分别装上架子，好让工人进行刺绣。刺绣可能分组同时进行，虽然画幅阔大、内容复杂，但估计整套画可在两年内完成。

这画材料简单，用毛线绣在布上而不是用金线绣在丝绸上，故得以历久保存，成为留传至今的几件中古时代刺绣品之一。最早提到这套织锦画的记载，是1476年贝育兹教堂的一张财产清单。

织锦画只在每件古物节期间展览一星期，其余时间和教堂其他宝物一起收藏，以免损坏或变色。

然而这件织锦画也险遭破坏。1792年法国大革命期间，革命党人把它抢走，预备拿来做军用行李车篷盖，后由当地行政首长出面抢救回来。两年后，又有人打算用它装饰游行的花车，于是当局又得大费唇舌，才免致损坏，并于是年宣布为国宝，而得以妥善保存。其后虽曾多次搬迁，特别是在战争时期，但终于在1945年送回贝育兹，从此一直在当地保存。

12.“末日裁判书”之谜

伦敦市公共档案局藏有一套历史上最不平凡的书籍：一份有900年历史的调查清册。全书分两册，用拉丁文手抄，载入近乎整个英格兰王国贵族以至百姓的资料。在现代人口调查和估价办法出现前，这份调查清册的人口分析和财产价值评估，是任何国家任何时代均无法比拟的。十一和十二世纪的人将这份清册称为“末日裁判书”，因为他们把这份清册视为君主限制人民运用财产的根据；君主所以要费工夫作这种限制，是出于君权神授的想法，全国财产无分巨细都归君主所有。

1066年，诺曼第大公威廉挥军渡海以武力征服英国，在哈斯丁斯之役将登基仅9个月的盎格鲁撒克逊王哈罗德杀死。被同时代及后世人称为征服者的威廉一世，当即着手重新组织新王国，顺便封赏属下的诺曼大军和法国诸侯武士。到了1085年，改组工作在王国南半部大致完成。除了极少数例外，每一座大庄园地主的财产都遭剥夺，由威廉的追随者分头攫取。威廉以征服者的身份宣布拥有全国土地。他自己及家族保留1/6土地，将1/4分拨给教会，其余大部分则分封给170名诺曼贵族。威廉的统治经过，在一部英国记事史书《盎格鲁撒克逊编年史》中有记载。这部编年史是先后300年期内，由教士编写而成。书中对威廉的严厉统治手法提出批评，但主要称赞他为公正的君主。

每一个获赠广大庄园的贵族领主，为了报答威廉的赐与，必须在战时遣送武士给国王组织军队，算是在守土卫国方面出力；又要按时缴付租税，并出席国王召开的会议。这170个贵族获得大量土地后，各自将名下一部分租给家奴或武士，而这些承租人又将一部分转租给别人。如是者辗转分租，便形成封建制度特有的金字塔式社会结构。

1085年，威廉觉得计算自己所有财产的时机已经成熟。根据一项古老记载，威廉一世在英格兰西部格洛斯特市度过耶诞节时，曾就他的土地收益及运用情况（包括人口分布及职业），与众顾问进行了一次历时很久的“深谈”。经过这次“深谈”，英王威廉一世决定进行一项全国调查。为了执行调查工作，英格兰全国各郡划入7大区范围内，每一区域由一组钦差大臣逐郡进行详细调查，并规定当地居民必须宣誓据实情回答一连串问题，藉以确定当时及20年前（即1066年诺曼人征服前），各村邑全部财产的所有权和价值。

各组钦差大臣在所到之处开庭聆讯，他们不但严厉盘问领主(多数是诺曼贵族)，而且盘问郡长、神职人员、乡长、村长和地方上6名小地主代表，务求获得全面而一致的资料。问题设计得非常精细，包括某一庄园归谁所有；如果20年前物主另有其人，则那个人是谁；20年前的价值如何，目前（1086年）的价值又如何；在庄园居住的每个阶级各有多少人，以及庄园范围内有多少林地、牧地、磨坊、渔场和牲口。当时一名教士这样写道：“他（指威廉一世）的调查进行得那么仔细，因此记录上连一寸丁方的土地，以至一头牛、一只羊、一只猪也不会遗漏。这种事说起来可耻，可是他做起来不觉得可耻。”

可能当时某些地方实在太偏远，或者人口稀少，财富不多，所以“末日裁判书”调查范围并未包括英格兰最北部四郡（诺森伯兰、肯柏兰、达拉诺和韦斯摩兰），亦未包括曼彻斯特和伦敦等几个市镇。但从这一份详尽清册，威廉一世（他于调查工作结束后不久，即1087年逝世）及其继承人对于全国的物质财富，以及从其中可征收的赋税数目，就了然于胸，根据现代学者计算，当时调查的所有庄园与乡村的财产总价值，约为73000英镑(以现代兑换率折算，约合10万美元至15万美元)。

调查清册中的事实和数字，为900年前英国的社会经济情况提供了许多线索。例如北部大郡约克郡，其估计价值之小，实在令人吃惊。原来北方各郡于1070年曾反抗诺曼人，威廉似乎既要报复，也要实实在在打击这一批反抗的人，所以以极残酷手段镇压，焚烧民房甚至摧毁整个市镇，这就是后代历史学家所称的“北方蹂躏”。这场浩劫的影响，在十几年之后仍历历可见，以致调查清册上对约克郡许多地方，只以“荒芜”一词来加以形容。这就难怪在全国财富总值73000镑之中，约克郡加上邻近兰开夏郡的价值，只占1200镑了。反之，东部3个小郡（艾塞克斯、诺福克和索福克）的全部价值，却等于这数目的十倍以上。

我们甚至可以根据“末日裁判书”的记载，比较一下各地庄园在诺曼人入侵前后的价值，从而找出威廉的军队从南面海岸哈斯丁斯战场开到伦敦的路线。约217个各自相隔约40公里的小庄园，似乎损失了20%的价值。由于40公里约等于军队一天行军的路程，这20%的价值下降，看来很可能是威廉的军队搜掠军需品和施加破坏的结果。

这本书中，记载着英国仅值10万美金的秘密。

现代学者在“末日裁判书”中很少找到错误，这要归功于当时那批能干的钦差大臣及得力助手；问题的精当缜密也有助免除遗漏。毫无疑问，历史学家在研究历史时，这部调查清册是极具启发生的资料来源之一。

也难怪有人笑称英格兰仅值10万美元，这的确是有历史出处和历史根据的。

13．“活魔鬼”之谜

1097至98年整个严冬，守卫中东城市安提奥克的土耳其军队从城墙俯瞰，可以看见围城的十字军成员在一个个慢慢饿死。虽然土耳其人储存大量粮食，但这些身处异乡不毛之地的十字军求援无门，陷于绝境。他们急切地要攻占叙利亚大门的安提奥克城，可是看来粉碎希望的并非伊斯兰教敌人，而是饥饿。军中的贵族和武士，有些策马到远处搜索粮食，另一些人则索性吃掉垂死的马匹，至于地位较低的人，则以高价购买狗或老鼠充饥，而没有钱的则只有束手待毙。

可是有一天，土耳其人从城墙俯瞰时，看见一幕令他们目瞪口呆的惨象。围城的士兵中，衣衫最褴褛和面容最枯槁的一群，正在烤大块大块的肉，而且毫不掩饰地狼吞虎咽。接着，土耳其人由惊异而渐觉恐怖。原来十字军所吃的肉，是数天前城外交战时一些阵亡同胞的尸体。后来这食物来源渐枯竭，那些仍然饥饿的人，便开始挖掘附近一个坟场，找寻新近埋下的尸体。伊斯兰教军队统帅在震惊之余，便差遣使者，向十字军领袖提出抗议。但城下的欧洲人回话说无法阻止烹食人肉。十字军中的贵族也一致承认“即使他们联手，也不能制止那些塔孚尔人”。

“塔孚尔”并非一个食人族的名字。这个字眼可能来自法兰德斯语，意思是“乌合之众”。参加第一次十字军从欧洲出发东征的上层人士，用这个字眼称呼一起横越欧洲远征耶路撕冷的那一群人。这一群人并不符合十字军的传统形象，因为十字军是绝对不食人的。

塔孚尔人和身披甲胄、策马驰骋的武士截然不同。他们蓬头垢面，赤脚，穿着麻布袋做的破烂衣裳；他们买不起刀剑长矛，随身只带些尖头木棍、大头棒或甚至铁铲。可是，塔孚尔人在战场上冲锋陷阵时，勇猛无比，务必置敌人于死地，常常不愿生擒索取赎金。土耳其人称十字军为“法兰克人”，因为参加第一次十字军东征的大部分是法国人或比利时人，土耳其人初与这些塔孚尔人接触，已认为他们“并非法兰克人，而是活魔鬼”。

解救耶路撒冷并不是塔乎尔人打仗的目的。他们更大的希望是解救自己。第一次十字军东征前几年，欧洲连年都闹旱灾、瘟疫和饥荒，当时农民生活原就异常困苦，后来更忍无可忍。所以1095年，第一次十字军东征的消息宣布后，人人都在谈“遍地牛奶和蜜糖”的圣城耶路撒冷，数以万计吃不饱、穿不暖、住不好的农民更信以为真，纷纷动身前往那块即将被尊贵十字军夺回的富饶土地。这盈千累万的乌合之众，其中有不少妇孺，拥入匈牙利，穿过巴尔干各国，所带的一点钱用完之后，便到处偷窃、劫掠。在君士坦丁堡（现在称伊斯坦布尔），希腊人管不住他们，只得同意用船载他们横渡博斯普鲁斯海峡，送他们到对面的小亚细亚。但一抵该地，这群筋疲力尽毫无抵抗之力的农民，便遭遇土耳其人的伏击和屠杀。能够逃走出来，等候十字军主力到达的幸存者，大约只有3000人。

然而，正是这群历劫余生、饱经苦难而意志更坚定的人，才如影随形般追随十字军武士，他们极渴望到达希望之地。这时，争取胜利的坚强决心，已把他们团结为一支专心致志和勇往直前的队伍。他们甚至选出一名曾与贫民同甘共苦的出名前任武士，做为他们的“王”。起初，这群衣衫不整的乌合之众使正规十字军感到十分尴尬，并藐称这些农民为“塔乎尔人”。可是不久，他们由鄙视变成敬畏。因为这群农民不但使土耳其人不能再为所欲为，而且使敌人闻风丧胆。

围攻9个月之后，安提奥克城终于落入十字军之手。接着，城内发生了许多奸淫掳掠事件，大批伊斯兰教徒和犹太人被杀。这些残暴行为，大部分可能是塔乎尔人所做。跟着第二年攻陷耶路撒冷，大批俘虏遇害，而非拘留待赎，一般人亦归罪于那群嗜血的凶残农民。不过，这些指摘只是凭空臆测，没有确凿证据支持。至于在安提奥克城墙外吃人肉，则是无庸争辩的。塔孚尔人饥饿极了，又找不到什么可拿来充饥的，因此确曾以人肉果腹。

1095年，教皇乌尔班二世呼吁将士进军东方，协助基督徒弟兄摆脱伊斯兰教束缚。这项呼吁获得热烈的响应，远非始料所及。数以万计的贵族、武士和平民高呼“遵行上帝意旨”，誓言要把“圣地”，尤其是耶路撕冷收复。耶路撒冷不久便成为一个角征，在其后175年中，吸引了帝王和平民一浪接一浪的向东推进。“十字军”一辞后来虽有作美化军事行动，如对付异教徒斯拉夫人，但主要是指十一到十三世纪时，攻克与保卫耶路撒冷的行动。十字军出师征伐不下九次（不包括后果悲惨的“儿童十字军”），但只有首次（1096至1099年）完全成功。“十字军”所以得名。

十字军于1099年夺得圣城后，宣布耶路撒冷为王国，并选出洛林公爵为第一任国王。同时在的黎波里、安提奥克（叙利亚境内）以及爱得沙（在土耳其境内，现称乌尔法）建立几个小国。1144年，伊斯兰教徒攻占爱得沙，触发了第二次十字军东征。这次虽由法国国王和德国皇帝亲自率领，但并未达到目的，爱得沙依然归穆斯林掌握。1187年，耶路撒冷为埃及苏丹萨拉丁攻陷，于是导致第三次十字军东征，参加者有法王菲力、英王狮心理查及德国皇帝。这次也未能拿下耶路撒冷：德皇堕河遇溺；菲力与理查争执后返回法国；而理查虽攻下巴勒斯坦的亚克，但未能收得耶路撒冷，回国途中更遭奥地利王利奥波德俘虏勒赎。1202至1204年的第四次东征更未能迫近圣地，其后转而进攻富庶的君士坦丁堡，大肆劫掠。

8年后，数以千计男女童，大部分不满十岁，由一名法国牧童率领下出发东征。这牧童深信手无寸铁的纯真童子一定成功。这些“儿童十字军”成员大部分在途中死去，有些流落到北非奴隶市场。

以后五次十字军东征，只有一次（第六次东征）达到部分目的：订立休战协定，1228年耶路撒冷交回基督徒统治，但是1244年耶路撒冷再次回到了穆斯林手中。

14. 点石能成金之谜

中古时代的炼金术士，包括天才科学家和不学无术之徒在内，都梦想找到一种叫做点金石或仙丹的神奇物质，能将普通金属（例如铅）变成灿烂的黄金，并且令服下仙丹的人长生不老。他们相信，只有获得神的恩典及得悉大自然玄机的人才有希望找得到这种物质。为了确保他们的秘密，炼金术士采用一种凭隐喻表意的晦涩语言，使局外人无法明了他们的说话和文字记录。

历史上没有一个炼金术士找到点金石的秘密，也许法国人法兰默是绝无仅有的一个例外。根据法国国家图书馆所藏他本人记述和其他所谓权威报道，法兰默在1382年制成了点金石，而且用它把铅变成银，把水银变成金。

法兰默生于1330年前后，出生于可能是巴黎北面的旁瓦兹。他在圣杰克教堂附近摆设一个小摊位，专门替人解字写信，并且教一些贵族怎样签名，作为生计。此外，他还制作一些很精致的抄本和宗教书籍，生意相当不错。有天晚上，法兰默做了一个古怪的梦，梦见一位天使拿出一本书给他，叫他仔细阅读。可是他正想伸手拿取，梦境便消逝了。

这个梦原料来是一个预言。1357年，有人送了一本书给他。他一看之下，认得就是梦中所见的那本书。这本古书叫做《犹太族长亚伯拉罕书》，法兰默虽然知道它里面写有人人梦寐以求的、如何使金属变质的方法，但苦于无法明了那些古怪符号。书中还有咒语，书明除祭司及抄写员，任何人不能读它。法兰默本人是抄写员，自觉无碍，便请了几个炼金术士来帮助他钻研其中秘密，但没有结果。

到了1378年，法兰默认为唯一的希望是找个看得懂这本书的犹太人来帮忙。可是，犹太人当时频遭迫害，大多逐出法国，所以十分难找。不过，他终于找到了一个改奉基督教的犹太老人康希先生。这位老先生拿着法兰默的那本书端详，越看越兴奋。他说这本就是已经失传的“犹太教神秘哲学”，根据古代犹太教士所写的经文而演变出来的一种宗教哲学。于是，康希着手解释那些神秘符号，可惜还未解完便患病死了。

幸好康希做了这番功夫，法兰默掌握了不少符号，足以从这本古书中探索点金石的秘密。3年后，在1382年1月17日，终于制成一种叫做白仙丹的物质。他把这种物质加进熔铅之中，将铅变成了纯银。三个月后，法兰默又制成了一种红仙丹，可以把水银变成黄金。

法兰默做了好几次点石成金，显然积聚了足够财富创办14间医院，兴建3间小教堂，向七间教堂献金，并且做了许多别的善事。结果法兰默声名大噪，不但被视作了不起的炼金术士，并且公认为大慈善家和最虔诚教徒。法兰默 1417 年逝世，他的故居和坟墓后来遭搜掠，人人都想找他的点金石和秘诀。

搜寻点金秘诀是否一开始就注定失败？法兰默是否真的炼金成功？总之，即使他已找到点金石，而且后来传说，1761 年某天晚上还有人在巴黎歌剧院看见过他，事实上他的仙丹并未能使他长生不老。他葬地所在的教堂后来拆毁，但墓碑今日在巴黎克伦尼博物馆中仍可看到。据法国国家图书馆的记录显示，他确曾多次捐助慈善事业，但这些款项可能是他做生意赚回来的。那本记载炼金术的《犹太族长亚伯拉罕书》又下落如何？据说法兰默遗赠他的侄儿，并在大约 200 年后，落在法国红衣主教黎希留之手。黎希留既看不懂书中的怪异符号，又没有康希这样的人来帮忙，因此他死后不久，那本书便不知所终。

点石成金的秘诀就在这幅图中，你看懂了吗？

那么改变金属性质又有无可能？现代科学家认为除了使用粒

子加速器和核子反应炉之外，绝不可能把铅变成银或把水银变成黄金。换言之，现代科学家不相信法兰默利用当时的科学知识，可以达到这个目的。不过法兰默的成功之处，也许不在于能把贱金属变成黄金，而是像批评他的人所说，在于别人骗不倒人，只有他能获得得点金石“唯一发现者”的不朽名声。

15. 日本武士之谜

日本小说家三岛由纪夫看到现代日本社会堕落，于 1970 年 11 月 25 日公开切腹自杀（日本武士道一种传统的光荣自杀方式），以示抗议。他的自杀方式固然使日本全国愕然，举世亦为之震惊。三岛由纪夫自杀身死，不但日本丧失了一位有才华及有名声的作家，还显示出日本民族精神中令人不安的一面。因为这件事说明了日本虽然有蓬勃兴盛的物质繁荣，但古代武士道那种严峻简朴的价值观念，依然阴魂不散。三岛由纪夫的鲜血似乎足以使他那一代所有日本人蒙羞。

武士在日本电影中常见，就像西方电影中的中古时期武士或美国西部片中的枪手那样，是妇孺皆知、家喻户晓的人物。但这些曾给一个国家塑造性格的傲岸勇士，到底是一些什么样的人?

多个世纪以来，日本各地因崇敬祖先而团结一致的家庭，是日本社会一个特征。虽然早在公元 300 年，全国可能已在一位天皇统治下宣告统一，但天皇的权威一向并不稳固，甚至有些天皇事实上只是争权夺利的好战贵族的傀儡。到了公元十世纪，贵族藤原家族取得控制国事的权力。天皇只是名义上的统治者，所有重要官职均为藤原家族所垄断。

在藤原家族统治之下，日本贵族全都集中于各大城市和皇城京都。于是，地方上的权力真空便由各地新兴的野心家族领袖所填补。他们像封建时代欧洲的诸侯一样，各自拥有本身的军队，这些战斗人员就是后来所称的武士。

起初，武士只是藤原家族的“爪牙”。可是到了后来，这些人逐渐取得权力。至1156年，一个主要的武士家族利用皇室内部纷争的时机，取代了藤原家族的地位。其后700年间，日本人民的生活几乎完全受武士阶级支配。

绝对尽忠是武士传统观念的核心。每一个称得上武士的人不论是显赫的英雄抑或只是手执长矛的小卒，都受誓约束缚，必须忠于家主。至于每个家族的族长，则必须效忠天皇。虽然天皇深居宫中，无权过问国事，但其崇高地位和神圣血统，始终受人尊敬。武士奉命行事不得质疑或稍加思索。年轻的武士甚至要经过种种艰苦磨练，使他们变得意志坚强和铁面无私。最重要的是要教他们相信自己的生命属于主人，可任由主人随意摆布。主人寿终正寝或战死，属下武士有时便会自杀相殉，表示效忠。（有一出名《忠臣藏》的典型日本戏剧就是描写1703年时，47名武士由于痛失家主而集体切腹自杀。）

切腹自杀是武士阶级的特权（妇女可以刎颈，商人可以服毒）。日本人认为腹部是一个人生命的核心，因此切腹也有一套非常讲究的仪式。例如，切腹的时候必须从左至右横切，然后刀子猛然往上一戳结束生命。不过，这种切腹办法很难立即致死，因此往往需要一名助手从旁协助，将切腹者的头砍下，才得以完成。

武士切腹自杀的原因很多，例如受辱、表示效忠及像三岛由纪夫那样，为了抗议。在战场上，切腹自杀往往为了避免被敌人俘虏，因为武士都深信死亡要比屈辱投降好过得多。一名武士如果被人俘虏，是他终生的耻辱。

在武士势力还没有那样强大时，他们曾被宫中爱挑剔的朝臣视为强盗和野蛮人。但随着影响力日增，有些武士逐渐被人尊为神圣英雄，全国各地亦对他们赞美不已。其实以上两种形象，都不是武士的真貌。当然，气焰嚣张和横行无忌的武士，会带来许多问题，在长治久安之世尤其如此。武士是不事生产的一个独特阶级，而且对商业交易持鄙视态度。例如，一个武士说他分辨不出当时各种流通钱币的价值，就表示他有良好的教养。如果一个商人对武士支付的钱币表示怀疑，这个武士将他就地砍头也属合法，别人无权加以干涉。有时候，武士只是为了“练习杀人”，随便碰上哪一个无辜的倒楣鬼，也会大喝一声，把他的头砍下来。

不过，由于武士生活被视作一种道德修炼的历程，武士的守则中亦非全是暴力。事实上，武士道曾深受佛教禅宗的影响。同时，武士也是推广日本茶道的人，日本茶道是教人从简朴宁静中体会真道的仪式。也许，禅宗追求安静而止息杂虑的禅定境界，不立文字，直指人心，见性成佛的修持方法，吸引了这些武士。

可是，不管武士的精神多么崇高，他们基本上仍然是一种战争工具。武士主要的武器是一长一短的两把刀，因此，如何制造锋利无比的武士刀就成为一门精巧的工艺。地位较高而有马骑的武士，还可以配备弓箭，但最低级的武士只用长矛作战。不过，他们都披上包括头盔、面罩、护胸、护臂、护胫和护腰的甲胄。

到了1600年，武士阶级已占全国人口约6%，而且发生了许多与武士传统不同的变化。例如，任何士兵都不能再单凭骁勇善战而跃登最高指挥地位，军人阶级制度比从前更为严格。同时，奢侈享受和腐化贪污亦侵蚀着武士传统。然而，直到明治天皇（1867年至1912年在位）登基之前，各大武士家族仍然继续支配全国上下。明治天皇是一位改革者，他不但恢复了天皇的无上权威，而且几乎在一夜之间，就把日本变成了一个在国际舞台上举足轻重的强国。

即使如此，武士传统仍然在军事和文化生活中留存下去。例如，在第二次世界大战期间，日本军官宁愿切腹自杀，也不愿意投降，神风突击队的飞行员在效忠天皇而甘愿舍命。三岛由纪夫在1970年自杀后4年，亦曾发生一次同样轰动的事件。1974年，即第二次世界大战结束后29年，一名已届52岁的战时日本陆军中尉小野田宽郎在菲律宾森林中出现。他1944年奉派驻于菲律宾，由于从来没有接到上级的投降命令，一直躲藏在森林中，随时准备继续作战。奉派前往搜索的人，都遭隐蔽阵地的冷枪射击。

终于，小野田昔日的指挥官（九州一名退休书店老板）从日本飞来，取消以前发出的继续作战命令，小野田这才肯投降。促使他长期艰苦奋斗的，并非由于恐惧或脾气古怪，而是武士道精神。

16. 非洲新圣城之谜

埃塞俄比亚北部瓦罗省茶褐色的山上，矗立着世界上最撼人心弦的景色之一：由十一座基督教堂构成的旷世奇观，每一座教堂都是从整座巨大岩石雕凿出来的。这是拉利贝拉地方的奇迹，拉利贝拉是以一位古代埃塞俄比亚国王为名的圣城。这些教堂都不是采用一般建筑方法“建造”的，而是一件件雕刻山壁而成的巨型杰作，里面各有中殿、通道、祭坛，甚至有凿去岩石而造成的院子。在橄榄树丛形成的万绿丛中教堂恍如点点红光，那地方简直可称为石化的仙境。

据现代人所知第一个探访过这处胜地的欧洲人在十六世纪来到，他是葡萄牙神甫阿尔瓦雷斯，亲眼看到奇景，形容这些不朽文物时用上了“举世无双，不可思议”的赞美词句。400多年以后，拉利贝拉依然使人叹为观止。到访的人漫步于雕刻出来的大厅、庭院、走廊中固然惊叹不已，看到新凿成的房屋、门道和阳台更感惊奇。虽然我们难以确知这神奇的迷宫由谁人创作，但毫无疑问，是因为十三世纪前期统治埃塞俄比亚的拉利贝拉国王受幻象感召，然后锲而不舍雕造的。扎圭王朝的拉利贝拉王在此出生时，此地叫罗哈城，后来为纪念国王的功绩而易名。这个王朝的统治期约维持了150年，因为那时期内，据称与所罗门王和示巴女王一脉相承的皇室血统暂时中断了。尽管拉利贝拉的世系说不上正统，但是他忠于历代所奉的宗教，而埃塞俄比亚皇室早在公元四世纪就信奉基督教了。

根据传说，基督向拉利贝拉梦中显灵，揭示天使会帮助石匠工作，所以拉利贝拉孕育了建造圣城的计划。撇开神话只就事实而论，这些石雕建筑工程浩大，简直是鬼斧神工，实在使人五体投地。现在有许多学者专家相信，当地石匠一定得到外来的巧匠和雕刻师指导，那些巧匠可能来自远方的亚历山大港和耶路撒冷。然而无可否认，这些石雕教堂的格式是埃塞俄比亚所独有的。

特格雷省中部现在还有好几百座劈石而成的教堂散布各地，都足以证明属埃塞俄比亚的独立建筑传统。每座教堂都是由一座巨大岩石刻成的，其内外都曾加以修饰，但是没有一座在设计和装修方面能够媲美拉利贝拉的教堂。这样的教堂在全世界任何地方也找不到，就是埃及从山腰凿出来的寺院，也不过是以雕刻的门面，遮盖着后面工夫拙劣的洞穴罢了，绝对不能与之同日而语。

石匠的雕凿技巧几乎难以置信。据估计要在拉利贝拉工地上雕刻出那些巧夺天工的十一座教堂，必须凿出 10 万立方米的石头，其中四座四周完全不与山体黏连，其余与山体连接的面积或大或小。所有建筑大体上都仿效拜占庭教堂的布局，有长方形会堂和三个供信众进出的门口。每座教堂都是独特的创作，从最雄伟的支柱到精工细雕的窗花，都是从矗立的岩石凿刻而成，经历 800 多年仍大致完好。进行这样宏伟的工程，石匠可能先在山麓开凿长方形的深沟槽，形成一座兀立的巨大长方形岩石，然后从顶上开始，在岩石里里外外雕凿，上层成形后才开始精雕细琢，跟着动手雕凿下层。岩石质地不很坚硬，凿刻起来也许不大费工夫，但是我们仍得猜想施工时长廊怎样获得照明和通风。他们很可能利用铜镜反射阳光进长廊内，无须使用不停冒烟的油灯。

有些教堂屹立在巨大方形坑穴内，顶部与地面齐平；俯瞰才可窥其全貌。这地区夏季经常大雨滂沱，石匠不时冒水溺之险，但是他们懂得在工地底部削出一道斜坡，有很好的防涝功能，顶部和排水边沟稍微倾斜，完全不怕暴雨造成危害。到这地方来进行研究的现代考古学家，发现当时的预防措施十分有效，就是碰到倾盆大雨也无水淹之虞。那时的工匠也真有本事！

十一座依山凿成的教堂，顶部呈现出巨大的十字架形状，700 年前的人们是如何做到这一点的？

直到最近，要参观拉利贝拉那些从岩石凿刻出来的教堂还只能乘骡车。早在两次世界大战之间已有人想重修这些教堂，但认真施工迟至 1967 年才开始。今天拉利贝拉已经成为一个兴旺的市镇，有铺面的道路，附近还有小型飞机场，只要季节适宜和政治情况许可，游客和参谒圣地者便络绎于途。但是这些建筑物，始终还笼罩在神秘的气氛中，究竟是什么灵感使那位埃塞俄比亚国王，在那个时代那个地方进行那样庞大的工程计划呢？

最近有人试图解释何以当时要建造这么雄伟的建筑，其说法也令不少人信服。据历史记载，拉利贝拉国王柄政之初，十字军东征正如火如荼，穆斯林在埃及苏丹萨拉丁指挥下夺得耶路撒冷。圣城落入穆斯林掌握之中，埃塞俄比亚在基督徒大受打击，热心的国王不得不在自己的出生地另造一个朝圣和崇拜的中心，营建成东非山中的基督教堡垒。总之，拉利贝拉的教堂圣城很可能是设想中的新耶路撒冷。

这说法不一定正确，但是有一点关于那些教堂的观感是不容争辩的：热诚无限的信念、卓越的艺术才能、超群绝伦的技术结合起来，创造了一个实至名归、亘古长存的世界奇迹。

17. 谋杀威廉二世之谜

公元1100年8月的一个下午，时近黄昏，英王威廉二世骑着马在新林猎鹿。由于这位国王脸色红润，一般人称他“红面庞威廉”。当时新林划为皇室狩猎禁苑，占英国南部一大片土地。同行的人有威廉的弟弟亨利和一些随从。一行人分成几个小组后，国王和他的亲信顾问蒂雷尔并骑出猎。其后发生的事情直到现在还是一个谜，是惹人揣测的悬疑事件。一般人知道的事情大致如下：

一只赤鹿从国王附近跑过，他立刻射了一箭，射中目标，但是赤鹿没有死。有好一会威廉不动声色地坐在马鞍上，用手摭挡着夕阳的斜照光线，想看清楚那只赤鹿怎样走避。

就在这时候蒂雷尔射了一箭，没有射到鹿，却射中国王，国王向前面倒下去，摔到地上的时候那支箭更深插在他的胸膛，国王当时便死了。蒂雷尔赶忙奔出树林逃往法国，亨利则和其余的人策马飞奔，赶到附近收藏皇室财宝的曼彻斯特，他抢到财宝并确实予以掌握后，立刻赶回伦敦，在威廉死后三天就加冕登基为亨利一世。众人离开猎鹿的树林时，倒没有人关心威廉二世仍然暴尸荒野。

上面是整件事情的概略。但是有一点从来没有获得圆满解答：威廉二世真的死于意外，还是他那野心勃勃的弟弟教唆主使，命人把兄长谋害了呢？或是如最近有人相信的怪异说法，指威廉二世甘心情愿按照异教徒的可怕规矩，自寻短见的呢？

为什么有人一本正经相信这个提及“邪教”的说法？答案可能是威廉二世在位期间（公元 1087 至 1100 年）公开嘲笑基督教、抢夺教堂财产，大概还崇拜异教的神祇。因而在他死后，不少人当然相信传说中的凶兆，这凶兆是威廉到新林行猎前夕，做了一个噩梦，梦见自己倒卧血泊中，惊吓得醒过来，惊醒时还在大声狂叫。某个教士也说他梦见一个十字架把国王绊倒在地，国王躺在地上鼻子不住冒火焰和烟。此外，还有人说听到国王叫蒂雷尔把他杀死，因为依据威廉信奉的“宗教”，他已经到了老而无用的地步，身为一个权力日渐衰落的国王，一定得在仪式中引颈就戮。

诸如此类的传说很容易为人们所接受，因为很多人讨厌这个暴虐而且显然不信仰基督教的国王，要是他死于意外而毫不足惜。不过也许有人为掩饰事情真相而编造了这些故事，同时予以散播，到处流传。今人却有充分理由相信新林驾崩事件由威廉的弟弟策动，因为威廉横死，亨利最为有利。

威廉一世有三个儿子，威廉二世排行第二。威廉一世在生时已给几个儿子分家，把法国的诺曼第留给长子罗伯特；把英国给了次子威廉；亨利只获得一大笔财富，但是没有土地。大哥与二哥经常发生争执，甚至打起仗来，但是到了1096年，二人又言归于好，罗伯特决定率十字军东征，需要好大一笔军费，于是以诺曼第为抵押品，向威廉借了他需要的钱。可是1100年夏季，罗伯特启程返国，还新娶了一个非常有钱的女人。威廉打定主意，不让哥哥还债赎回诺曼第，开始整军经武预备夺取诺曼第。正在做这种准备的时候，出了新林猎鹿驾崩事件。

同时，假如亨利真的要篡夺英国王位，他一定已看清楚形势，知道自己得赶快行动（威廉死后疾如闪电的行动显示他事前早已做了一些准备工夫）。如果等罗伯特回到诺曼第，事情发展极可能出乎意料之外，妨碍他篡位的计划。所以亨利先发制人，其后只须应付一个哥哥而无须与两位兄长争雄。威廉驾崩而罗伯特又远客他乡，亨利就能篡夺他本来无权过问的王位。有一件重要的证据证明亨利要对猎鹿时发生的“意外事故”负责：他从来没有试图抓蒂雷尔回来治以弑君之罪，连没收他的土地以做惩罚也没有。

可是，以亨利的为人和本领是不是足以组织这样一个谋朝篡位的大阴谋呢？毫无疑问，他很暴虐无道，往往还很残忍（有时使用挖眼和阉割等酷刑处罚叛逆分子），他在位时，又故意实施恐怖统治以达镇压目的，可是有些史学家坚信他还不致坏到手足相残的地步。这些史学家更追问，蒂雷尔跟主谋人串通，把朋友和恩公杀掉，对他自己有什么好处呢？事实上蒂雷尔自惨祸发生后直至死亡时，都否认弑君。

这样说来，当时是否可能有人在现场射了第三支箭？这第三支箭也许不是蒂雷尔射的，而是国王随员中另外一个人所射，有些史学家的确这样想。还有人坚持说这根本就不是谋杀，而是意外事故。在那个时代打猎是一种危险的运动，林木稠密，许多骑马猎人不是撞在树干上摔碎腿骨，就是被树枝绊住栽下马来。猎人追赶猎物最易兴奋忘形，那时所射的箭，每一支都足以酿成危险，事实上罗伯特有一个私生子就在他叔父死前几年在同一树林里死于意外。

虽然如此，抱怀疑态度的人还是指出，就是那些认为亨利不致手足相残的人也不得不承认亨利确非善类。亨利一世在位 35 年，其间从仅存的哥哥手上强夺了诺曼第，还把罗伯特囚禁在英国的监牢内，直到罗伯特 80 岁寿终之时。

18. 耶稣裹尸布之谜

意大利北部都灵大教堂附属的一座礼拜堂里存放了一块裹尸布。千百万基督教信徒都认为这块布是耶稣钉死在十字架上后，曾用来包裹尸体的。这块 4.5 米长、1 米宽的布上，不知怎的留下了一个身体有多处创伤的死者影像。布面上可以看到一个蓄须者凛然的相貌，极像一般人所接受的耶稣基督面容。将这块裹尸布视同拱璧的人，就认为布上所见相貌与常人心目中基督的相貌如此相像，不可能是巧合。如果布上的影像确为耶稣被钉十字架后的真容，那么这块布就自然是基督时代留存下来最具纪念价值及最宝贵的遗物。可是那真正是基督的裹尸布吗？数百年来，始终有人怀疑它是伪造的。

孰是孰非，至今仍然引起热烈争论。使人惊奇的是，二十世纪的科学使怀疑派的声音不像过去那样响亮了。因为公正的科学家进行多次测验，得出越来越多的证据，证明这块为千百万人尊崇的裹尸布，的确是耶稣基督时代巴勒斯坦某个钉死在十字架上人士的裹尸布。到底这位死者是不是耶稣基督，就大概永难确定了。

这块经科学测验研究的裹尸布上，左半和右半部分，分别留下 35 岁到 40 岁、身高 1.6 米的一个男人正面、背面的影像。影像显示他的肋骨部位受伤，前臂曾经流血，头部皮肤曾被某种锐器割破，莫非是荆棘冠戴在头上所致？当然，最惹人争论的一个问题，是何以裹尸布上会留下这么清楚的影像。同样使人困惑的是，1357 年裹尸布在法国小镇里莱公开展出之前，并无任何有关的翔实可靠记载。

当时这块布属于一个名叫德查尔尼的法国家族。他们从来没有解释是怎样得到这块裹尸布的。教会内外对裹尸布深信不疑的人士中，有当时最具权势的萨夫瓦公爵。1453 年，德查尔尼家族将这块引起争论的裹尸布遗赠给萨夫瓦家族，最初裹尸布保存在首邑善贝里，1532 年一场火灾曾使它稍微损坏。1578 年，萨夫瓦大公国迁都都灵，特别为这块裹尸布在都灵大教堂范围内建了一座礼拜堂。从那时起裹尸布就一直放在那里，受到许多人的瞻仰膜拜，但天主教教廷本身一直没有正式予以承认。

1898 年，有人首次对这件文物的真假进行科学测验，以后进行的调查研究，获得了惊人的进展。其实那次测验也说不上是什么科学实验，只是一位名叫披亚的意大利人拍下一张裹尸布照片。披亚跟所有看过照片的人一样，看到底片上出现的人体形象，远比正片上清晰得多，不免惊诧起来。后来检查研究的方法越来越精密。到了 1978 年，好几个国家的专家组成研究小组来到都灵。当局准许研究人员利用其他各种现代检查技术，但不准用碳十四鉴定法。碳十四鉴定法对鉴定某些古物的年代相当准确有效。当局的理由是，进行碳十四检查时会损坏裹尸布的细部，他们不愿此布因此损坏，也是可以理解的。

怀疑派一般认为，裹尸布上的影像，只是十四世纪某一个时候画上去的。这个看法得到美国一位鉴别伪造品专家麦克科朗的支持。麦克科朗说，血迹历 2000 年之久，不可能仍如此鲜艳，因此大概是用氧化铁颜料及一种中古时代艺术家常用的玫瑰赤黄颜料，搀和起来画上去的，麦克科朗并精心仿制出一块裹尸布，惟妙惟肖。但它和原来的裹尸布有个极不相同之处，就是颜色渗透麻布，两面都看得到。而从 1978 年以来，经声名卓著的科学家上千次的分析，证实都灵裹尸布上的影像，不可能是用颜料所画。恰巧相反，看似血迹的东西，的确含有血液中的钙、蛋白质和铁等成分。裹尸布上没有血迹的部分，经过检查，都是年深日久而变成黄色的麻布。

而且经花粉分析证明麻布为中东所产，因为布上 49 种不同的孢子，有 33 种生长在中东。纺织专家也断定那块麻布的织法，为巴勒斯坦 2000 千年前常见的，而且纤维里含有棉花痕迹，当时欧洲并不种棉花。如果裹尸布是中古时代伪造物，则伪造者一定曾不耐烦搜购棉花和某些种类的植物孢子，以便蒙蔽二十世纪的科学家。

还有一项更加有力的证据，证明裹尸布的真实性，就是利用一种叫“立体显像镜”的仪器，可以把平面图像化成逼真的立体影像。任何绘画都不能产生这种效果。如果是伪造的，那么这个伪造者的本事，实在使科学家困惑莫解。因此科学家一致认为，这种立体影像如果不是由几种涂尸防腐香料和受难者身上汗水混合起来形成的，就是麻布由于受到特高体温影响，导致化学反应而“烤焦”的。

所有检验过裹尸布的人，都不大相信是中古时代制造的赝品，他们觉得那更有可能是公元一世纪一个钉死在十字架上的巴勒斯坦人的裹尸布。但是除非教堂当局准许使用碳 14 法进行年代检定，否则裹尸布的确实年代，我们始终只能猜测而已。

1357 年，穷困潦倒的德查尔尼家族在法国小镇里莱公开展览都灵裹尸布，向到来瞻仰者收费。但在此之前，这块裹尸布在什么地方？怀疑派坚称裹尸布是近代的制品，并以此作为立论根据，称裹尸布上面的形象，非常符合一般人心目中的耶稣基督形象：面部有须、神态庄严、鼻梁挺直。他们辩称这些足以证明裹尸布是中古时代伪造的。然而这个说法与事实相反，因为传统上的耶稣基督形象，都以都灵裹尸布上的形象为本。

传说一位门徒让爱得沙（今土耳其南部乌尔沙）国王阿格巴摸过裹尸布，国王的麻疯病不药而愈。阿格巴立刻皈依基督教，裹尸布从此亦归他所有。后来阿格巴的继承人马弩背弃了基督教，爱得沙的基督徒把裹尸布藏在城墙的一个壁龛里，差不多过了 5 个世纪才再找出来。

下面的事就不是传说，而是史实了：拜占庭人对他们叫做

“圣袍”的圣物极其崇拜，在公元944年组织了一支远征军，要把圣物从占据爱得沙的穆斯林手里夺回来。从那时起直至1204年君士坦丁堡饱受劫掠止，圣袍一直被小心保管，一年只公开展览两次。1204年后，圣袍再度失踪。

圣袍到底是什么宝物？那是印在一块布上的耶稣基督面容，自从在爱得沙城墙里发现以后，这幅画像对宗教艺术的影响是不容置疑的。6世纪初叶以前，耶稣的形貌总是头发很短，不留胡须的。但以后的画家常常把耶稣画得头发很长，蓄了胡须，鼻梁挺直，而这些特征都跟都灵裹尸布上的形象符合。这样说来，1204年失落的那件圣袍难道不可能在150年后以裹尸布的形式重新出现吗？

这种说法有一个弱点：谁都知道圣袍上只有基督的面容，而非全身轮廓。不过也有人指出裹尸布有褶痕，所以公开展览的可能只是头像。拜占庭人把圣袍放在一个框子里保存，也许他们并没有注意全身的重要性。无论如何，极可能是君士坦丁堡遭洗劫时，圣袍被圣殿骑士团救了出来，带往法国。圣殿骑士团成员素以虔诚和勇敢见称，圣物由这团体保护最合情合理。

主要是因为这个团体有钱，圣殿骑士团在基督教国家树敌甚多。其一是法国国王菲力四世；1313年他把这组织许多领袖烧死，以作镇压。受害者中有一位名叫德查尔尼。那么，1357年公开展览圣袍（那时称为圣体裹尸布）的，是否德查尔尼的后代呢？这个假说对这件令人肃然起敬的圣物过了许多世纪突然出现，最少是个合理解释。

耶稣的裹尸布留给了现代人极大的困惑，这是人们在臆想中的当时的情景。

19. 英国骑士之谜

公元1180年某天日落时分，马恩河畔蓝格尼城郊野，横七竖八尽是死尸。血染大地；伤者的呼喊与呻吟响彻云霄。是不是法国军队和来犯者打了一场惨烈战争？不是。虽然这里确实有人打过仗，但是死在这里或身负重伤的人不是为国捐躯，而是旨在竞技。因为马恩河畔蓝格尼城刚刚举行过中古时代最铺张浪费、场面惊人的娱乐：马上比武大会。比武之日，超过3000名全副武装的骑士，排成阵势，策马奔驰，互相攻击。根据当时的一篇报道，如果身历其境，“你会看到长矛交击、碰撞发出的声音震耳欲聋，地上布满断矛折戈。四处田野，一片喧闹，人声鼎沸。”这是一场“无所不用其极”，或如我们现在所说“没有规条约束”的马上比武大赛。

历代教皇闻悉人类这样进行灭绝人性、肆意杀戮的比武，都发言反对这种“值得诅咒和不幸的”消遣。教会发言人运用毫不容情的辞句谴责马上比武大会，因为每一次比武必然会引致大屠杀，有许多优秀骑士会无缘无故变成终身残废，甚至被杀，而当时十字军正需人打仗，马上比武实在是有背天道的行为。教会也非难比武大会所引起的淫乱放纵行为，最后还以开除教籍吓阻有意参加比武大会的人，甚至拒绝为比武致死骑士举行宗教殡葬仪式。

但言者谆谆，听者藐藐，这种严辞谴责无济于事。在比武大会上“双方”厮杀，每方由富家巨宦后嗣，组织率领大批骑士互争雄长的场面，的确是太吸引人了。此外，这种残忍游戏也为真正作战提供了必不可少的训练。一位历史学家说，“不曾接受马上比武磨炼的骑士，不可能在战场上耀武扬威。他必须亲眼见过自己流血，尝过牙齿为人砸碎的滋味。”还有，参加大规模马上比武，也是中古时代年轻人出人头地的少数方法之一。开始时他大概当一个现役骑士的随侍，负责洗马、看管盔甲武器，跟随主人参加比武大会和战争。比武大会本身往往也包括侍从人员之间的较量。后来随侍可能逐渐升为游侠骑士。所谓游侠骑士是到各地参加比武大会的骑士，向比武任何一方传授武艺和谋略，一朝获得赏识重用，要谋取财富和名誉就易如探囊取物。

比武大会据说发源于法国，至十一世纪在法国生活中根深蒂固。这种运动迅速传到别的国家，尤其是英国，以比武大会庆祝喜庆、加冕和宴乐节日，蔚为一时风尚。大部分比武是地方性的，规模相当小，参加者均为本地骑士，但也有少数是国际比武赛事，由各国骑士到来参加。赌注可能很大，战败者如果只输掉马匹盔甲，已经算是幸运了，如果被人活捉，对方要求的赎金数目就可能非常巨大。

一旦下了挑战书，定下比武的时间和地点，备战工作就会进行得如火如荼。通报人快马加鞭，在各处城堡和市镇间穿梭驰骋，宣扬比武大会。数以千计的人向比武地点蜂拥而来，有的要亲睹罕有的壮观场面，有的前往谋取这种那种利益。为贵妇和其他特权阶级而盖的看台以三角旌旗和挂毯装饰（虽然比武一旦开始，骑士有时会因战略需要绝尘而去，不见影踪，彼此动不动就在旷野里追逐好几里路）。骑士在嘹亮的喇叭声中，和更多的纹章旌旗簇拥挥舞之下，进入比武场。贵妇淑女惯常用金色或银色采绳牵引她们宠爱的骑士入场，并把一件私人物品，譬如手绢或戒指等馈赠给骑士，然后再退回看台，落座后观看比武。

此时人声喧腾，气氛更是剑拔弩张。对垒双方的骑士，终于排成阵势，一个个骑在马上，带着惯用的长矛，以及如果被打下马后，才用来御敌的短剑、盾牌。跟着比武大会组织者一声令下，双方武士开始交锋。为求公平比赛，当然有依照骑士规章订立的比武规则（譬如说不能攻击下身），但是一旦打得性起，变成一场混战，大群骑士团团乱转，有的尚在马上，有的则跌下马来，在地上挣扎求生，局势就一发不可收拾了。此时就会造成真正的伤害：骑士饱受马蹄践踏；头盔砸扁，头颅被夹而致窒息；手臂也难免让乱挥乱舞的利器砍断。混战之中，所谓道德很快会变成嗜血的杀戮。

如无停战命令，或胜负未分，就要一直厮杀下去，直至一方彻底失败。比武完毕，伤者抬回家调养，希望还能活下去，他日东山再起，参加另一次比武大会。

但到了十四世纪末期，比武大会的性质变了。骑士披着笨重耀眼的铠甲，盾牌饰上盾形纹章，盔插羽毛，笨手笨脚，策马跑来跑去，单人匹马和另一个骑士交手。两个骑士彼此或投矛，或冲刺——大同小异的战斗方式成了一般人喜爱的比武方式，足与集体比武争一日之长。这种比武方式也很刺激，但比武者最多只是被人挑下马时昏倒在地。老一辈骑士往往瞧不起这种新式比武方法，仍然对往日藉以训练战士的集体比武不胜留恋。一个历史学家评论此种横冲直撞交锋和拚命混战，说：“骑士到时如果要上战场厮杀，也会胜券在握。”其实他还应该加上一句：“假如他幸运能活到那时的话!”

中古时代最著名的英国游侠骑士，是十二世纪的马歇尔。马歇尔的父亲在亨利一世之女昂殊郡主马蒂尔达的庄园里专管马匹事宜。马歇尔8岁起在诺曼贵族坦卡维尔的威廉府充当随侍，逐步由无名小卒，升迁至英国摄政的高位。

马歇尔21岁时成为游侠骑士，旋即以勇敢善战驰名于时。在前后15年的战斗生涯里，据说在500次比武大会上都未逢敌手，接连获胜。有次与人交战，头盔遭砸凹，不能除下，只得把头放在铁砧上，让铁匠给他把头盔敲下来。

英王亨利二世为了奖励他在比武场中武艺超群、英勇无匹，任他为朝臣。不久他即往圣地朝拜，回来之后协助亨利二世平定了理查德、杰佛里和约翰三个王子作乱。英王亨利于1189年逝世，其子理查德继位后，册封马歇尔为班布鲁郡伯爵，镇守威尔斯边区。

马歇尔不久即成为英国举足轻重、权势显赫的贵族，1216年英王亨利三世登基时尚未成年，全国贵族理所当然推选马歇尔为英国摄政。马歇尔像国王一样统治英国达3年之久，至逝世为止。马歇尔一生，由一个游侠骑士而晋升至英国摄政，可谓充满传奇色彩。

20. 腓特烈二世之谜

群众看到跟从皇帝出游的长长行列，都目瞪口呆。毫无疑问他们眼前的就是中古时代最了不起的君王。欧洲人从来没有见过皇帝出巡竟是这种非比寻常的气派。走在前头的是撒拉逊人组成的骑兵卫队，骑阿拉伯马，穿着东方服装。在那些瞧热闹的意大利人和德国人看来，一定赞叹为极富异国情调。卫队后面的皇帝妃嫔，都是戴着面纱的绝色美人，坐在高高的马驮轿座上下晃动，由高大黑人太监护卫。妃嫔之后是宫廷人员、衣着鲜艳夺目的骑士和朝臣。皇帝身材颇矮，头发艳红耀眼，高高在上，威风凛凛。皇帝后面跟着几列侍从，腕上都架着皇帝宠爱的冠隼。随后是皇帝豢养的兽群，包括疾走如飞的豹和猎豹，及当时在欧洲首次见到、由埃及苏丹奉送的骆驼和长颈鹿等。行列后头是给漫天尘土淹没的厨师和办事人员。做母亲的这时会告诉儿女，刚才看到的是旷世奇人腓特烈二世。

腓特烈二世身兼西西里王、神圣罗马帝国皇帝、耶路撒冷及塞浦路斯王，1194年至1250年在世期间，在部属及支持者心目中，是真正的旷世奇人，是第二位大卫王，甚至是救世主，来到世上恢复罗马的黄金时代，清理腐败的教会，以及建立世界和平。但在他的许多仇敌（其中包括教皇）看来，他反对基督，嘲笑正统的宗教，与异教徒和犹太教徒为友。那么，到底腓特烈二世曾否公然怀疑灵魂不朽，宣布摩西和耶稣是有史以来最大的骗子呢？他又曾否与阿拉伯哲学家论道，还养了大群妻妾？而且他参加十字军东征，到了圣地，是否没按以往惯例屠杀伊斯兰教徒，反而互订和约，将基督教圣地从伊斯兰教徒手里租回来？果真如此，难怪教皇两次将他逐出教会，还鼓励子民反抗他的统治了。

但腓特烈二世到底是怎么样的人呢？他既惹来这么恶毒的批评，别人对他何以毁誉参半？腓特烈二世的祖父是神圣罗马帝国皇帝兼德国国王腓特烈·巴巴罗萨，1190年十字军东征时逝世；外祖父是西西里兼意大利南部国王威廉二世。上述二位是当时最伟大的君主。腓特烈二世的父亲亨利皇帝，娶西西里国王嗣女康斯坦斯为妻。亨利1197年逝世，腓特烈仅3岁，这年幼的子嗣在巴勒摩长大，无人护荫。西西里先后为希腊人、阿拉伯人和诺曼人占据，因此西西里各城市是中古时代各民族的熔炉。腓特烈的长辈将这孤子安置在巴勒摩后，便争权夺利去了。腓特烈平日常和犹太商人或阿拉伯及希腊手艺人往来，自然与当年大多数年轻王子所受的教育有极大不同。

1212年腓特烈即位为王，年仅18岁，已是一个才识见闻极不寻常的人。当时是所谓正统宗教处处左右个人思想的时代，教会严格管制每个人的一言一行。腓特烈是个不算热心，甚至将信将疑的基督徒，随时准备融合伊斯兰教和犹太教的长处。他雇用犹太医生和阿拉伯军人，渴望吸收阿拉伯与希伯莱哲人学者的异教文化学识。

虽然腓特烈与圣五伤方济各会晤的传说并不可靠，却概括说明了腓特烈对宗教亦如对其他事务一样，抱持探索研究的态度。1221年秋，圣五伤方济各到圣城朝圣后，回到意大利南部巴利。当时腓特烈正在巴利一座古堡举行受觐仪式，曾请圣五伤方济各到古堡过夜。腓特烈将一位美女送入圣五伤方济各卧室以图引诱他，自己则从墙上一道小缝隙向内窥探。但见圣五伤方济各醒来，旋即从火炉取出一些通红的炭撒在地上，然后躺上去，并请引诱他的美女同卧。美女只好退了出来，腓特烈即走进去，两人彻夜长谈。圣五伤方济各奉行禁欲，又是神秘主义者，与诸事怀疑、耽于声色的皇帝大有不同，但两人也有许多相同之处：希望与伊斯兰教和平共处，同时有意改革腐败的教会。可惜两人当夜谈了些什么并没有记录下来。

这位皇帝常将时间花在世俗事务上。他的宫廷是诗人和艺术家聚会之所，还有美人增添旖旎，而普洛凡斯的吟游诗人在其中更是如鱼得水。腓特烈自己也不是一个蹩脚诗人，他用意大利文写的诗篇，对佛罗棱萨伟大诗人但丁颇有影响。他所设计的建筑物，预示希腊和罗马风格的复兴。今日已毁的加普亚拱门，便是依照罗马建筑式样建造，而腓特烈的雕像及金币，设计上一概采用古典风格，图象中皇帝头上都戴着桂冠。

腓特烈所订法律，尤其是有关女人的立法，极具人道精神。例如女人有财产继承权外，更受到反强奸法的保护。腓特烈的管治手法相当先进，宫殿装设的水管系统也很完善，因为腓特烈喜欢勤洗澡。他做的多种自然科学实验，也走在时代前面。但这名声完全不能帮助解决他与教皇的长期争吵，教皇讨厌他革新，也不信任他的意图。几任教皇都挑唆惴惴不安的意大利北部城市居民起来反抗。教皇攻击腓特烈二世，真正的原因与宗教无关，而是想保持自己在意大利中部管辖的地方，不受王室干涉。于是政教长期对抗，彼此肆意攻讦指摘，谎言诽语连篇，是非黑白一时难以分辨。

腓特烈绝不是诽谤者说的“敌基督”，但在那个时代，人们不懂欣赏那种个性，结果他成了谜样的人物，而非旷世奇人。他的行为似乎超越时代。在中古时代最黑暗的年头，他是文艺复兴运动的先驱；在盲目信仰宗教的时代，他是一个抱怀疑态度的人。腓特烈在1250年猝然去世。他一生如此多彩多姿，有许多灿烂辉煌的作为，以致许多人都不信他真正死亡。有人冒名顶替，自称真命天子，救世者腓特烈。他生前虽无往不利，死后却祸延子孙，其后裔不断与教廷争权失败，成为牺牲品。25年后，子嗣都死光了，旷世奇人的朝代亦随而灭亡。

中古时代许多国君都爱好携隼出猎，放猎隼到高空捕捉猎物。但通常把隼关好后，不多看它一眼。腓特烈二世不仅热爱出猎，对鸟类生活的各方面也有兴趣，还写了一本鸟类生态的名著:《携隼出猎术》。这是一部名副其实的科学著作，直到十八世纪仍是权威读物。这部书大概是腓特烈晚年所写。当时亚里士多德的《动物学》被认为绝无错误，腓特烈虽然也表示受益良多，却在他的书中写道:“那位希腊哲学家讲的许多事例，似乎与事实不符。”腓特烈所以能指出亚里士多德的错误，由于他曾长时期留在全国各地的狩猎站内观察鸟类。这部书共分六卷，后面四卷讨论专门技术，前两卷则写得趣味盎然，显示腓特烈不愧为动物学家。他注意到有一种鸟从地里挖掘食物，因此内趾上都有锯齿状组织。他还将一只幼雏带回家，观察其成长过程，因而发现大杜鹃的筑巢习性。他也观察过意大利南部上空的候鸟迁移现象，并曾利用太阳热力尝试人工孵化鸟蛋。

不过腓特烈最感兴趣的还是隼与携隼出猎，在这方面更是当时最杰出的专家。他自挪威与格陵兰间称为伊兰迪亚地方一个相当寒冷的海岛，取得善猎的猎隼，其事详记书中。由此说明他是如何深爱这玩意，不惜千里迢迢把隼运回西西里岛。今天就算有各种巧妙方法，要运送一只隼也非易事。

21. 大津巴布韦之谜

德国地质学家莫赫有一次在非洲南部遍布灌丛的地带一步步勉力前行，偶然发现了好些巨大的石墙遗迹，看来显然是一座废城。莫赫当时确信这座废城不可能是当地非洲人所建，因为非洲黑人住的全是原始的泥筑棚屋，这些遗迹称津巴布韦（意思是石房子），是当地非洲人起的名字，所以莫赫心想，这些建筑定属从北方较先进社会来的人的杰作。但1871年发现这座废城的莫赫完全猜错了。这座使人印象深刻的花岗石城，的确是非洲黑人所建造的，因此今日废城所在的国家名字由罗德西亚改为津巴布韦，实在再贴切不过了。

这座令人难以忘怀的废城，屹立在津巴布韦东南一隅，近木提利魁河河谷尽头，景色壮丽，长年苍翠。这些顶部倒塌的石块建筑，散布在广达24公顷的土地上。其中俯瞰全城的建筑物，是一座位于山顶的石砌围城，因而有人称之为“卫城”，不过这个名字并不适当，因为围城不是用来防卫，而是让人观赏的。山下的河谷里，一道围墙围绕92米长、64米宽的地方，在这地方一堵残留的神殿墙壁屹立。在这两座巨大遗迹之间，则布满很多较小的房舍遗址。

附近居民并不知道这些巨大石块建筑群的历史，令莫赫颇感困惑，他判断这些石块建筑定是黄金贸易的副产物，因为根据基督教圣经有关示巴女王的记载，3000年前非洲某一处地方的黄金贸易非常发达，积聚的财富不可胜数，大津巴布韦很像是这地方了。后来有些“专家”也支持莫赫的说法，认为大津巴布韦是

这座16米高的实心塔，是津巴布韦最神秘、最迷人的建筑物，迄今仍无人知道它在暗示着什么

从埃及或腓尼基一类古文明社会请来建筑师和熟练工人设计、建造的贸易站。虽然也有人反对莫赫等提出的说法，但十九世纪的废墟研究专家都持一个几乎一致的意见：当地班图人的祖先，文化并不算发达，根本没有能力设计和建造如此宏伟的建筑。还有一个有趣的说法，说津巴布韦可能是所罗门王藏宝的地方。据传说，这宝藏曾为大卫之子所罗门王的朝廷提供大量财富。

但这非洲卫城真是基督出生前1000年建造的吗？许多考古

学家认为此说值得怀疑，尤其在苏格兰专家兰德尔—麦基弗发表了有关废城的研究结果后，数千年历史的说法更站不住，他说这些石块建筑物只有几百年历史，而非几千年，不是外地人而是当地非洲黑人建造的。这些研究结果本世纪初期公布后，获得英国考古学家卡顿—汤普森确认。他在1929年这样写道："……搜集所有现存各方面证据，并予详细研究调查后，尚未能找到一件证据，足以否定此为班图人于中古时代所建之说。"这个看法后来得到其他考古学家的研究结果证实，而且这个看法与有关班图语系各民族的历史传闻符合。这些民族从现在叫做奈及利亚的非洲地区，逐渐向东南迁移，到基督纪元初某个时期，便占据了非洲中部和南部。

在沉积土层找到的一些物件，经过碳十四分析以鉴定年代，证明卫城山上最早的拓居活动，始于公元二或三世纪。到了1200年前后，这个地区受现今绍纳人的祖先姆比雷人控制。姆比雷人是熟练的矿工、手艺人和商人，曾经建立一个组织完善的政治个体。那些花岗岩高墙，大概就是姆比雷人文化全盛时期建造的。神殿和围墙则为较晚期的建筑，至于其他房舍，似乎是以后两三个世纪才增建的。

然而大津巴布韦这个繁荣昌盛的贸易和宗教中心，在什么时候，又为了什么缘故弃置呢？历史学家研究过这地方的古今地理特征，大致可以肯定在十六世纪初年，大津巴布韦居民已将这个地区的食物和木材资源全部用尽。大概由于连年干旱，粮食歉收；或是数百年来过度耕种，土壤衰竭；甚至可能瘟疫流行，灭绝家畜野兽，居民无以为生。我们不知道是什么原因，但不管当时发生了什么事情，大津巴布韦的3000多名居民慢慢减少，迁往物产较丰、条件较好的地方去了。

可是仍然有一样事情令人百思不解。为什么姆比雷人建筑巨大建筑物，要用花岗石而不用木料和泥土呢？一个可能的解释是律巴布韦是个宗教中心，所有建筑和设计，旨在显示其重要地位。但更可能的是大津巴布韦为贸易中心，控制着西起马塔贝莱兰金矿区，东迄印度洋海岸之间的繁盛贸易。起初石墙大概是方便将山上露出地面的天然岩石接起来，作为畜栏；大部分石墙则造来增加声威，向前来贸易的商旅炫耀当地居民的财势。不管为了什么目的，大津巴布韦人引人注目的建筑才能，是不容置疑的，因为即使今天大津巴布韦一片荒凉，所有前去参观的人对那些残垣断石的坚固与威势，仍会惊叹不已。

津巴布韦遗址日后说不定还会露出更多秘密，因为这些属于一个湮没社会的遗迹，仍然充满神秘，真相未明。

22. 绳结语之谜

公元1527年西班牙冒险家勘探今天厄瓜多南部海岸一带地区时，发现一个绵延逾4000余公里的庞大印第安帝国：印卡帝国，疆界北起现在厄瓜多尔与哥伦比亚接壤地带，南及今智利中部。这个帝国的元首高高在上，是臣民尊为太阳神后裔的专制君主。帝国各地筑有道路和灌溉渠道系统，人口众多，分成多个部族。帝国内各种频繁和活动，则由一个颇具效率的行政体系统筹办理，并以帝国中部的首都库斯科为发号施令之所。西班牙人看到这些已开化“异教徒”的工程和农业技术，以及锻工精细、品种繁多的金银器，不由得叹为观止。这些印第安人的建筑工程和工艺制品不但足与欧洲最优秀的媲美，可以说是尤有过之。但令西班牙人同样感到惊奇的是，印卡人既不能读，也不会写。他们没有文字，亦无书写的数字体系，甚至原始的图画记录或象形文字也没有。

这似乎不可思议。西班牙人很快发现印卡皇帝有需要时，手上任何资料一应俱全，如帝国每一个子民的身份与年龄、食物供应（什么种类，存在什么地方）、军队的屯驻地点和数目、金银财产及皇帝关注的其他事项，如最近的史实和法律等。西班牙人不禁纳闷起来：没有文字记录，举国上下、古今许多复杂的事项，怎样能够编纂和记载下来呢？但他们旋即有了答案。所有这些事项都用结绳的方法记录，而且非常准确。诚如一个征服者在了解此项奇事后写下的记载说："甚至一双便鞋也不会遗漏。"

印卡人这种制度完全依靠绳结语。在一条至少 30 厘米长的绳子上，系以各种长短粗细不一、颜色有别的绳子，而且说不定在这些绳子上某处，还系有其他或长或短的绳子。印卡人利用不同长度的大小绳子，配合各种颜色彩绳，就能做出精密记录，复杂、繁多的事项也不虞失误。

比如印卡人保留一年一度的人口统计数字，便是利用绳结语；又如计算每年粮食收成，统计帝国各地一年生产的羊毛以至军备等，全赖这些绳子做记录。绳结记下征服某个部族后从臣服者手上所得贡品，也记下臣民缴付的税款数量。当时并无货币，也无物价，因而使用绳结语记录进货销货，调节供求，以便预知缺货情形，尽量防止货物紧缺。

这样说来，打了结的绳子一定多得像现代图书馆的藏书，而且要任用经过训练的人专门负责管理。保管强绳的人因为具结绳记事的特殊本领，所以极受人尊崇，帝国君主也免除他们的义务，不必像其他人那样缴税和服兵役。印卡上层社会的男子所受教育，即以如何通读和编绳结语为主。每个村庄至少有3、4个受人敬重的结绳管理员，他们常常把彼此的记录交换检查，确保所有事项均按规定记录下来。这些人各有专责：一个专管谷物收成的记录，另一个管人口统计数字，第三个管军备，还有其他的管民生所系事项等等。至于其他与数字无关的记载，如历史、传说和法律等“学识”，则要求记录者有极好的记忆能力。这类事项的大纲完全采用口授的方式代代相传，但有关细节则凭结绳补其遗漏。利用不同的结绳方式、彩绳颜色和结绳位置，便可记下详细日期、数量和其他事项。

“这个帝国由绳结语统治”是一个西班牙征服者的观感。绳结语对一个幅员广阔的中央集权国家极其重要。所有地方上的结绳记录，均须呈交设在库斯科的中央记录局，以备当局查核。1532年5月，印卡皇帝阿塔华尔帕驻跸小城卡哈麦卡，一队西班牙侵略军已经登陆的消息就是用绳结语传给他的。皇帝一看结绳就知道一共有多少人登陆，带的是什么武器。这使无疑还煞有介事地提到对方的马匹；印卡人从未见过马，十分惊异，还以为人和马是一体的怪物呢！

西班牙人征服了印卡帝国，同时引进一种书写文字，因而大部分绳结语就湮灭了。这块土地的新主人从不想了解结绳的秘密，所以有关印卡帝国及其人民的完整记录便全部消失了。今天我们见到的结绳记录大部分收藏在博物院里，但现代厄瓜多尔、秘鲁和玻利维亚各处山区，仍有人用古老的印卡绳结语记事。即使在今天，仍然可以看到古印卡人的后裔以在长绳上打结和解结方式，记录羊的数目。

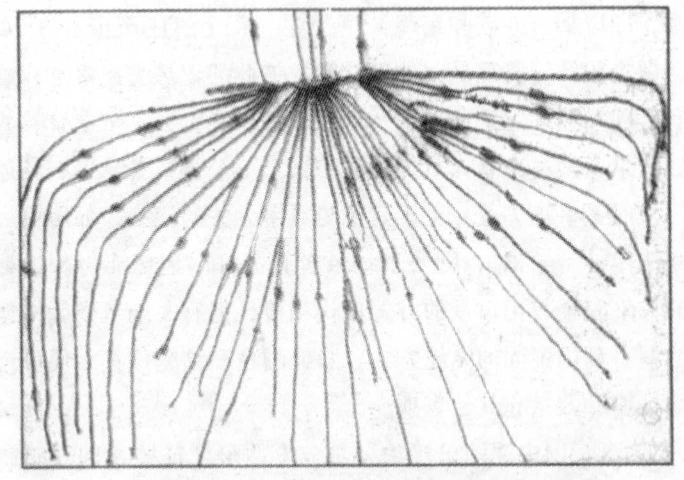

没有文字的印第安人靠结绳节记录国事、家事，你能明白图中的绳结记录的是什么事情吗?

绳结语主要是用长短不一、颜色有别的绳子，打上大小不同的结记事。不同颜色的绳子、绳结部位和绳结数目，以某种形式组合起来，表示要记的事物。一般认为阅读绳结应沿主绳由右至左逐条验看。各色彩绳用以表示所记何事（例如黄色绳子代表玉米，指存储的粮食）及其地点（比如一条黄色细绳系于蓝绳上，表示结绳所记储粮属于这个或那个省份）。在某种长度的绳上，绳结的部位和数目代表任何所需的数量资料。乍看来，绳结语似乎简单之极，其实是颇为精细复杂的。例如，以某种特别方式在绳上系一条黑绳，可添加时间因素；较大的数目，只要在某部位打一个结，毋庸打千百个结。绳结也可帮助记忆，尤其对那些手法娴熟的结绳人而言。这些人可利用绳结帮助重温陈年旧事。例如，一条表示过去的黑色主绳，可能表示它记载的是历史资料。以一条红绳在主绳上打个大结，也许表示记事涉及皇帝，绳上的四个结则显示事件发生在他登基后第 4 年。一条棕色辅绳上面打了 10 个结，可能指他征服了 10 个省份，至于其他各色彩绳上的绳结，可代表征服的种族和攻占的城市等事项。

印卡人早期在今天秘鲁境内安第斯山脉东西斜坡一带务农，只据有库斯科山谷内的一小块土地。十三至十四世纪期间，敌对部落长期争战，印卡人逐渐扩展领土，但要到十五世纪两位雄才伟略的领袖，帕查库蒂及其子托巴相继登基统治，印卡人才成为安第斯山脉势力最庞大的民族（“印卡”原为统治此一民族的王族族名，后来指帝国所有部落）。1438 年到 1489 年 50 年期间，印卡领土从秘鲁中部库斯科方圆数平方公里，扩展至包括山地、高原、沿海平原、森林和荒漠的 70 万平方公里土地，人口千万，分属百多个部族，共有 20 种语言。

印卡帝国霸业好比昙花一现。1532 年皮萨罗带了 170 人，并得到不满印卡统治的部族之助，就把印卡帝国征服了。1572 年，最后一个印卡独立省分也陷落，曾经不可一视的印卡人几乎像奴隶一样，在大庄园和金银矿场替新主人工作。成千上万土著不是死于极恶劣的工作环境，便是因为没有免疫力，染上痲疹和天花等欧洲传染病而死。征服者在印卡推广西班牙语文、法律和宗教，逐渐完全控制了土地与人民。印卡帝国最后成了西班牙帝国一个省份。

23. 沙特勒圣堂之谜

沙特勒圣堂里的巨型石柱巍然耸立，柱顶向外伸展，如展开的鸟翼接连穹隆屋顶，其下是中殿及唱诗班席位。阳光透过彩色玻璃射入教堂内部，更使里面染上一片绚丽璀璨的色彩。许多人认为这座沙特勒地方的圣母圣堂是法国哥德式建筑艺术的巅峰之作。

公元 1194 年，当地原有的罗马式长方形圣堂大部分被焚毁。但沮丧的居民听说灰烬中发现了圣母玛利亚所穿外衣碎片，又转忧为喜。这种圣物所以受人珍视，除了本身具历史价值，还因它可使存放圣物的教堂和城市远近知名，吸引很多游客。沙特勒的居民认为圣衣并未尽毁是上帝的恩赐，便乘宗教狂热建造一座圣堂。全城居民为建筑圣堂纷纷捐献劳力、木材、石块、玻璃和金钱。

工程浩大的圣堂费时 31 年才建成。这简直是一个奇迹，因为这座建筑设计美观匀称、风格统一和谐的沙特勒圣堂，是在没有任何全盘详细计划，而且并无任何管工或建筑师监造的情况下建成的。中世纪的建筑工程主要操于工匠师傅之手，这些人运用罗盘、三角板、两脚规和细绳子，到工地测地基，铺地板，建墙壁，立支柱，盖屋顶。每位师傅带着一组工人，专做其中一项工作。这些人甚至不依循统一量度标准，每个师傅都有自己一套量度方法，既可能是古罗马尺（合 295 毫米）、也可能是皇家尺（合 325 毫米）或条顿尺（合 333 毫米）。但就是这样各展所长，分工而不大合作，便建成了特别的建筑。

这些人建筑圣堂既然没有全盘计划作指引，至少也应仿效曾经试验并且证明行是通的方法，但他们不循旧规，力求将中殿、唱诗班席位和圣堂翼部建至前所未有的高度，又削减墙壁面积，以便加大窗户。因此他们需要创新求变，建筑拱扶垛，支撑令人为之目眩的种种高耸结构。但正因如此，就如同一世纪末期附近包菲地方建筑教堂一样，时生意外，工程进行中包菲圣堂唱诗班席位两次倒塌，沙特勒圣堂也险些发生同样灾难。

究竟是些什么人以超凡胆量和艺术家的想像力，将沙特勒圣堂拔地建起？我们不但对他们如何施工所知甚少，而且仅知道几个建造人的名姓：他们留下了一些珠丝马迹，供后人辨识身分。现在参观这圣堂时只要细心观察，就会看到其内偏僻角落的石结构上刻有一些标记和符号，譬如姓名缩写及鱼类和人面的轮廓。这些全是石匠的私人记号，当初用来标记所完成的工作，现在则成为我们与中古时代石匠的奇妙联系。当时的石匠行会是一种秘密的同业组织，旨在保存和控制本行技能，行会参加建筑沙特勒圣堂，就如现代的工会保护会员的利益和特权，以及保证会员获得适当的报酬。

有学者对圣堂工程与中古时代神圣数学秩序观念之间的联系深感迷惑。神圣数学秩序是一种包括天地万物的宇宙几何学，学者认为如沙特勒这样的圣堂，或者是造来响应这种宇宙秩序的。

学者对这项庞大的建筑圣堂费用，同样极感兴趣。在十三世纪，一个人口不足两千的小城，到底是谁拿出钱来建筑圣堂呢？这个小地方确难支付这么大笔的建筑费用，况且没有银行或可靠的贷款来源，今天要找寻这些财务方面的资料的确不容易。我们知道沙特勒主教管区下辖九百多个教区，而每个教区经常会捐助这主教座堂的建筑费用。沙特勒每年也会举行一次交易会，那是法国赚钱最多的交易会之一。至于部分建筑费是否来自圣殿骑士团一类的修道士团体呢？圣殿骑士团是 1099 年十字军第一次东征时，在圣城成立的教会精英军事团体，目的是在发现异教徒时，便与异教徒作战，而骑士团势力日渐庞大，被认为对君主制本身构成威胁。当地有很多传说和轶闻，都将圣殿骑士团和沙特勒地区，尤其是沙特勒的圣堂连在一起，但木石无言，如果骑士团确曾参与建筑圣堂，也无人能予以证实了。

这些引人入遐思的问题，不管到底有没有答案，自 1260 年落成举行祝圣礼起，沙特勒教堂便巍然屹立至今，成为美伦美奂的建筑艺术典范。这圣堂不是出自个人的天才创造，而是整个地区的人民以虔敬的信仰和坚定的意志建成的。许多世纪以来，这座建筑物如许多大教堂一样，不仅是礼拜场所，还是市民生活的中心。遇有危难困厄，或是欢庆节日，人人都到这里共聚一堂。圣堂周围满是店铺和货摊，有些伸展到圣堂大门。圣经故事的神迹剧也在圣堂的台阶上上演。

沙特勒圣堂是全世界游客、历史学家和艺术爱好者无限向往的地方。每年 6 月 21 日碰巧到这圣堂一游的人，还可以见到一种奇景。就在这一天，太阳上升到夏至日最高点，一道阳光会穿过教堂南翼彩色玻璃上一小块地方，投射到一块颜色比其余所有石板为浅的石板上，片刻之后，奇景便消失，要等到下一年同一日，才能再见到。看来一定有人煞费苦心这样安排奇景出现。但究竟是谁安排的？他为什么要这样做？这当然是沙特勒圣堂的又一桩神奇奥秘的事情。

24. 奴隶变国王之谜

蒙古大军从西伯利亚推进至叙利亚，一路上所向披靡，势如破竹，一个个王国君主俯首称臣。所以公元1260年蒙古大军横扫叙利亚指向埃及时，深信攻破开罗一定会像攻破巴格达一样，易如探囊取物。但他们错了，蒙古军与埃及军队在泰柏立湖（现代以色列北部加利利海）附近的贾卢泉交战时，蒙古军一败涂地，被迫匆忙退兵，从此不再威胁埃及。

贾卢泉一战备受注视，虽有几项主要原因，但最突出的一点是埃及军队几乎完全由别国的人组成。除了极少数的埃及士兵外，全是马木留克（阿拉伯语，意即“奴隶”）或马木留克的后代。中古时代的马木留克是以服兵役换取自由的异国奴隶。

这些奴隶出身的战士称为马木留克，为现代通用的适当名称；这些人有其独特历史。公元九世纪巴格达统治者已开始自土耳其干草原购买奴隶以充实军队。后来，伊斯兰教国家把购自亚洲奴隶市场的青少年奴隶，训练为士兵，渐成风气。但结果始料不及：马木留克不但不替主子作战，反而摇身一变成为主子。埃及在这方面的经验正好作为代表。十二世纪以前，埃及组织军队有赖征召农民入伍，这些农民既不愿参军，也缺乏训练；要不就是召黑奴和雇佣兵组成军队。尽人皆知黑奴和雇佣兵不愿立功，也无意效忠苏丹，所以埃及开始将土耳其及库德斯坦等外国地方的雇佣军团并入正规军中，以增强兵力及维持军纪。十二世纪下半叶出了一位伟大战士萨拉丁（基督教十字军战士的克星），他先成为埃及的大官，后来更成为苏丹。他在位时把一个军团的奴隶编到军队中去。这军团的奴隶有的购自公开市场，有的是土耳其俘虏。他们的作战能力首屈一指，所以萨拉丁和他继任人逐渐增加军队中的奴隶数目，由斗志坚强的奴隶取代不堪一击的农民。到十三世纪，所谓埃及军队几乎完全是由马木留克组成。

伊斯兰教徒对待奴隶的态度，与几个世纪后的西方国家不同。有势力的埃及及购买青少年奴隶替自己或自己的侍从上战场。奴隶主受到鼓励，须待这些年轻人如自己的家人。男男女女即使是奴隶出身，也没有丝毫耻辱的感受。马木留克少年在开罗的特别军事学校受训，练就纯熟作战技法。他们成年时便获得自由，并获发给军事装备及一块土地，以维持家属生计。跟着他们会奉派往苏丹的军队或苏丹属下一个军官的军中服役。在开赴战场作战的军队中，所有负责指挥的军官与属下部队一样，都是从马木留克中征召而来的。

事情这样发展下来有一种无可避免的趋势：马木留克士兵完全服从他们的战地指挥官，而不受遥远的埃及统治者控制；当时埃及苏丹和王公跟输入奴隶充当军人的商贾一样，仍然不知道有些情形。所以到十三世纪中叶，原本由苏丹建立起来保护王位的强大军队，已壮大到足以推翻苏丹了。埃及苏丹阿尔·萨立 1249 年去世时，马木留克谋杀了他的继任人，并从奴隶群中选了一个出来做统治者。从此，埃及和叙利亚落入马木留克苏丹的牢牢掌握中，长达三个世纪。每一个马木留克苏丹，要不是年少时由外国购回来的奴隶，便是那种奴隶的直系子孙。马木留克接管埃及后，要登上王座或取得任何位高权重的身份，必须尽力争取（说得更贴切一点，是争战夺来的）。马木留克苏丹开始掌政一百多年内，先后约有五十多人登位，其中很多当权时期极短，因为互相敌对的势力经常不择手段，务求夺取最高权力。1517年，扩展中的鄂国曼（土耳其）帝国击败马木留克并占领埃及，马木留克朝代也就完结了。

马木留克战士中，最伟大的一位也许是贝巴斯。他是埃及军中一名将领，1260年在贾卢泉大败善战的蒙古军。他得胜后顺利取得最高权力，没有人胆敢阻拦。凯旋开罗后他便登上埃及苏丹宝座。在今日开罗的咖啡馆中，现代人还在追述当年的军威及那一战役造就的太平盛世。但据说这个蓝眼睛的土耳其人取得江山前几十年，不过是大马士革奴隶市场中售价五百银币的小伙子。

25. 西西里大屠杀之谜

好色之徒借酒闹事常惹起打斗伤人，但是极少引起战争。西西里岛法国占领军的德鲁埃中士酒后闹事，后果却极为严重。1282年复活节后的星期一，他竟因醉酒引起一场战争，结果引致某些欧洲国家重划疆界、教皇的影响力削弱，并使欧洲大陆最有力的国王受辱。1282年那个星期一也是德鲁埃丧命之日。

在德鲁埃驻扎的巴勒摩市，每年复活节后的星期一，市民会依传统去旧城城墙外不到一公里的圣灵教堂，参加盛大的晚祷会。巴勒摩市市民常借那机会举行庆祝。在晚祷开始之前，大家聚集在广场上等候，歌唱欢笑，喜气洋洋。西西里人在那里自得其乐，兴高采烈，直至德鲁埃中士和他的一小撮同胞想参加时，情况才有改变。

那一小撮法国人当时正在喝酒。他们挟占领军惯有的那种凌人傲气，旁若无人，排众走到广场中央，每一步都显出对西西里本地人的轻蔑。其中最丧心病狂的是德鲁埃，他分明要来找个漂亮女人调戏，借着酒意更肆无忌惮。他张望之时在人丛中发现一个漂亮女子，她是刚出嫁的年轻妇女。德鲁埃立刻扑了上去，虽然她丈夫就在身边，但德鲁埃已醉得目中无人了。那女子的丈夫怒不可遏，拔出刀来，旁人还来不及劝阻，德鲁埃已被刺死。这时晚祷钟声响起来了。

猝然生祸，人们张皇失措，但情况立刻发生变化。德鲁埃刚倒下，周围的西西里人一拥而上，扑向那些法国人，狠狠砍杀那些平日恃势横行、欺压民众的征服者。由于西西里人长期遭受镇压、伤害和不平等待遇，情绪在一片落日余晖中瞬间趋于沸腾，与德鲁埃同行的人无一幸免。四面八方都在高叫“杀死法国人!”消息轰传，仇杀情绪迅速蔓延。此事触发的大屠杀开始了，历史学家称之为“西西里晚祷战争”。在巴勒摩市，当日黄昏和晚上大部分时间，屠杀法国人的行动继续进行并扩展至岛上每一个有法军驻守的城市。西西里青年疯狂地四处搜寻，将法国人从藏匿处拖出来，痛殴后杀死。任何法国人，甚至跟法国有关的人，如西西里女子的法国丈夫或者教会神职人员，都逃不过报复。在德鲁埃中士当众侮辱那新娘后 24 小时内，法国男女及儿童被杀超过 2000 人。

法籍西西里王查理，也就此断送统治地位。暴动发生后不久，欧洲所有跟查理敌对的人异口同声支持西西里人。查理则说服了教皇马丁四世（也是法国人）讽刺西西里的屠杀，并代为宣布发动圣战以铲平乱事。但此一行动带来相反效果。以前，基督教徒乐意为侍奉基督而参加圣战，但要为查理那样残忍、大失民心的人进行圣战，则触怒了很多基督徒，没有什么人支持这支“十字军”。结果，教皇的权力也不免大为削弱了。

查理未能活着看到西西里晚祷战争的结果，在想出办法对付那场动乱前就去世了，他留下建立强盛帝国的遗愿，以及一个在大动乱中的国家。查理的王国逐渐萎缩，领土渐渐丧失。德鲁埃中士一次醉酒闹事，引致了这个王室损失惨重。

26. 海上丝绸之路之谜

在陆地上有一条丝绸之路，大家都耳熟能详。但在海上是不是也有一条以丝绸贸易开始，以后日渐发展，终于在经济文化各方面促使中外广泛交流，产生深远影响的交通路线呢?

根据《汉书·地理志》第二十八卷“奥地”的记载，在汉武帝时期，曾经派直属于宫廷的黄门译长，率领招募而来的海员，带着大批丝绸、黄金，乘船去交换别国的奇珍异宝。《汉书》的记载至为详尽，不但有汉代海船所经国家、地区的叙述，还有航行时间、航行路程、航行情况的描写，比如“蛮夷贾船，转送致之，亦利交易剽杀人，又逢风波溺死”。因此，中国的丝绸作为商品，通过海路以物物交换的方式向外传布，亦如陆上经西域而至亚、欧、非三大洲一样，可以说是早在汉代便开始了。

也许有些人认为，光是《汉书》无从对证，所以不足为据。

但如果拿《汉书》有关海上贸易的记叙，与晋代法显《佛国记》及唐代义净的《南海寄归内法传》相比，就可以发现汉代以至晋、唐几百年间，先后的记载都有脉络可寻，基本上是准确无误的。因此海上也有一条丝绸之路，并非无稽之谈，何况近年连秦、汉时代的造船工场遗址，亦在广州发现，可知秦汉之际，中国古人已能建造载重60吨的木船。当时建造这么大的木船，假如说不是应实际需要，例如对外交通，似乎是说不通的。

根据日本学者藤田丰八等人考证，中国的丝绸从公元前200年起，就由海路运送到今日越南、泰国、马来西亚、印度尼西亚、缅甸、印度以及斯里兰卡。这一条海道正如《汉书》所载，起先是为丝绸贸易开辟的，所以是“丝路”，后来则拓展为从事各项贸易的商路。也许有人会问，当时既有经西域的丝绸之路，亦有由缅甸转运的丝绸之路，为什么又再辟海上丝绸之路？《后汉书》卷一一八《天竺传》有一段记载，似为最好的答案：“和帝时，遣使贡献，后西域反畔乃绝。至桓帝延熹二年、四年，频从日南徼外来献。”原来是陆路受阻，所以只好频频从日南（越南）经海道交通。陆路受阻的影响是很大的，赫德逊在《十九世纪前中欧关系溯源》中就说：“罗马人既消费大量丝绸，也从事丝绸贸易。罗马人贩运丝绸固然旨在牟利，也为了抵制安息（伊朗）垄断。罗马皇帝奥古斯都时代，罗马船舶……最后航行到东京湾（指越南）。公元二世纪时……罗马商船，远航至亚洲各国，特别向中国购运丝货。”

但陆上丝绸之路再难畅通，当在唐代中叶，土耳其及其他民族占据中亚西亚等地之后，通西域的丝路，才开始势微（虽然后来也未至于断绝)。于是，海上丝绸之路代之而兴，而当时陆上运输，也不足应付商业发展的需求，必须开拓海上航路，才能运送陶瓷等易受损坏的货物。因此，唐代的远洋船舶大有发展。据玄应《一切经音义》记载，唐代贞观年间，有一种叫做俞大娘的海船，能载重万石（一石约为150斤）以上，更有一种苍舶，长20丈，能乘载700百人。这些海船大多数运用木榫和铁钩构件，有的且多至五层，难怪日本学者桑原鹭藏要说，阿拉伯海舶虽较轻快，与中国海船比起来就显得构造脆弱，未能抵御大风大海了。根据记载，唐代与亚、欧、非三大洲各国的海上交通，可谓往来频密。在怛罗斯战役被俘的杜环，羁留大唐十多年，曾经将见闻写入《经行记》，记下了唐代中外经济文化交流的盛况，杜环笔下不但写明唐代向外国输出丝绸，还输出缫丝、纺织、金银器制造、绘画等技术和生产工具。

两宋时期，海上丝绸之路又有进一步的发展。当时主要港口，比如广州、泉州、扬州、杭州，万国商人云集，海运频仍。当时扬州更有“万商落日船交尾，一市克风酒并垆”的称誉。从广州和泉州开出的海船，更远航到菲律宾，甚至到达红海及东非。十年前，考古学家在福建泉州发掘出一艘远洋商船的残骸，因在其中找到的五百多枚铜钱，最晚者为宋度宗咸淳七年（1271年）所铸，所以估计为十三世纪沉没的宋代海船。这艘船残长约24.2米，残宽约9.15米，平面近椭圆形，尖底，共有13个互不渗水的船舱，且有龙骨，估计载重量达2吨左右。这艘船的舱面已全部破损，但根据研究，原当竖有前桅杆及中桅杆，而且绞盘、船桨、舵孔及其他构件莫不齐备，同时结构坚固、稳定性强，适宜作远程航行。船上装的货物以香料木（包括降香、沉香、檀香等）为最多，未脱水时的重，达 2300 多公斤；此外，还载有龙涎香、乳香、槟榔、朱砂、水银、玳瑁，以及陶瓷器、竹木器、唐宋铜钱、印刷残片、铜铁器等。这一艘宋代海船似乎可以看作海上丝绸之路的物证。

元代因为推行“官自具船，给本，选人入番贸易”的政策，海上丝绸之路进一步拓展，远航至今日索马里、坦桑尼亚、马达加斯加等地。元代的造船技术，似乎又有了新的改进和发展，马可·波罗便有这样的记载：“各有船房五、六十，商人皆处其中。颇觉宽敞。”

摩洛哥人伊本·巴图达在所著述的游记中，除指出当时所有印度、中国之间的海上交通多操于中国人之手外，对中国远洋船舶记载颇详：“（中国）大船有三帆以至十二帆。大船一艘可载一千人，内有水手六百，士兵四百，另有小艇三只附属之。此类商船皆造于刺桐（泉州）以及兴克兰（广州）；每船皆四层，公私房间极多，且无不设备周全。水手在船上植花草、姜于木桶之中。”这样看来，元代的海船就跟后代的战舰差不多了！

海上丝绸之路的辉煌时代，当然是明代郑和七次下西洋那段日子。永乐三年（公元 1405 年）那一次，郑和带领官兵 27800 余人，船舶 62 艘，远航亚洲、非洲各地，以丝绸、瓷器，换取各地物品，为中外经济文化交流，写下了璀璨的篇章。实在地说，海上丝绸之路也和出西域、越中亚、通罗马的陆上丝绸之路一样，叫人勾起一阵又一阵的思古幽情。

明代祝允明《前闻记》记载与郑和一同下西洋的人，除正使太监、副使、都指挥等人外，还有官校、旗军、火长、舵工、班碇手、通事、办事、书算手、医士、铁锚、木艌、搭材等匠、水手、民稍人等，简直可以说是一个中国古代社会的缩影；而郑和先后七次下西洋，船舶数量最少 48 艘，最多达 249 艘，规模之宏大以及计划之周祥，就是今日也不容易办到。

海上丝绸之路是确实存在的，而且在中外交通史上，也和陆上丝绸之路一样重要。

中国人很早就懂得在海上航行，可以凭观测天体，决定船舶的位置。西汉时代的著作《淮南子》，以及东晋葛洪的《抱朴子》都有观星定方向的记载。晋代法显和尚自印度回中国，在《佛国记》中写下当时情形："大海弥漫，无边无际，不知东西，只有观看太阳、月亮和星辰而进。"但到北宋就不光是观测天象，也看指南针了。

元、明以后，中国的天文航海技术，发展至能观测星的仰角以定地理纬度。当时所用的方法叫牵星术。在海航中使用牵星术观测，要备牵星板。牵星板一共 12 块，精工制成，为正方形；最大一块每边长 24 厘米，依次每块小 2 厘米。另外备一象牙小方块，四面缺刻，缺刻四边长度为最小牵星板边长的四分之一、二分之一、四分之三和八分之一。假如要观察北极星，可用左手执木板一端中部，手臂伸直，眼望天空，木板上边缘为北极星，下边缘是水平线，以测出所在地北极星距水平高度。至于高度的高低不同，便以 12 块木板及象牙缺刻加以替换调整。求得北极星高度后，即可计算所在地的地理纬度。

意大利旅行家马哥可·波罗在他的游记中，即有关于牵星术的记载，而明代郑和七次下西洋也“往返牵星为记”，只是方法已较进步，还知道以方位星的方角位和地平高度，决定夜航时的位置，同时更讲究天角出现的时间，以求观测准确。

中国古代在地文航海技术方面也颇有成就，例如发明和创造了航海罗盘、计程仪和测深仪等航行仪器，并且很早就懂使用针路及海图。北宋时的指南浮针（水罗盘），已用于海上往返，比西方人在1180年的记录更早。航海罗盘定下二十四向，汉朝就有记载。中国大概在南宋时代便发明了四十八向的航海罗盘，即每向间隔七度三十分，较之西方的三十二罗盘，远为精确。

中国古代计程方法的设计原理，与近代航海所用扇形计程仪的构造，颇为近似。至于测深的设备，唐代末年，先后出现下钩及以绳结铁两法，可测深六十多尺。再后又有网下测深的记载，则已测至五十余丈了。至南宋这样，依吴自枚《梦粱录》说，“船上测深约有七十余丈”，可见深水测深技术已经非常熟练。宋代航海更有详尽的指南针引路记载，因此针路必须写明开船地点、航向、船程及目的地等各有关技术事项，以便计算。所谓针路，也就是指南针指引航向的记录，而晚间航行的星记录，航程中测得的水深数字等，都列入针路。

中国古代帮助航海的海图也很发达，北宋徐兢《高丽图经》载有海道图，而明初《武备志》，更附有郑和下西洋的航海图，对于航程中各地地理情况记载甚详，是中外交通史上弥足珍贵的物证。

27. 马可·波罗之谜

700 年前，热那亚与威尼斯这两上共和国发生战争期间，热那亚的监狱囚禁了一位来自比萨的通俗故事作家，他名字叫鲁思梯谦，因是敌对国的人而被囚。这一次他无辜下狱，却是塞翁失马，交上了好运，因为与他囚在一起，有一个很不寻常的人，正是每个说故事的人都渴望遇见的。这个人是威尼斯商船船长，在一次海战中被热那亚人俘虏，他就是足迹遍欧亚的马可·波罗。他经历了万千里旅程，经历了奇妙而真实的冒险故事说之不尽。一位作家与一位到过天涯海角的旅行家这次偶遇，成就了历来最值得阅读的书籍之一。这部著作由马可·波罗口述，鲁思梯谦笔录而成。两人合作的成果，就是今天众所周知、引人入胜的名著《马可·波罗游记》。

马可的父亲尼科罗和叔父玛浮都是富于冒险进取精神的威尼斯商人。1260 年两人为了找寻新市场，自黑海海岸起，由陆路前往欧洲人极少涉足的广大中亚细亚地区。那时，西自黑海，东至太平洋，整个亚洲大陆都在蒙古人铁蹄之下。但这两兄弟很快就发现完全不用害怕蒙古可汗（统治者），可汗不只乐意，而且渴望与欧洲人做生意。波罗兄弟在布卡拉（今天西伯利亚西南）遇上了征服中原的元世祖忽必烈所遣使者，便由这位使者陪同沿陆路前往中国。

马可·波罗的父亲和叔父受到忽必烈汗热诚的招待后，带着忽必烈问候教皇及请教皇派 100 名传教士到中国来的信息，启程返回意大利。他们克服重重艰难险阻，足足花了 3 年，才从中国

恭立在忽必烈身边的马可·波罗，得到过元世祖的极大宠爱。

回到意大利。但兄弟俩丝毫不畏难，1271 年再度出发东来。没有想到这次竟然一去悠悠 24 年才再回到威尼斯。这次他们还带了 17 岁的马可·波罗一齐起程，取道陆路前往中国，回程时由海路经东印度群岛、印度、波斯湾返回祖国去。

虽然他们应忽必烈汗之请带来的传教士不足一百名之数，忽必烈仍欣然欢迎他们重临，并特别优待马可·波罗。马可·波罗凭着忽必烈特使的身份，在蒙古人统治下的中国各地旅游；在南方，他曾远行至缅甸，并奉派由水路前往锡兰。马可·波罗除回忆见过的一切事物外，后来还把听到的远东各地区的风土人情、生活实况告诉鲁思梯谦。马可·波罗所见所闻的很多事，欧洲同乡听起来大感不可思议，甚至不予置信。例如，威尼斯人一向自以为是地中海的霸主，是基督教世界中最富裕、最足自豪的城邦的居民，现在此人却煞有介事地说，他们在东方天朝大国那众多

“异教”人的眼中，只不过是野蛮人。威尼斯人怎么能相信马可·波罗所说关于中国杭州的统计数字？据马可·波罗说，杭州这座名城有十个庞大的市场，12000座桥梁，144000家制造各种各样商品的工场，1600000幢房屋。欧洲人视为奢侈品的胡椒，杭州每日消耗量达到4740公斤，真是闻所未闻。他们是否真正相信马可描述的：有油涌出的喷泉（巴库油田）；可碾磨和纺织成防火布的石头（石棉）；可以如木柴般燃烧的石头（煤）；不像西方人一样使用金或银铸成的硬币，可以一张一张有文字和印鉴的纸当货币使用（自宋代开始中国的纸币也遇到通货膨胀的难题）？

很多心存怀疑的威尼斯人谴责马可·波罗信口开河，夸大其辞，就是若干现代学者也持同一见解。那个时代的人给马可·波罗及著作取了一个绰号“万倍客”，但他们不能证明他是疯子或骗徒。如果他是独自旅行，情况就会不同，父亲和叔父虽未像他那样披露惊人的事实详情，却证实了他所说的内容，鲁思梯谦说的都是实话：“从上帝创造了亚当……之时起至现在，任何一个人，无论是基督徒或异教徒，鞑靼人、印度人或任何种族的人，从来没有一个如马可·波罗到过世界那样多的地方，实地观察和探险，知道那样多的奇风异俗。”

马可·波罗去世时（1323年前后），他的传奇故事传遍欧洲大部分地区，其游记已抄录及翻译成很多文字，很快一纸风行，而且历久不衰。这部书不仅是资料丰富的见闻概述，而且是趣味盎然的故事，充满真实感和冒险意味。马可·波罗历经疾病、土匪、船难、海盗和野兽侵扰，屡次死里逃生，化险为夷。若干事件可能夸大，甚或是虚构，但决非完全信口雌黄。这部游记对世界历史的主要影响并非在其故事的“夸大”。马可·波罗以商人找寻市场及贸易机会的态度来看待旅途上的事物，因而触发十四世纪欧洲人的想像力：按马可·波罗说，任何人愿意付出代价及冒些风险远赴东方，便可能从黄金、珠宝、丝绸和香料贸易赚取丰厚的利润。

马可·波罗去世后50年间，由于蒙古帝国崩溃及与基督徒对敌的土耳其人崛起，马可·波罗前往中国走过的陆上道路已封闭了，欧洲的冒险家只好往别的地方碰机会。但书中报道有关中国和东印度群岛极端富庶的故事已深入人心。马可·波罗的一项说法也未为欧洲人忘怀：他相信中国及其沿海岛屿东面是一个无边的大海洋，而这海洋彼岸无疑就是欧洲大陆。十五世纪热那亚航海家哥伦布对此说法极为着迷，所以于1492年自西班牙驾船出发，要横越这“无边”的大海洋。因此欧洲人发现新大陆，得间接归功于一个不出名的故事作家鲁思梯谦。如果没有他的著作，哥伦布可能不会驾船西航，找寻通往东方富庶地方的航路。

马可·波罗等三人在东方住了21年，1292年乘船回国，忽必烈汗请他们护送一位蒙古公主前往波斯，嫁给波斯可汗。一行600余人由14艘船载运，自中国东南沿海的厦门出发。他们航行三个月后，到达第一个靠岸处苏门答腊。船队在那里整修，等待顺风航向印度。据马可·波罗说，那段日子漫长而危险：在壕沟环绕的栅栏内呆了五个月，经常受“险恶和野蛮的”土人袭击。船队驶过印度洋（经锡兰向北驶过印度西部海岸），竟用了18个月；在马拉海岸遭海盗抢掠后，船队已失去多艘船只。

驶抵波斯湾的荷莫兹时，这队护送公主出嫁的人，数目已不及出发时的三分之一，而且波斯可汗已去世，他们把公主托给可汗的儿子加森，加森后来成为她的丈夫。公主舍不得这些护送人员。“他们离去时，她凄然泣别。”马可·波罗等经最后一段陆上旅程后，到达黑海边的特拉比松，再转乘船去威尼斯，总共费了3年才回到家乡。家乡的人以为他们已死，早已放弃希望，最初见到他们回来还以为是冒名顶替的骗子。据说他们撕开外衣的缝口，倒出大量亚洲才有的宝石时，别人才相信。

28.80000名活人做祭品之谜

公元1519年高戴斯远征墨西哥的队伍中，有一位可算文武全才的迪亚斯，既能领兵作战，也能执笔记录远征队伍的战绩及见闻。迪亚斯已惯见战争的恐怖场面和西班牙宗教裁判所的残酷行为，但他踏进阿兹泰克印第安人首都泰诺赤提特兰城中休齐洛波特里神庙，嗅到里面的恶臭时，不禁立即退避。那首都位于今天墨西哥城所在地。迪亚斯退出神庙后有这样的记载：“我们回身就跑，简直急不可待。”

这神庙是一座屠宰场，神庙内的墙壁一片黝黑，尽是凝结的人血。迪亚斯目睹三个刚宰杀的“祭品”躺在那里，站在旁边的祭司，手中的石刀子还滴着鲜血。西班牙人揭露了印第安人的一种宗教，那宗教需要宰杀很多人献祭。神庙于1487年扩建后，举行了五天的奉献仪式，其间就杀了数千人献祭，一年中杀人多少可见一斑。征服者无疑夸大了阿兹泰克人的残忍程度，希望教会领袖知道西班牙人侵凌杀掠的残暴行为时，不予深责，但当时的记载清楚确实，征服者给眼前的景象震慑得目瞪口呆。那五天的仪式中宰杀的人数，各有不同估计，有些估计高达 80000 人，但专家最近计算出那五天内宰杀的人至少有 14000 名。

阿兹泰克人的图画常常描绘以人献祭的风俗，可见这是日常生活的一部分，至于杀人多少则缺乏统计数字。美国加州大学人口统计学家库克，根据史料进行分析后得出结论：在西班牙人到达前的 100 年间，墨西哥境内所有阿兹泰克神庙中宰杀的人平均每年 15000 千名，其中很多是战俘。这项估计可能很保守，库克的同事博拉认为每年在祭坛上献作祭品的人，数目可能达 25000 名，即每年牺牲总人口的五分之一。

阿兹泰克人为什么要杀那样多同胞呢？直至最近数十年，历史学家和人类学家大致接纳这种说法：杀戮纯为宗教方面的需要。根据阿兹泰克人的信念，每天夕阳西下，太阳神便死亡，要确保太阳翌晨再升起来照耀世界，必须以人血作祭。其他神祇也有共通的嗜血特性，因此杀人献祭几乎无日不做。

阿兹泰克人的图画显示，奉献给太阳神的只是人的心脏，尸身抛弃在金字塔形庙宇的陡峭阶梯上，头颅则割下来，陈列在庙宇附近的颅架上。迪亚斯与同事德图皮亚曾分头查看两处陈列大批头颅的地方，一处在泰诺赤提特兰，另一处在索科特兰。迪亚斯点数了 100000 个颅骨，德图皮亚则点数了 136000 千个。现代有人对杀人献祭风俗的成因提出不同看法。1946 年，库克发表有关十五世纪中美洲人口的研究报告，结论是：阿兹泰克人人口增加的速度比粮食增产更快，所以杀人献祭可能是控制人口的间接方法。但很多人类学家对此一说法存疑。

后来到 1970 年代，在社会研究新学院工作的哈纳提出一项惊人的新说法：阿兹泰克人杀人祭神后还把尸身吃掉。哈纳根据西班牙征服者的叙述以及德萨哈根神甫的著作，得此结论。德萨哈根神甫在阿兹泰克帝国崩溃后不久抵达墨西哥，根据阿兹泰克人口记述的资料，记下当地的风土人情及生活习惯。这些记录中有很多地方提到食人风俗，吃俘虏的肉尤其普遍，但不吃儿童及皮肤病患者的肉。女性孕虏也从来不用做献祭和充当食物，只用作奴隶。不同性别的俘虏命运有别，因为食人肉社会有一种普遍信念，认为吃了别人的肉会获得受害者的若干特性，因此战士只喜欢吃其他战士的肉。

哈纳于是深入研究阿兹泰克人食人风俗的成因，发现阿兹泰克人或许很缺乏营养，主要是缺乏蛋白质，而大多数人是从动物的肉吸收蛋白质。当时墨西哥缺乏肉类，较大的野兽多数已经绝种好几百年，中美洲以北的民族可猎取驯鹿和美洲野牛以获取肉食，但是墨西哥并无这些动物。

无论献祭所杀人的是如何多，都不能满足全体人民的需要，所以只有统治阶层和战士有享用人肉的权利。哈纳引述各种记载，指出穷人只有靠玉蜀黍和豆类维生，偶尔吃些火鸡肉或狗肉。

阿兹泰克人的食人风俗既有迹可寻，何以多年来研究人员似乎视而不见呢？哈纳认为人类学家可能对此事感到为难，不想欧洲人对阿兹泰克人有以偏概全的印象。欧洲人从未像阿兹泰克人般严重缺乏动物蛋白质，所以视吃人肉为一种禁忌，如果提起阿兹泰克人食人，或许不易为人理解。

美洲第一批居民在15000至30000年前来自亚洲，经过当时衔接白令海峡两岸的陆桥移居北美洲。此后这些人在美洲进化和发展。公元1500年前后，西班牙人到达新大陆时，发现了两种灿烂的文明：秘鲁的印卡人和墨西哥中部的阿兹泰克人。

十三世纪，阿兹泰克人在墨西哥中部定居，建立了很多用石块建造的城市，但他们常与邻族作战，以图征服对方。到1500年阿兹泰克人雄霸墨西哥中部一带，他们的首都泰诺赤提特兰是当时世界最大城市之一，估计人口超过15万。

阿兹泰克人以活人献祭虽则残忍，但社会很有组织，政治经济井井有条，又掌握灌溉技术，有准确的历法和文字系统。帝国以皇帝为首（但皇帝登基须获贵族及祭司团支持），老百姓分属小团体，生活方式不论在战时或和平时都由统治者代为安排。

不仅日神塔和黄泉大道是阿兹泰克人建造的奇迹，
他们也创下了杀10万活人以献祭的风俗记录。

祭司在祭坛上就是用这种绿松石刀，杀了 10 万人。

西班牙征服者高戴斯是一个热衷名利的冒险家，1519 年登陆美洲时，立即摧毁阿兹泰克帝国及其文化，运用残暴兼欺骗的手段，两年之间就牢牢掌握了阿兹泰克人的命运。阿兹泰克人虽善于作战和施政，但外交上犯了严重的错误：他们不将战败民族纳入帝国，却没收其财产，用俘虏献祭，因此高戴斯入侵时，阿兹泰克人立刻四面受敌。

29. 古马利帝国之谜

撒哈拉沙漠荒凉干燥，气候酷热，是个险恶的地方，从来不大吸引旅行者，但多个世纪以来，骆驼队一直不断在这个沙漠上穿梭往来。阿拉伯旅客和贩运黄金、象牙、食盐的商人，经常从北到南越过沙漠。几乎所有越过沙漠的旅行都只是为了做生意，可是在 1352 年，有一个阿拉伯旅客纯粹为了探险而深入不毛之地，越过沙漠。他是伊本·巴图达，是历史上经验最丰富的旅行家之一。他那次穿越沙漠旅行，动机来自古马利帝国统治者穆萨皇帝前往麦加朝圣之行，而记述穆萨此行的文献早已流传甚广。

公元1312至1337年间穆萨统治马利。这个时期是马利大帝国的黄金时代，正处于强盛期的颠峰，疆域包括非洲西部大部分地区。1324年，穆萨皇帝带着大批扈从，以及由80匹骆驼组成的骆驼队，运载一批黄金，到达通往麦加途中的开罗。穆萨与扈从挥霍无度，花去了很多黄金，以致埃及全国黄金价格大跌，物价飞涨。当地商人知道穆萨的扈从可欺，便频频进行诈骗，最后到穆萨迫不得已要举债时，商人乘机收取高利息，利息竟超过本金数额。从马利来的人虽则头脑简单，但他们挥金如土的行为轰动了整个穆斯林世界。

此事使马利出了名，终于激发着马约卡岛的地图绘制家克里斯奎斯，完成了第一张在欧洲绘制的非洲西部地图。那幅地图描绘这位"黑人之主"坐在马利中央的宝座上，手持金块，准备赏赐给一个阿拉伯商人。

一般人只知穆萨皇帝到麦加去朝圣的故事，对这个非常神奇国家的情况所知甚少。摩洛哥苏丹渴望知道更多关于沙漠以南各邻邦的情况，决定聘请伊本·巴图达前往调查，以弥补这方面知识的不足。伊本·巴图达此前所作各次探险旅行，已为他赢得坚毅无畏探险家的名声。

伊本·巴图达随一队商旅越过撒哈拉沙漠。他旅行了25天，到达塔加扎。他形容那是"一个一无是处的村庄"。那村庄的房屋都是用含岩盐的岩石建造，屋顶盖骆驼皮。全村的经济命脉是岩盐矿，这些岩盐矿坑遗迹现在仍然可见。再经过五周的路程，伊本·巴图达到了位于现今毛利塔尼亚境内的瓦拉塔。这市镇是从撒哈拉的贸易路线南端起点，当时是在古马利帝国的北部边界上。他来到这里虽然感到酷热难当，但居民很好客，妇女“非常美丽”，只是身为正统伊斯兰教徒，看见那些女人不戴面纱上街，又见镇上许多外国男人跟她们交往，有说有笑，心中实在不高兴。

伊本·巴图达的下一个目的地是古马利帝国的首都。现代学者仍然争论那首都的所在地，它或许在现代马利首都巴玛科以南约100公里的地方。他在那里找到穆萨的兄弟兼继位人苏莱曼。穆萨为人太浪费，苏莱曼却恰恰相反，以吝啬出名。伊本·巴图达初到马利时生了病，所以延误了两个月，复元后才可以觐见苏莱曼。不久后他听说苏莱曼曾送一件礼物给他，便以为是一笔钱，这位旅客既以非正式大使身份到来，似乎应得到那样的礼物，“但是，看啊！那是三个麦包，一块油炸牛肉和一葫芦酸乳酪！”伊本·巴图达事先听说的什么见面礼，到头来竟是这样微不足道的礼物，不禁捧腹大笑起来。后来他对苏莱曼说：“我曾经周游列国，与各国统治者会面……但你既未认真款待我，又不给什么赏赐，我以后在其他统治者面前怎样形容你才适合呢?”于是，国王拨出一幢房屋供伊本·巴图达居住，并赏以一块重175克的黄金，他离开马利时再蒙赐472克黄金。

苏莱曼虽然吝啬，但宫廷的繁文缛节可不少。巴图达生动地描述，那位国王如何在300名带弓持矛的奴隶护卫下会见客人和接受朝觐，国王到达议会厅时，有带着金制银制弦乐器的乐师先行，在议会中，国王端坐在一个丝质的圆顶罩盖下面，希望晋见国王的老百姓都穿得肮脏褴褛，并在身上洒满尘垢，以示卑屈。

伊本·巴图达看到马利政治稳定，法律与社会井井有条，印象特别深刻。居民不惧盗贼，也不怕受压迫，虔诚遵守宗教教条。所有小孩子须记诵可兰经的章节，否则就要遭受镣铐禁锢之惩。令来客感到碍眼的是女仆、奴隶和小女孩都赤身露体，伊本·巴图达看见居民吃腐肉，很感恶心，他对帝国边陲地区的野人吃人肉更表反感。他记载一个部落酋长带同一些族人谒见国王时，苏莱曼给他们的见面礼中有一女奴，他们竟立即将她杀了吃掉。

伊本·巴图达离开马利首教后启程回摩洛哥，沿一条他说是尼罗河的河流（事实上应是尼日河）前进，直至到达流域上离开尼日河颇远的廷巴克图。他对那城市没有详细描述，其他阿拉伯作家则说廷巴克图是省会和重要的贸易站。后来这地方已取代马利的首都成为来往北非的商旅队补给站。廷巴克图最后成为一个很重要的伊斯兰学术和宗教中心。

马利帝国终于在十六世纪时衰亡，因为王位继承权引起争执，使这个帝国的政府缺乏统治力量，而且葡萄牙人在十五世纪发展沿非洲岸的海路，也使纵贯撒哈拉商旅的重要性渐减，伊本·巴图达在其著作中描写得多姿多彩的马利帝国辉煌日子，也都被人遗忘了。

30. 纸张变成钱之谜

意大利旅行家马可·波罗跟父亲和叔父到处游历，在中国看到汗八琉造币厂以桑皮纸大量印制纸币，然后盖上皇帝玉玺，就能流通。他看后似乎颇为欣赏：“此项纸币如此大量制成后，即在大汗治下各处流通，没有人胆敢不顾性命，拒绝接受。大汗的子民，不论何时何地，买卖收支，都毫不犹豫地使用这种纸币。拿着这种纸币可以买到各种所需的商品，比如珍珠、宝石、金银，甚至任何其他的东西。”马可·波罗还说：不管什么么人都可以持着旧币，在付出一点手续费后，就能换成新币，甚至换取金、银条也行。他所游中国城市，几乎全都“使用纸币”，“除了大汗的纸币，并无他种货币”。

但元代是否真的如马可·波罗所说，全用纸币呢？而大汗的纸币又是否可以买到任何所需的东西呢？还有，大汗的纸币可不可以拿去兑换金、银条呢？元代又有无他种货币可用？

马可·波罗这些有关元代钞法的记载无疑颇近事实，而元代钞法在当时世界上，也是较为完备的纸币流通制度，比如订下纸币无限法偿、设立平准库、买卖金银以维持钞价、集中现银于国库、筹足发行准备基金，以及禁止金、银和铜钱流通，专用纸币等。元朝朝廷这样做，当然是吸取了宋、金两朝币制失败的教训，所以发行纸币，依现银储备数量为准，开始时币值是较为稳定的。但好景不长，原来凭纸币票面价值，可向政府兑换等价白银，后来却因纸币大量发行而致票面价值形同虚数，根本没有那么多白银可兑！

于是就出现了“权钞钱”的怪现象。原来元代起初也铸过一些铜钱，但数量不多，比历代所铸的都要少。发行纸币以后，为了维持币值，更禁止使用铜钱。但纸币大量发行，不断贬值，在老百姓心目中信用扫地，所以私下人人都依旧使用铜钱。元朝政府迫于无奈，逐渐又恢复了铜钱的合法地位，并且铸造了一种直径 8 厘米，名叫至正之宝的铜钱。这种铜钱是中国历史上直径最大的钱币。但这种铜钱似乎“大而无当”，而且性质更是“与众不同”，因为向来只有人以纸币代表金属货币，而这种钱币却以本身的金属价值来代表没有价值的纸币。元朝朝廷把这种钱币，称为“权钞钱”。老百姓在纸弊不值钱的时候，就拿去换“权钞钱”，然后再用来熔为铜锭！

纸币当然极容易伪造。元代的伪钞问题是非常严重的。元世祖至元7年（公元1270年），颁下法令，规定伪钞造得仿如真钞，能够流通的，伪造人处死；而造得不三不四，未能流通的，则判流放之利。但制造伪钞可获巨利，许多人还是以身试法，因此后来不管造得像与不像，一律处死。然而道高一尺，魔高一丈，制造伪钞的人发了财，就出钱替同伙谋取官职，做为内应，依旧私印伪钞，扰乱金融。马可·波罗说什么“除了大汗的纸币，并无他种货币”，恐怕是不知道纸币的“内里乾坤”而作的美言。

到元顺帝时期（公元1333至1368年），元代币制一改再改，仍然未能抑止通货膨胀，物价比之元代初年，涨了近1000倍。中国历朝纸币原具的兑换性质（如南宋纸币），代表金属铸币流通，可以换取铸币或其他实物的作用也从元代开始宣布废止，实行纯纸币流通制度。这样的纸币，当然不能取信于人，马可·波罗描述的美好景象，用纸币可以买到珍珠、宝石及各类所需物品的情形，听来就像是神话。

元朝立国初，因为蒙古人向来广泛使用白银，并以白银作为货币，所以就确立了白银在中国历史上的货币地位。公元1260年元世祖忽必烈即位，不久便铸了一批每个重五十两的银元宝。元宝之名，虽曾在唐宋两代用过，比如唐代的开通元宝（其实应当是开元通宝，为唐代开元间所铸钱币，但据称被人误读为开通元宝，以讹传讹，因而得名）、宋代的大历元宝，可是将铸成的一个个银锭叫做元宝，却是从元朝开始的，意思便是元朝的宝货。元代铸造的银元宝两头翘起，也和铜钱中央为方便串起而铸

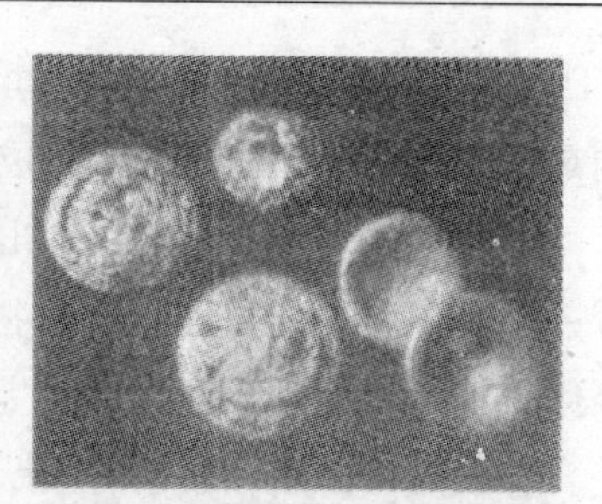

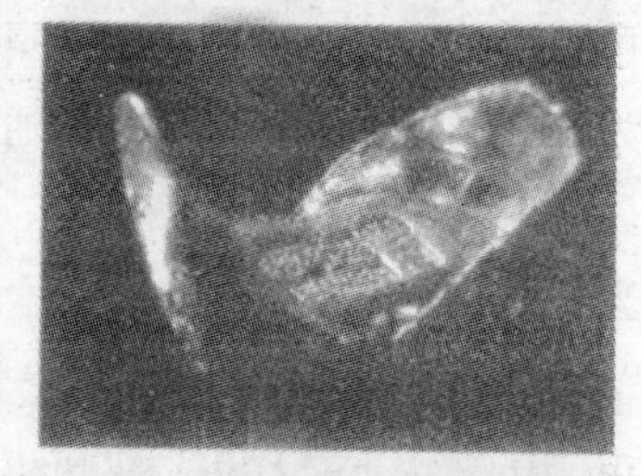

马可·波罗曾说在中国用纸就可以换取图中的金币金锭，你相信吗？

成的方孔一样，具有实际作用，因为中国古人携带钱财，并不放人衣袋而缠于腰间，所以元宝的式样，正是为了便于缠在身上，故此腰缠万贯的说法，并非凭空捏造。

由上所述看来，元朝的纸币根本当不起马可·波罗的赞美，倒是他并没有提到的银元宝，成为中国货币的一个特色。

根据古代历史文献所载和出土文物显示，中国人使用货币已有三千多年历史。先民起初以物易物，后来因为贝美观、耐用、轻便，就以天然贝或仿制贝做货币。

春秋战国时期，钱币有飞跃的发展，出现了布、刀、圆钱和楚币，秦始皇统一中国后流通秦半两，汉承秦制，后由秦半两演变为五铢钱，以迄唐宋以后的通宝钱等。纸币方面，周以布加官印、汉以白鹿皮、唐代飞钱等，是纸币的雏形，自北宋交子始，才当正式法货行使；南宋、金、元，则广为流通。元代且有“钞法”，亦有外国仿从。远古早已用龟、贝、珠、玉、金、银充当货币，历来按重量称用。汉唐以后则铸为不同形状及器物形式流通。南北朝时出现金银钱，正式铸币使用则自金代始。十六国时期更一度使用谷帛，钱币及纸币均不通行。江苏出土的楚金爰又名印子金，是在金板上打印戳而成。汉代的金饼多作宫廷赏赐之用，未作民间通货流行；金元宝的用途也一样。公元 1197 年金章宗铸承安宝货以银铸成，近年首次在黑龙江出土，是名副其实的稀世之宝。

31. 黑死病劫难之谜

有史以来人类遭逢的最大灾难，并非二十世纪的世界大战，而是十四世纪时一种叫黑死病的疫疠。公元 1347 至 1351 年仅四年间，单是欧洲就死了总人口四分之一，约 2500 万人。现代人认为，当时那场浩劫就像后来类似的时疫一样，是由跳蚤携带的细菌引起的。这种跳蚤附在一种善于长途移居、随处栖身繁衍的家鼠毛皮间。被带菌跳蚤咬过或沾染病人排泄物的人，都可能染病。十四世纪的欧洲人把这场疫疠，视作上帝对人类犯罪的严重惩罚。

这种令人恐惧莫名的疫疠随商旅自中亚细亚传到克里米亚，然后由往来的船只带至地中海沿岸，再肆虐整个欧洲大陆。疫疠流行时，正常生活立刻停顿，田地荒废，牲畜乏人照管，被放掉任其自生自灭。生还者尽快把死者埋葬，尸体重叠堆在浅穴里，或者整批倾倒入大坑内，甚或任其在街上腐烂。疾病迅速蔓延，居民逃难住所，城市面目全非。空气也似乎充满了病菌，当年的一项记载描述说："一种令人欲呕的恶臭弥漫……简直受不了。"

只有少数地方的居民逃过大难。例如米兰大主教曾下令，如果疾病传播到米兰，最先发现疫疠的三所房屋，必须立即在周围建起围墙，把死者、病者和健康的人全部埋葬在内。结果疫疠真的没有在米兰一地蔓延。主教虽然不知疫疠怎样蔓延，但是无意中摸对了一种阻挡疫疠蔓延的有效方法：隔离。因此，乡间孤立的房屋可能是个很好的庇护所。意大利作家卜伽丘的《十日谈》一书，讲述十个贵族青年，为了避开侵袭佛罗伦萨的疫疠，躲进宫殿中讲故事，打发时间，等待疫疠消退。大规模隔离也是个好办法，今天属于波兰的广大地区逃过那次大灾难，部分原因或许是当局严格执行隔离办法。

教皇克莱门特六世也靠隔离救了性命。他当时住在法国亚威农，听从医生劝告，退隐至一处私人住所。虽然那时正值炎夏，他却坐在两堆不住燃烧的熊熊炉火之间，独自度过好几个星期。虽然医生可能不明个中原因，但这个措施产生预防作用，因为烈火的高温可驱退跳蚤。火也救了英国某一贵族的命：他知道疫病蔓延到附近一个村庄，便不顾一切下令将村庄烧掉，他自己的生命、产业都保住了。

除了像以上的少数幸运儿外，疫疠横扫欧洲，夺去数以万计男女老幼的性命，令人不寒而栗。纵观人类历史，每逢有令人震惊的大灾难之前，社会上往往因为人口过多而出现经济困难。比如疫疠和国际战争等大灾难，常常尾随人口过多而来。许多个世纪以来，这问题不是靠政府的经济政策，而是由“偶发的”大量人口死亡来解决。黑死病发生后，雇主与仆人间的关系有了显著改变。欧洲人口减少了四分之一，工人就可以要求更高的工资；而另一方面，由于社会对各种基本商品例如粮食的需求减少，地主不得不贱售农产品。由此引起经济和社会方面的不安，偶然会导致动乱，尤其是在较低阶层有时更会演变成暴乱。

疫疠使农民生活获得改善，可惜只是昙花一现。到十六世纪时，欧洲的人口迅速增加，意味着农民实际工资收入比黑死病发生以前更少了。

十四世纪的医生并非不学无术。他们能拔牙、整骨，甚至进行皮肤移植，但面对黑死病时束手无策。他们不知这种疾病的起因，惟有凭猜测进行治疗。

黑死病的发作有三种形式。患者可能出现腹股沟腺炎，主要病征是腋窝、腹股沟及给蚤咬过的地方出现淋巴结红肿；也可能有肺炎的病征，肺部受感染，引起咳血；或患上最易致命的败血病，细菌迅速侵入血液，患者几小时内就会死亡。

当时的医生眼见各种不同的征状，通常都是用放血、通便剂和灌肠等方法自患者身体抽“毒”。红肿的淋巴腺则用柳叶刀割开或是加以热敷。医生还乱开药方，所用药剂从赤鹿角粉末到稀有的香料和黄金混合剂都有。此外又焚烧芳香木材以净化空气，并在地上喷洒玫瑰香水和醋，这些措施只能掩盖腐尸的臭气。

为预防疫疠，医生还建议采用食疗，有些食物可能确实有益，吃后身体健康，更能抵抗疾病。但大家认为最佳保障是心情平静，与上帝同在。在病房中，医生的地位还次于教士，病人常在祈祷和忏悔后才接受治疗。病人大多欢迎这种办法，因为既如药石无灵，复元无望，离开人世前能在未来世界预订一席位，也是上策。染病的人并非必死，但如能康复，通常都视之为奇迹。

黑死病自十四世纪横扫欧洲以后，还陆续出现多次。直至二十世纪才发现其病源和治疗方法。1665 年这种疫疠传到伦敦时，医生采用的治疗方法还是好不了多少。英国作家佩皮斯在其著名日记中生动地描述十七世纪那次黑死病的详情，单是伦敦一地死者就数以万计。令人啼笑皆非的是，当时英国人为了阻遏疫疠蔓延，竟然把猫狗这引起鼠疫的天敌大量杀掉。

32. 丹麦王让位之谜

公元 1307 年，中古时代的欧洲发生了一桩举世震惊的大事：一向无所不能、所向无敌的丹麦国王瓦德玛四世，竟被迫让出自己手中大量权益，不是让给争逐王位的对手，而是给一批来自德国的商人。这批商人并非用经济制裁手段，而是突然藉军事力量达到此目的，继而成为北欧最大势力之一。当时瓦德玛除了丹麦本土，还统治瑞典南部和德国北部。一批叫汉萨同盟的商人跟这位一度不可一世的国王在 1370 年签署了士特拉松特和约，恢复汉萨（意思是一伙或一群）商人在丹麦全国的自由贸易权利。起初在 1363 年，双方打了两年仗之后，自由贸易的权利给取消了，但汉萨同盟部队在1369年大胜瓦德玛，结果签署了士特拉松特和约。这批商人自和约获得的权利还包括：自行派遣官员监督贸易、接收瓦德玛从四个瑞典堡垒所收租税的三分之二，以及有权否决丹麦王位继承人人选。当时欧洲习惯上由教会和贵族统治一切，一个拥有偌大权势的商人同盟则实属罕见。

汉萨同盟究竟如何产生？何以发展到拥有那样大的权力，竟足以迫令国王屈服？原来同盟的成立至少可追溯至1241年，当时德国北部两个最重要的贸易城市汉堡和卢比克签订了联盟及互相保护条约，以保障贸易。50年间参加联盟的城市增至19个。1世纪内，更增至70多个，包括现代苏联的雷维尔和里加，莱茵河畔的科隆。因为当时北欧海盗横行无忌，确实需要这种保护组织。海盗认为掠夺船上货物后将船只破坏是天经地义，甚至是可敬的行为。成立汉萨同盟那种组织需经国王批准，所以汉萨同盟在1375年获得神圣罗马皇帝查理四世正式认可前，一切活动都保持秘密。但是组织一旦成立，就无人有足够力量予以压制。

卢比克港位于波罗的海西端，极具战略价值，是汉萨同盟的都会，也是组织中最富有的城市，号称北方的威尼斯。但威尼斯凭买卖从东方运到的丝绸及香料等珍贵货品致富，卢比克及其同盟城市的繁荣，则主要靠买卖价格较低廉、但同样有利可图的各种货物，如蜡、毛皮、小麦、木材，尤其是波罗的海产量甚丰的鲱鱼。中古时代的欧洲，大部分人是基督教徒，由于经常有戒肉食的节日，便让鱼类打开了广大的市场，商人也迅速抓住这赚钱机会。鲱鱼经过腌晒自波兰和俄罗斯随小麦及裸麦出口，沿绵长的河流下航至但泽或里加等汉萨港口。上溯回航时，商船装载酒类、纺织品和其他货物。从伦敦到诺夫哥罗这一片地区，汉萨同盟控制了广大的贸易网，因而日渐富裕，他们的护航队保护货船，以免海盗觊觎，所以汉萨货币人人信赖。

任何商人如果违反或藐视汉萨同盟的规定，后果真不堪设想。汉萨同盟曾因商业上的理由对佛兰德斯禁运，但一个不来梅商人继续与该地区做生意。因为不来梅市没有惩罚那个违例的商人，1356 年汉萨同盟断绝与不来梅的贸易，结果在“随后 30 年的悲惨日子里，不来梅陷于穷乏竭蹶之中，街上野草丛生，到处一片荒芜”。在另一次事件中，勃伦斯威克也受到类似的惩罚，这城市的贸易完全停顿。直至 1374 年，该市十位知名人士见到汉萨同盟那繁华的都会，赤足走过街道请罪，又在卢比克的汉萨同盟理事会委员跟前跪地求饶，才获准重新加入同盟。

汉萨同盟在 120 个欧洲的城市设有“工厂”，即一些具自治权的贸易站，只受汉萨同盟法例约束。这类城市中伦敦是其中之一，还包括当时欧洲最大港口比利时的布鲁治；在俄罗斯北部诺夫哥罗，德国人建立自己的小镇，商店、教堂和德式住宅，一应俱全，还有挪威的卑尔根，该地人口实际上四分之一为德国人，取代了很多当地市民的位置，市内“工厂”有工匠和商人共 3000 多名，生意很赚钱。

住在卑尔根的汉萨同盟商人，就像侨居别的城市时一样，生活受严格限制，跟修道院差不多。他们要立誓过独身生活，必须在工厂范围内住宿，以防当地妇女在床第间探悉商业秘密。商人只能侨居十年，规定住在集体宿舍。加入同盟前，还须接受苛酷的入会考验或仪式，比如要经殴打直至倒下，或者丢入峡湾冰冷的水中。这样做可以让旁观者开开眼界，也可淘汰意志薄弱的人，但经商致富的吸引力很大，申请加入的人过多，常有僧多粥少现象。

汉萨同盟迫丹麦国王签署哄动一时的条约后，兴盛了 100 多年，但到十六世纪初，情况开始变坏。同盟衰落的一个主要原因是鲱鱼的产卵场自波罗的海转移至北海，商业竞争对手荷兰人从而轻易在北海捕得鲱鱼。另一原因是基督新教兴起后，欧洲人对鱼类的需求减少了。更严重的是沙皇伊凡四世将波罗的海海港那耳瓦开放给所有商人后，别的商人开辟新贸易路线，汉萨商人面临激烈竞争。到1603年汉萨同盟只剩下14个付费的成员城市；到1648年只有汉堡、不来梅和卢比克仍是独立的城市，其余的城市由于财富充裕而引起当地王族垂涎，一一据为己有。

由于贸易形式改变，卢比克渐渐陷入困境。今天除高耸入云的主教座堂仍使人缅怀它昔日的繁华兴盛外，已无其他遗迹可寻。

33.600年前英格兰血案之谜

公元1381年6月的一天，英格兰正要爆发一场大厮杀。当时形势剑拔弩张，双方人马势力悬殊，在伦敦城的城墙外对峙。一方是小小一群骑马的贵族及其随从，围在一起保卫14岁的小国王，另一方是叛乱群众，共有将近2万名工人和农民。叛乱群众已在伦敦发动一连串进攻，主要目的是惩罚英法战争中导致英格兰失败的罪魁祸首和反抗征重税来支付军饷。满腔愤怒的群众举行示威，还希望迫使政府进行政治改革。虽然群众愿意让理查二世统治，但要求国王以下所有人，不问出身背景都获得平等对待，并要求拿出教会的土地来重新分配。群众提出这些要求，显示他们对采邑制久已极度不满。在那种制度下他们的生活极难改善。由于发生叛乱前一段日子，农民生活状况逐渐改善，贫穷阶层的人明白到本身也应该获得较好待遇。他们虽然身为农奴，人微言轻，但是黑死病在1347至1351年蔓延全欧，使劳动人数大减后，劳工已获得较高工资。当局的对付手法是在1351年通过劳工法，以图控制工资和物价。事实证明控制工资易如反掌，但是物价仍在继续上涨，控制不来。

老百姓日益渴望争取更多自由和平等。当时有一句押韵的口号流传甚广，意思近似中国宋朝诗人张俞的名句：“遍身罗绮者，不是养乔人”，只是背后的情绪激烈得多。当时摄政团以少年国王理查二世的名义管理土地，1377、1379和1380年，摄政团着手征收一系列前所未有的人头税，以支付战费，老百姓更为不满。这样不论贫富划一征收税款，显然极不公平。

1381年暮春积极的反抗运动爆发，起事地区大致限于英格兰南部。农民拒绝缴税，并且成群结队，携备剑、斧、弓、箭等不同利器，大踏步拥进大小城镇。他们焚烧税官的房屋，找出未缴税者名单及有关法律文件，统统烧掉，又放出狱中囚犯。有一个自教会狱中释放出来的人名鲍尔，是个性情激烈的巡回传教士，因在讲道中充满煽动的言辞而被监禁。他从监狱脱身后，立刻策动释放他的人继续进行反抗。这些农民很快就有了另一个不属教会的领导人，他是勇悍的军事冒险家泰勒，其人精力充沛，野心勃勃，天赋一股特别力量，似乎无处宣泄，在这反抗运动中正找到了合适的出路。

摄政团最初只视作癣疥之疾，不久后目睹局势不可收拾，顿感惊恐莫名，反抗的群众拥向伦敦，势如破竹，甚至能闯进守卫森严的堡垒伦敦塔，掳去摄政团两名要员：坎特伯雷大主教萨德伯里和财政大臣黑尔斯。群众认定这两人是征收人头税的始作俑者，立即将两人当众斩首。跟着，群众跑到多个地方进行破坏，只要他们憎恨哪一个人，这人的宅邸就是攻击目标，如少年国王叔父兼首席顾问约翰所居萨夫瓦宫。泰勒下令不得将任何财物盗走，必须全部捣毁。他们扯下墙上名贵华丽的织物，撕成碎片，然后焚毁或抛入泰晤士河中；珍贵的珠宝被捣碎为碎屑粉末；数以百套计的华服被扔进火堆中；全部家具则捣烂和纵火焚烧。当时似乎只有一个人不服从泰勒禁止偷盗的命令，试图暗中将一枚银币放入口袋中据为己有，结果他也被抛入熊熊烈火中，迅即和萨夫瓦宫一同化作灰烬。这件事显示群众宁愿自我抑制，忠于发动反抗的原意，象征他们唾弃封建社会的不平等和不公正，合力将之摧毁。

当时没有什么力量足以阻止这种破坏行动，保卫国王的只有约500名士兵。伦敦大部分较贫穷阶层的人，都同情反抗分子的处境，不加阻拦，所以国王和他那些惊恐万状的顾问人员正面对肆意破坏的叛乱分子，眼看社会秩序快要被毁也无力挽救。尚幸农民已同意与国王谈判以求解决。但1381年6月那一天双方在伦敦城墙外碰头时，看来那些满腔怨恨的人民已不能冷静下来。

年纪轻轻的国王骑着一匹高大的战马，头戴王冠，手握宝杖，虽然一派威严，但看来并未能吓倒对手。国王开口说话时，清清楚楚说出答应群众所有要求。这次传统上称为“农民叛乱”的反抗事件，最后看来可以和平解决，而泰勒和他领导的人亦已胜利在望。跟着突然发生了一件骇的事件，极易导致一场惨烈的大厮杀。没有人知道事件的详细经过，但大概是泰勒和理查的一个武士发生争执，还做动武之势，说时迟那时快，泰勒猛然被伦敦市长一剑杀死。

叛乱人群当中发出一声怒吼，随即作扇形展开，大有发动攻击之势。国王的弓箭手迅速盘马惊弓，严阵以待，大战一触即发。于此千钧一发之际，一件人人意想不到的事发生了：年轻的国王不顾一切，突然从贵族群中纵马跑出来。随从、侍卫及左右的贵族都措手不及，未能阻止，国王跑到群众跟前高声说道："各位先生，你们要的是什么？我是你们的领袖，是国王，大家安静点。"在这剑拔弩张的一瞬间，小国王单人匹马来到忿怒的群众之前，实在惊险万分，且可能触发屠杀和混乱。但叛乱分子眼见领袖泰勒已死，又见到一国之君的慑人威仪，不由得一惊；国王举起手示意他们安静，他们的情绪也就平定下来了。理查答允听取投诉，消除种种不公平待遇，群众随即散去，凭着国王的果断，得以化险为夷。

这个故事的结局很凄惨。各贵族争取到时间整编军队，然后集中武力镇压残余反抗运动。国王纵使同情人民，想帮助他们解除困苦，但无能为力，他所作的保证并没有实现。挂在伦敦桥柱子顶上的，不是坎特伯雷大主教的首级，而是泰勒的首级，象征"农民叛乱"结束，群众终于完全失败。

34. 最胆大包天的伪造之谜

有一份伪造文件历史学家称之为"君士坦丁奉献书"，伪造的人大概怎么也猜不到，后世要是有谁怀疑这份文件出于伪造，他即会被判处火刑，活活烧死。文件伪造人极可能只是教皇的一名忠仆，据推想是公元八世纪一个热心服务教会的抄写员。

据说，"君士坦丁奉献书"是罗马君士坦丁大帝在公元 315 年发出的一件敕命。中古时代流行的一个传说，315 年君士坦丁患了当时无法医治的痲疯病，罗马教皇西尔韦斯特一世给他旋洗，痲疯病就奇迹般治愈了。那份八世纪的文件便随这奇迹而出现，相信文件内容的人认为罗马皇帝决定以帝国一部分土地永远赠给教廷，作为报答。因此他们相信“君士坦丁奉献书”上记载：“西尔韦斯特及其继任人”将永远统治罗马城“和意大利的所有省、城及……”

那文件又说君士坦丁让出罗马的拉特兰宫给西尔韦斯特居住，他自己则亲自运走梵谛冈山顶上十二筐泥土，动土之处即是后来的圣伯多禄大教堂的堂址。两位领袖住在同一城中似乎不很好，所以君士坦丁决定东迁至拜占庭，另外建造帝国的新首都。

公元八世纪以后，历任教皇就以这份特别“声名”作为借口，干预教廷以外的政治事务。自这份文件出现以来，不下十位教皇及其盟友用兵时援引“君士坦丁奉献书”以示师出有名，又利用所谓君士坦丁馈赠来掩饰个人野心，并且名正言顺地迫害那些看来违抗奉献书的人。到了1300年，教皇在全欧洲行使主权达到历史上的高峰。例如教皇邦尼法斯八世纪穿上帝王出征的甲胄，由穿着俗世红衣的列位主教陪同出现。据说他公开宣称：“我是皇帝，我是奥古斯都。”这种想法使中古时代的意大利灾难重重，罗马与其他野心勃勃的邦国，为了统治整个意大利，导致战乱连年，生灵涂炭。这些血腥的拉锯式争权战争持续几百年之久，直至十九世纪末，教皇不再插手俗务，意大利才开始形成一个统一的非宗教国家。

就今天的人看来，当时世人和教会人士都那样重视“君士坦丁奉献书”，实在令人感到诧异，因为这文件多处看来很明显是伪造的。虽然这份文件第一份已知的版本在9世纪时发现，但几乎可认定它是在八世纪下半叶捏造出来的，以证明教皇不仅不受任何皇帝的支配，反而有权支配皇帝。一些学者认为，这份文件是为替教皇史蒂芬壮声势而构想出来的，因为当时蛮族正进逼罗马；教皇史蒂芬获得查理曼的父亲（法兰克国王佩平）援助才度过难关。很多人怀疑这份文件是在教皇办公处里一个名克里斯多伏拉斯的职员指示下草拟的。

虽然早在公元十世纪已有人对这份文件产生怀疑，但在约700年之久的时间内，一般人都信以为真。虽然笃信洁身涤罪的人不时提出疑问，认为君古坦丁未必有合法权力送掉半个帝国，并质疑教皇在世俗事务中扮演的角色，但是很多人怀疑这文件本身的真实性。直至十五世纪，两位教会的学者彻底研究过这份文件，才找到其中破绽。这两人分别是德国人尼古拉和意大利人瓦拉。他们各自独立工作，自愿献出个人精力，详详细细地研究奉献书。他们很快就发现这份文件明显地漏洞百出，包括君士坦丁和他那个时代的人不可能知道的后世史实。

例如，公元315年君士坦丁仍然居住在罗马，尚未建立帝国新首都，但文件中已不止一次谈到君士坦丁堡那个城市及其管治权力。文件称罗马官员为“地方长官”，这个词当时尚未发明；又称罗马主教为教皇，比普通使用那头衔的年代几乎早了两百年。文件中君士坦丁还自称战胜匈奴有功，事实上，其后约50年匈奴才首次踏足欧洲。如果身为皇帝的真要把帝国的一半领土送给教廷，那样事关重大的决定一定会在当时的纪录中一再提到，但第九世纪前唯一提到奉献行动的文献，就只有那册奉献书本身。此外似乎没有一个人提及此事，甚至与君士坦丁同时代的传记作者尤西庇斯主教，也从来没提到过。

1433年11月7日，尼古拉将他的研究结果提交巴塞尔会议，参加会议的教会人士毫无异议予以接纳。七年后，瓦拉在瓦古拉的研究成果上再下工夫，对奉献书提出强烈谴责，字里行间更指责教皇拥有世俗权力。瓦拉当时为阿丰索王工作，而阿丰索王正与罗马争执，为抢夺那不勒斯的控制权发生难以平息的纷争。瓦拉找出一些什么来损害教廷的声誉，无疑对他有好处，但他在学术方面的修养则不容置疑。法国大哲学家伏尔泰亦认为“君士坦丁奉献书”是“最大胆最堂皇的伪造文件。”

尼古拉由于学识渊博，求知欲强，成为十五世纪最杰出人物之一。他在不少学术领域开创先河，却往往无以为继，结果自己播种让别人收获。他比哥白尼和牛顿更早提出地球自转和绕日公转的假说。1582年教皇格雷戈里十三世颁布格雷戈里历（今称阳历)。但远在此之前，尼古拉就拟定了那种历法修改的细节；他研究植物生长而首先确定了空气有重量；在数学方面的研究(特别是“无穷”概念）对二十世纪的相对论有重大贡献。他还是法学家、地理学家、科学家、哲学家、教士、杰出的人文学者和第一等的神学家，人称文艺复兴时期的楷模。

尼古拉是渔夫之后，大约1401年生于德国西部莫塞尔河畔一个小镇，先后在德文特、海德堡、派杜阿和罗马就学，获教会法博士衔，1432年参加巴塞尔会议工作，处理教会改革问题。当时尼古拉指出“君士坦丁奉献书”是伪造的，后来会议主张约束教皇的权力，使他感到失望，转而支持教皇。为表扬他后来促进教会团结，教皇尼古拉五世封他为红衣主教，1464年去世。

虽然尼古拉一生虔敬善良，但他的努力很少获致成果。他为罗马公教奔走，甚至远赴君士坦丁堡争取希腊东正教会归附罗马教廷。但欧洲的教会注定分裂。十六世纪马丁·路德与新教徒脱离教廷，却多少由于尼古拉发表谴责“君士坦丁奉献书”的言论。

尼古拉在修院改革方面的努力也不能维持多久。我们现在主要因他学术上的成就而记起他。欧洲最早的一幅地图得以面世，尼古拉功不可没；他又是手稿收藏家，发现大普利尼的“博物学”原文真迹客罗马作家浦劳塔斯的喜剧原稿不下十余种。他将在那时代名闻遐迩的私人藏书，全部遗赠故乡一所老人院。虽然该处经历多次动乱，那些珍藏仍能保持完好。

35. 大海里挖出的村庄之谜

人类定居地点被大海吞没的事有很多，不过大海竟把埋藏多年的村落发掘出来，这故事读者恐怕还是第一次听闻。

奥吉特是个小村落，位于美国华盛顿州西北角一个宁静的小港湾畔，座落在高出海平面不少的岸上，俯瞰广阔的海滩。滩外离岸 4.5 公里处有一排礁石，抵挡太平洋海浪的冲击。约 50 年前，这村落一直是马卡族印第安人的家园。马卡人传统以捕鲸为生，远在欧洲和美洲东部移民到来前，已经世世代代在这里居住了。不过，到了 1930 年，因为政府规定所有印第安儿童必须入学接受教育，而奥吉特又没有学校，所以马卡族人只好全部迁移到 20 公里外一个小镇上定居。

虽然马卡人不得已离乡背井，在陌生的环境居住下来，但族中父老还是十分缅怀过去，常常讲述先人怎样历险捕鲸等故事。他们用文字记载事迹还不足一百年，但是许多传说可以上溯到哥伦布到达美洲前的年代。有一个关于一场大灾难的故事，年代实在太久远，听起来有点像神话一样不可思议。他们说，许多以前一座巨大的泥山突然从天而降，落在奥吉特，把全村的人和一切东西都埋了起来。

这也许是个荒诞不经的故事，有一个人听后却着了迷，大感兴趣。他就是华盛顿州立大学人类学教授多尔蒂。因为差不多所有传奇故事之中都会隐藏着几分事实，多尔蒂认为总有一天可能在奥吉特地区找到一些掩埋了的历史遗迹，哪怕是几件器物，也是历史文物资料，足以指引研究人员了解几百年前这些海岸印第安人的日常生活。可是，考古觉察家怎样追寻那座据说掩埋全村的泥山的踪迹呢?

后来到了1970年冬天，大自然给多尔蒂带来了所需的线索。历来少见的风暴掀起巨浪，冲向那宽广的海滩，浪涛席卷岸上一切。海岸受不住冲击，有一部分泥土塌了下来。不久之后，二月里一个酷寒的早上，有一个人在海边散步，稍一不留神在泥堆上摔了一交，无意中随手捡起一件给海水冲刷干净的物件，起初他以为是一片浮木，给海水冲到岸上。但是仔细看后，发现那是一根在某种小艇上划水用的短桨。这根桨仍然保存得很好，物主竟然肯扔掉，看起来真有点奇怪。

发现神秘木桨的消息后来传到多尔蒂博士耳中。他想起最近的风暴曾经使奥吉特村旧址所在的临海土地塌了一部分。他怀疑那里会不会就是印第安传说中发生泥崩灾难的地方。那根木桨是否是500年前某人划小艇出海捕鲸时使用过的呢?

这种猜测果然不差。发掘之下，在那里找到了几个鱼钩，一根鱼叉杆，一个残缺的雕花木箱，一顶编织成的草帽。这些器物都是埋在发现木桨地方附近的浅浅泥土中。据科学分析证实，这些出土器物的年代都在哥伦布到达美洲之前。经历了几百年，留存至今仍然毫无损毁，是器物埋在深厚的泥层之下，隔绝了空气的缘故。

更使人兴奋的是，岸边泥土塌下后，露出一小段木墙。这显然是马卡人房舍的一部分，里面很可能有些极具考古价值的东西。多尔蒂于是着手小心地把整所房子挖掘出来。由于木房子很脆弱，屋里的东西也易打碎，所以绝不能用翻土工具挖掘。这位教授和一群学生小心翼翼地利用水管，把数以吨计的湿土冲开，让房子露出来。冲洗过程很慢，但是效果很好。

出土的房子相当大，约长 21 米，约宽 14 米，内分为几个单位，各有灶台和睡炕，看来供几家人合住。房子内的用品，与泥崩时的摆设一样。出土器物中有一张残破的白色毯子，经历了几个世纪之后，上面的蓝黑图样仍然清晰可见。同时出土的，还有一个雕成男人形状的木碗、一张鱼网和一些桤木树叶。考古学家发觉树叶刚出土时呈绿色，暴露在空气中逐渐为褐色。有一件器物足以说明古印第安人的艺术才能，那是用雪松木雕成的鲸鳍，上面镶嵌了 700 多只海獭齿。

当然最有趣的还是反映这些海岸居民生活方式的器物。比方说，他们有时煮食，先把石头烧热，丢进装了水的木容器里。有一个木容器底部烧穿了，可见马卡人偶尔也会粗心大意，煮食时忘记注水进容器中。有一个完整无缺的木碗出土时还散发盛装过海豹油的气味。家人准备吃饭时，孩子玩长辈做的玩具。多尔蒂的考古队找到些像乒乓球拍的木拍，用香莓茎做的羽毛球，还有一副小型的弓箭。

奥吉特村突然祸从天降、死伤惨重的传说，已证实是触目惊心的真实事件。一只小狗蜷曲身子睡觉时，和主人同时遇难。有一把雕制未完工的梳子掉在地上，本来是给一个马卡女孩作头饰的。地上的木片还来不及清扫。现场发现了几副人骨，算起来睡炕似乎没睡满人。也许在千钧一发之际，有些人能及时逃出危险，逃出来的马卡人便以口传方式使当日故事得以流传。

虽然如此，500 年前的悲剧总算没有抹煞历史光辉的一页。多尔蒂形容这场灾难，为美洲提供了“西北岸考古学上最重要的独特发现，的确是个国宝”。对于马卡印第安人，这次泥崩还有其他意义。这个古老种族的一位后人说："从奥吉特泥土发掘出来的器物，我们另眼相看，因为那是我们祖先的遗产。"

36. 圣女贞德殉国之谜

历史书对圣女贞德的死描述得最清楚不过。名望卓著的历史学家一致认为她的死完全没有疑点：1431 年 5 月一个早上，贞德在里昂一个公众广场被烧死，当时有数以千计的人亲眼看见这桩惨事。往火刑台的通道挤满大群观众，800 名英国士兵把人群跟火刑台远远隔开。在审讯之中，贞德虽然提出强硬有理的申辩，但审判结果早已拟定。当日贞德临刑之际，自顶至踵罩着布，在两名教士陪同下，步向生命的尽头。这个 19 岁的农家少女曾率领法国人抗拒英国侵略，一度是万人景仰的民族女英雄。如今围睹的群众快要看到她悲惨的收场，不过在英军眼中，这才一了百了，断绝后患。

在一万多人注视之下，这个体型纤小、被宣判为女巫和异端信徒的少女，迅即遭熊熊烈焰吞噬。很多围观者听到她喊出耶稣的名字，并且呼叫那些激发她率领义军，把英军逐出法国的圣徒名字。烈火烧了一段长时间，她还没有气绝，最后听到她低吟一声："耶稣"，便离开人世。群众看见行刑者耙开火堆，露出一具烧焦的尸体。不过有一个时期，很多法国人相信一个言之凿凿的传闻，认为贞德根本没有在火刑台上烧死。到了今天，仍然有部分人认为在 1431 年 5 月那个早上死去的，并非贞德本人。

当然，这个虔信宗教的年轻牧羊女，易钗而弁，带领法国军队打败英军，正足以令群众相信上帝创造奇迹。在她领导下，法

圣女贞德赴刑时的情景。

国军队解了奥尔良之围，而且在其他战役里把英军一路逐出法国。当时的王太子显然势孤力弱，但贞德激发起群众的爱国情绪，效忠于王太子，结果1429年他正式加冕为法国国王查理七世时，贞德亦站在他身旁，不过这已是她最得意之时了。其后，她要收复巴黎，可惜徒劳无功，而翌年春天，更落入英国军队的手中。英国人决意要把贞德公开处死，只因她能创造奇迹，提高士气，令法国士兵奋不顾身投入战斗，英国人因此视她为最危险的敌人。

行刑人向群众展示奥尔良姑娘（当时的人喜欢这样称呼她）烧焦的尸体之后，再度燃起烈火，将尸体烧成一堆灰烬，然后把这些灰烬扔进塞纳河去。不过，有些目睹行刑过程的人，自此就谈起当时的神奇景象。一个英国士兵说，贞德的灵魂离开肉身时，他亲眼看到一只白色鸽子自火堆飞升。部分人说看见火焰中出现“耶稣”的字样。不久，有人传说贞德的心和肠脏保持完整，没有给烧掉。过了一个时期，更有人说火焰没有伤及贞德，她仍然活在人间。

贞德的两个兄弟知道法国人乐于相信这位女英雄仍在世间，发觉可以从中图利，于是决定布置一个令人齿冷的骗局，意图乘机赚上一笔。这两兄弟早已因贞德的名望而得享宽裕生活。到1436年，即贞德死后55年，两人把贞德仍在人间的传闻再加渲染，结果使这些传闻继续流传了数百年。兄弟两人突然在奥尔良的街头出现，身旁还有一个披甲策马的年轻女子。他们说那女子就是贞德，在施行火刑之前最后一刻由另一个女子顶替受刑。事实上，那披上盔甲的女子是个名叫安梅丝的女骗子。她在冒充贞德之前，在意大利教皇的军队里服役。当时她的威武外型和娴熟的马术，甚得群众喜爱，使看到她的人不假思索就相信贞德仍然在世。法国人既然痛失民族英雄，这也是人之常情。

奥尔良市民对贞德两位兄弟的说法完全相信，甚至废止了自贞德牺牲后一直为她举行的纪念仪式。贞德的兄弟和女骗子的骗局处处得逞，无往不利，先后在奥尔良及其他法国城市，享尽美酒盛筵，并广受尊敬。然而好景不常，四年后他们的骗局终于给揭穿了。1440年，安梅丝在巴黎原原本本供认她参与那出无耻的闹剧。不过，冒充贞德的事件影响深远，贞德在里昂一个公众广场逃出生还的传说，虽然已证实为无稽之谈，但是有些法国人却始终深信不疑。

1456年，圣女贞德救国的使命终由后继的人完成，查理七世亦差不多完全统一法国，贞德那两名善于欺诈的兄弟这时候又理直气壮地支持他们母亲，请求重新审讯，为贞德洗脱异端信徒和女巫的污名。那场为恢复贞德名誉而举行的审讯，终于把1431年的判决推翻，但法庭并没有传召贞德的兄弟作证，他们早期利用贞德名誉谋利所作的昭彰恶行，大概已令精明的教士和政府当局深恶痛绝。至于女骗子安梅丝，却能安享余年，其后结婚生儿育女，而后嗣始终相信她才是真正的奥尔良姑娘。

贞德说她并未入籍教会，而是透过“声音”、幻象直接与神与圣徒沟通。里昂的教会法官因此宣判她为异端信徒。事实上，贞德的其他行径在中古社会也惹来非议。虽然她仍是童贞之身(自愿接受英国女子检验)，但喜穿男服，身体又纤小结实，在敌人眼中，形如妖魔，不类女性。此外更传说言贞德没有月经排出，而当时的人认为，身体任何机能停止操作，便可能是妖魔作祟（今日心理学家则认为是精神紧张所致)。

不过，贞德闭经可能另有原因。据研究发现，贞德在领导国人英勇救国的那段光辉日子，食量甚少，因此一些历史学家认为贞德是工作狂热、雄心勃勃，以致精神饱受困扰，患上现代称为“神经性厌食症”的病症，其中一项病征就是闭经。

贞德被捕后仍然身穿男性服装，令狱吏惊异不已。她辩称穿男服目的是避免受侵犯，这种顾虑显然合情合理。不过，贞德这种易钗而弁的作风，不幸又给对头人用来指控她邪行惑众。

但在今天的现代人眼中，贞德是一位充满激情与信念的民族英雄。

37. 吸血僵尸之谜

自古以来便有吸血僵尸的传说。无论是哪一种吸血僵尸，是干瘪如木乃伊、苍白瘦削，或是臃肿迟钝的，总在夜里离开墓穴害人，使受害者也变成吸血僵尸。吸血僵尸引起人类内心最深处的惊惧，使人饱受折磨。蓝眼睛或红头发的人、出生时有牙齿的婴孩、若干脑病的患者，都曾经被人与僵尸的可怖形象联系起来。

中欧人和东欧人对吸血僵尸想像最丰富，传说也特别多。其中以十五世纪后期杜勒古拉王子死后在偏僻的特兰施伏尼亚（即“森林远处之地”）传说最盛。杜勒古拉嗜血的可怕故事流传开来，加上瘟疫不时发生，人人自危，例如惧怕被当作死人活埋等。迷信的人轻易相信“未死”的人在夜间从坟墓跑出来吮吸人血的“真”故事；怀疑吸血僵尸作祟则把尸体挖掘出来，用尖木戳穿其心脏，或割下首级焚烧。这类例子，书上记载极多。到今天不仅是古老电影的忠实观众，其他人很多也相信，圣水和十字架或大蒜和香草，足以阻挡吸血僵尸。

虽然历来不少人写过有关吸血僵尸的小说，但以斯托克在1897年所出版的著名小说《杜勒古拉》，最使大众着迷，至今仍然脍炙人口，看得人幽思遐想，津津有味。

谁都听过《杜勒古拉》这本小说或看过改编拍成的电影，更不用说各类续作和仿本了。但有些人不知道书中那个骇人的伯爵原来真有所本，是一个五百多年前的东欧人。历史上很少有更令人毛骨悚然、触目惊心的人物了。

《杜勒古拉》这部小说的地理背景特兰施伏亚和书中主角名字，都有事实根据。中古时代，罗马尼亚有一个省分瓦拉齐亚，位于特兰施伏尼亚山脉和多瑙河之间。十五世纪时期的瓦拉齐亚，是欧洲中部匈牙利王国和土耳其鄂图曼帝国间的缓冲地带。1453年，鄂图曼帝国吞并了君士坦丁堡，国力臻至巅峰。当时瓦拉齐亚的君主杜勒古，采用龙的徽号作为他个人的标识，而杜勒古这个名字也有“龙”的意思。几年之后，他的儿子伏勒德承继皇位，得名杜勒古拉，即“龙之子”的意思。

伏勒德·杜勒古拉王子约生于1430年，对残暴行为，从小就耳濡目染，知之甚稔。因为他小时候曾被土耳其人虏作人质，囚禁在一个叫埃格里戈兹（意思是“淫邪眼睛”）的堡垒里。其后匈牙利统治者下令杀死他的父亲，又把他的兄长活埋，他都一一目睹。因此，杜勒古拉在疯狂的统治期内，不断地把学会的一切暴力和野蛮行为付诸实行，而且变本加厉。

杜勒古拉当时有一个更知名的外号，叫做“穿心刽子手”伏勒德。他最喜把土耳其人犯或任何惹他不快的人，串在尖锐的铁桩或木桩上。为了使这种残酷无匹的行刑方法臻于极致，暴君杜勒古拉经常下令把刺桩稍微弄钝，而且涂上少许润滑脂，所以施刑时刺桩就会慢慢插入人体的重要器官，令犯人死前多受些痛苦。

杜勒古拉想出好几种方法，宣泄他的虐待狂。一些土耳其使者忘记在他面前脱帽，他便干脆把那些惹他生气的帽子钉在使者头颅上。他非常憎厌弱者，有一回他把一群乞丐和跛子驱赶到一个张灯结彩准备盛宴的大堂里，然后下令封闭门窗，放火焚烧。杜勒古拉又有一种强烈而已近丧心病狂的清教徒性格。在他统治期间，犯有通奸罪的女人，都要活生生地被剥皮，或接受其他“适当”的惩罚。至于这些惩罚方法是什么，恐后要留待读者想像了。

现存的一幅伏勒德·杜勒古拉画像，就把他绘成一个相貌俊美、衣着出众的年轻王子，而部分历史学家因他貌似和善，便认为他的残暴形象是政敌恶意捏造的。他们同时指出，杜勒古拉曾率领国人奋勇抗拒入侵的土耳其人，使信奉基督教的欧洲各国不致被穆斯林世界征服；他支持农民对抗残暴的东欧贵族；他的国家本来因为内忧外患而四分五裂，却由他重建秩序。替他辩护的人更举出一些善行做例子，其中一项是捐赠一只金杯给瓦拉齐亚一条村落的广场喷泉。他放火烧死乞丐和跛子的事件，有些人辩说是造福社会，因为当时瘟疫流行，他的目的是扑灭疾病。

虽然如此，大量证据则证实多数历史学家的看法，断定杜勒古拉是个残忍无道的恶魔，比同时代的波吉亚和十六世纪的暴君伊凡四世等人有过之而无不及。据估计，杜勒古拉在位不到10年期间，用刺桩、剥皮、扼勒、烹煮、烘炙或其他千奇百怪的方法，至少杀害了5万人。1476年，他自己也得到应有的报应，不过我们还不知道确实的情形。他可能被政敌刺杀，或者为土耳

这就是"穿心刽子手"吸血鬼在罗马尼亚居住的布兰堡。

其人杀害。无论如何，他的头颅被割了下来，钉在木桩上公开示众。

杜勒古拉的生存年代，刚好是德国人古腾堡（在1440年）发明活版印刷技术之后不久，因此他的暴行立即不胫而走，广为流传。1499年，一本德国书刊载一幅版画，描绘这位罗马尼亚人在一堆被钉死的受害人中饮宴。另一些有关其恶行的记载，暗示当时举行过吃人肉和吸人血的仪式。虽然没有真凭实据证明他嗜吸人血，但是他一定很喜欢观看流血场面。他的残酷行事既有真凭实据，那么指他是个恶魔、吸血僵尸的传说，自然随着岁月而广泛流传。

他的墓穴已推定在罗马尼亚某地一个湖中的岛上。在本世纪初，有人发掘墓穴，发现内里空空如也。他的尸身是否在下葬后的某个黑夜给弄出来，用尖木刺穿心脏呢？这个想法听似无稽，却并非没有可能。

38. 最后的晚餐之谜

在意大利的米兰，十五世纪修建的圣玛利亚修道院内，有一大群专家几年来一直在进行一项事关重大的修补工程。这工程看来还要进行好几年才会完成。专家运用极为精细的解剖刀、钳子、锥子、显微镜等工具，正在挽救一幅“病入膏肓”的艺术名作，世界各地不少人都说它已危在旦夕了。这幅名作就是意大利艺术的瑰宝，由达芬奇精心绘成的壁画“最后的晚餐”。这幅的巨幅珍宝长9米、宽4米半，绘于修道院饭厅墙壁上高处。它显示一位名家如何捕捉非常神秘而感人的一刹那：耶稣基督坐在桌子旁十二个门徒中间，刚刚做了预言：“我实在告诉你们，你们中间有一个人要出卖我了。”

画面上人物的安排恰到好处，非常符合当时应有的气质，反映了每个人的内心。在基督左边约翰和彼得面露愁容，探身向着基督，好像在问：“主，是我么？”在这两个中间是叛徒犹大，瑟缩着想退避。其他各个门徒都活灵活现，画像都绘得雄浑有力，他们的表情，或则错愕，或则忧虑、怀疑、绝望，各不相同。他们的姿态表现出情绪紊乱和惶惑不安。虽然画面描绘各人深受震惊的场面，整个构图还是充满流畅协调的气氛。激动情绪最后归结为温和对称的景象，对称的中心就是耶稣基督自己。1498年这幅壁画完成后，立即被公认为空前的杰作，后来人人提到最后的晚餐时总是想到这幅壁画。

大概在1495年，米兰公爵斯福尔扎请达芬奇到修道院绘制这幅壁画。一个与达芬奇同时代的人班代洛写道："我多次看见他大清早爬上架子，绘《最后的晚餐》。他从早到晚总不停手，也不吃不喝。然后三、四天不动手绘画，只是对着画稿仔细端详，喃喃自语批评画中人物。"有一个也许是杜撰的故事说，画中犹大的面貌是根据那修道院院长的相貌绘成的，因为院长抱怨达芬奇画得太慢，使达芬奇非常生气。奇怪的是犹大的面貌也有点像耶稣，达芬奇似乎要把这叛徒画得貌似救主但猥琐得可怜。动手绘画前的难题是怎样避免壁画受潮剥落。达芬奇的创造力不同凡响，他特别调制一种由石豪粉、硬沥青和乳香树脂混合而成的封塞料，抹在那石质松软的墙上作底子，然后在上面绘壁画。

可惜他始创的混合物并无预期的效用。后来画面的油质颜料开始剥落。早在1517年，画上颜料脱落的情况已经看得出来；当时是达芬奇逝世前两年。1566年，有一个参观过壁画的人说什么都看不见，只是"一片污痕"。又过了一个世纪，《最后的晚餐》看来简直是无可救药了，有一个修士就索性在壁画下方的墙上把门扩大，因而那稣基督的脚也削去了。不过壁画无论如何不是"一片污痕"，虽则暗淡些，仍然是旷世的杰作。几百年来，它经历多场灾劫而留存至今。

比方说在拿破仑时代，军队把这饭厅当为堆放马料的地方。第二次世界大战时，房顶和壁画右面的墙都炸坏了。可算更坏的是有人进行过几次胡乱的修复工作，十八世纪初至今一共修了六次，大多数是在原画上补绘。到了二十世纪中叶，这幅“最后的晚餐”已成为退色、剥落而满布污痕的残品了。不过1980年以来，这幅壁画的剥落现象已经停止了，继而转入一个缓慢而近乎奇迹的新生过程。运用科学方法恢复壁画本来面目的工作已经开始，整件工作由隆巴第区美术品总监领导。专家先极仔细地查看壁画，然后开始逐次修复非常细小的一块。现在专家正在剔除以前“修复”造成的破坏，尽最大努力恢复壁画原来的面貌。运用解剖刀和溶剂在这逐块剥落的彩绘壁画上干修复工作，其细致与复杂足以使人头昏眼花。不久之前，负责修复工作的领导人布兰比拉对一个参观者说：“看见这小片蓝色吗?”她指着壁画的白桌布上一小点颜色，解释说：“这是从别处掉下来的，达芬奇绘画时，这片油彩是一个门徒袍子上的颜色。”当然，她的工作是把那片油彩放回原处。

壁画在这次修复前，是许多不成形状的碎片拼凑起来的残缺物品；在一些连底层也脱落了的地方，原画根本无迹可寻。即使如此，这次修复工作也取得极好的成果。到1982年，靠右边的四分之一幅壁画画面已大致修复完成。西门、达太和马太众门徒已经洗脱了几百年来积聚的尘垢，重现本来面目。在这过程中，布兰比拉和她的同事发现了原画上一些出人意表的地方。比方说达芬奇绘西门的脸时本来只绘上短短的胡子，可是几百年来，修复时在原画上多次补画，胡子加长了很多。桌上的食品本来是吃了一半的，有一个切开的橘子和掰开的画面，但是不知道是谁竟不问情由“改正”了这些富于趣味的细节，把面包绘成完完整整的，橘子也变回完整的一个。画面别的地方经过这次修复，生命的活力逐步显现，玻璃杯上又显出了闪耀的金边，桌上的银餐具又再反映出圣徒袍子的颜色。

到现在为止，修复工作都是在揭开原画的真貌。世界上的艺术爱好者都热切期待这幅杰作重新显现真面目。到那时，这幅壁画会再度显示一位旷世奇才的超凡创造力。

达芬奇被誉为“以一胜十”的人。他是文艺复兴时代的典型艺术家、科学家、建筑师、解剖学家、军事工程师和发明家。

达芬奇是私生子，生于叫 Vinci 的小村子，父亲是法庭公证人，母亲是个农家女。14 岁到佛罗伦萨去学艺术，20 岁已成为知名画家。10 年后迁居米兰，在斯福扎公爵（后封为米兰公爵）的宫廷任职 17 年。达芬奇遗下的 7000 页手稿中，有许多是这个时期写的。这本手稿内载有飞行器、降落伞、直升机、潜水衣、坦克车、错层式城市的详细图形。

达芬奇既是构想出种种新奇事物的第一号发明家，也是把实物的形象记录下来的艺术家，他的两幅驰名世界的作品都留传了下来。脍炙人口的“蒙娜丽莎”妥善地收藏在罗浮宫里；“最后的晚餐”直到几年前只不过是一件出名的残品，在修道院饭厅墙上逐渐剥落破碎。

达芬奇一生大部分时间在意大利勤奋工作，获得应得的尊敬和荣誉。他晚年在法国度过，是法王法朗西瓦一世邀请他去的。

39. 教皇的私生女之谜

教皇亚历山大六世的20岁私生女卢克雷齐亚·波吉亚，在1500年8月18日遇上永世难忘的事情。事情发生在梵蒂冈一间病房里面，当时她细心看护着无缘无故遭严重刀伤的第二任丈夫阿方索。当天下午，她离开了病房只不过短短5分钟的时间，回来发现丈夫已经被人扼死在床。她有充分理由相信，凶手是她的胞兄指使的。

切萨雷·波吉亚是否主谋杀害妹夫，始终无从确证。不过鉴于当时的政治形势，加上他性情暴戾，使人几乎肯定是他去掉妹夫这个累赘，了结了波吉亚家族一段再无利用价值的婚姻的。

波吉亚起初虽然表现出丧夫之痛（当时她与第二任丈夫、那不勒斯王弗雷德烈那年少英俊的侄子情深爱挚），可是几个星期后她又恢复常态，兴高采烈寻欢作乐去了。外人看来，这就证明波吉亚与她家族其他成员同为一丘之貉，全属于放毒药、要阴谋、肆淫欲和搞谋杀的恐怖分子。不过她真是那样狠毒的妇人吗？

几百年来，所有对波吉亚的指摘都十分严厉，也十分难听。历史学家惯于指称她乱搞男女关系，认为她与胞兄切萨雷以至担任教皇的父亲乱伦，而其他曾与她相好的男人总是惨死于横祸，并且死得不明不白。历史学家还说她命令50个梵蒂冈男仆，与50个裸体妓女竞相淫乱，旁观取乐。波吉亚当然不是什么纯洁的天使，但这些针对她的猥辞秽语，实际上恐怕是反波吉亚家族的谰言，而不一定实有其事。

对波吉亚最严厉的指责是说她与血亲有性关系，乖违伦常，其实也极易驳倒。这一罪名有两个不同说法，但没有一个经得起仔细推敲。

第一个指摘她乱伦的是她首任丈夫斯福尔扎。她13岁时嫁给斯福尔扎。他所以说她乱伦，纯然是为求自卫。他们的婚姻原是出于政治利益的结合，谈不上爱情。后来解除婚约的时机到了，波吉亚家族便以斯福尔扎不能人道作为理由，他们公然说斯福尔扎根本不能履行丈夫的职责。这其实是弥天大谎，因为斯福尔扎确与前妻生过一个孩子。至于斯福尔扎自己则坚称和波吉亚至少做爱过过一千次，这也是吹牛，因为他们婚后同住的日子还不及一千天。不过这件事使斯福尔扎的自尊心大受打击，尤其是人人都相信波吉亚家族的说法，而不听信他的辩解。他既百辞莫辩，便指摘教皇为了和波吉亚睡觉，所以把他赶走。这种指摘简直是胡说八道，是一个人羞辱之余，盛怒之下口不择言的表现，根本没有丝毫根据。

但是这种说法为什么不胫而走，迅即流传，也是容易理解的。波吉亚第一次婚姻破裂的时候，似乎和一个西班牙籍的随从有过一段雾水姻缘，波吉亚怀孕之后不久，这年轻英俊小伙子的尸体就在台伯河发现。教皇为了让孩子姓波吉亚以为护荫，同时免致波吉亚有失颜面，就发布了一项公开声明，说孩子是切萨雷·波吉亚和一个身份不明的罗马女人所生。但私底下，基于从不透露的理由，教皇则自称是孩子的父亲。于是谣言四起，说身份不明的女人就是波吉亚，从而她乱伦之说便不胫而走，到处盛传，最后传到古恰尔迪尼和玛基维利两个历史学家耳中，他们信以为真，并将之载入史册，这捕风捉影的说法便流传后世。

然而波吉亚并非如传言所称那样糟糕。人谁无过，她自然有缺点，但比之当时许多女人也不见得更坏，而拿她的家族其他成员做准则，她就更是品行端正了。值得注意的是她准备第三次（也是最后一次）结婚，嫁给日后册封为费拉那公爵的一位贵族时，这位贵族的特使（一个对波吉亚家族不抱幻想的人）审察了波吉亚的性格人品，私下向主人作了报告："她无疑美艳照人，仪态端庄，而且看来天资聪慧，致使我们不能也不应该怀疑她有什么不轨行为；待人接物，莫不温文尔雅、和蔼可亲与彬彬有礼；此外，她还是天主教徒，对上帝常表敬畏。"

这位特使是外交家，知道他写下的这份报告，有朝一日可能给这位未来公爵夫人看到。尽管如此，他并没有说假话奉承，因为当时还有其他人作的记载，有不少细节都与特使所写相符。

这次结婚时波吉亚正好21岁，她离开梵蒂冈前往费拉那，此后再也没有重返罗马或拜见父亲。她永远摆脱了波吉亚家族的邪恶圈子，日后成了费拉那公爵夫人，更因做了许多好事，尤其是建筑修道院和医院，而极受百姓爱戴。她带去费拉那的十七本书不但证明她是个虔诚的教徒，同时说明她是个有学问的女人，她能用法文、西班牙文、意大利文三种文字写诗。她已经和过去一刀两断，大不了也只是年轻时那几次男女之事，而家人一旦为此暴跳如雷，她会顾左右而言他。因此不宜将她与波吉亚家族其他成员相提并论。她此后除了一次与威尼斯一个诗人交往略嫌失检点外，已全心全力相夫教子，做一个贤妻良母，并且赞助艺术活动，对夫家的宫廷有重大影响。

1519年她分娩致死，怀孕十一次之后，她已筋疲力竭了。死讯传出，识者无不悲伤。公爵当初对她相当冷淡，后来却情深爱挚，在丧礼上哀痛欲绝晕倒在地，被人抬了出去。意大利各地吊唁函件更如潮涌至，一封封都写得真挚感人，波吉亚的确深受爱戴。但后来历史学家出于个人意图，改写波吉亚家族事迹，卢克雷齐亚·波吉亚便蒙上不白之冤，从此声名狼藉。

洛特力各·波吉亚（教皇亚历山大六世）虽然与不同的女人至少生过八个孩子，但他和卡塔内伊所生的三男一女最为亲近，一家子成为文艺复兴时代最引人注目的家族，名传后世。四位子女中唯有卢克雷齐亚和不中用的幼子约费雷活到相当年纪。教皇最宠爱的尤安刚成年就遭杀害，相传因尤安与切萨雷都想讨妹妹欢心而酿成仇杀，切萨雷在父亲死后4年，32岁时战死。

波吉亚家族是西班牙一个寒微家族的后人，虽然孩子都在意大利出生，家人交谈总用西班牙语，而且终身嗜西班牙菜式和服装。他们在意大利是异乡人，最热衷个人和家族利益。尽管他们天资聪慧，却从来得不到大众拥戴，也得不到最亲密朋友的信赖。相反，每个意大利人又恨又怕他们，而且通常都是有道理的。

波吉亚家族的权势是1492年波吉亚当选教皇后取得的。虽然他以贿选手法晋身梵蒂冈，却也经过无数次讨价还价，于第四轮投票后才当选，但其政治和行政才能的确使他成为担任教皇的最适当人选。当时法国和意大利盟友联手，威胁罗马教皇辖下各国的独立地位，全靠教皇出尽计谋，手段毒辣，才使敌人未能得逞。在这方面，他的儿子切萨雷襄助最力。切萨雷是能干的教廷军队总司令，虽然从没有打过什么大仗，但他有此地位足以说明他擅长谋略。父子两人在极困难危急中，保持教廷领土完整，但所作所为使他们落个骇人听闻的恶名。

教皇与其私生女的亲昵，引起了人们的众多猜疑（电视剧《被告亚家族》场景）。

此一时期佛罗伦萨派驻切萨雷军营的几任特使，有一位是政治理论家玛基维利。玛基维利虽然对波吉亚家族毫无好感，却十分欣赏切萨雷的处事作风，他那本论述统治术的经典作品《君主论》就是献给切萨雷的。如果切萨雷不是大权旁落，其成就有多大就确难预料了。1503年他的父亲死于食物中毒，从此波吉亚家族善搞毒杀阴谋的传闻便不胫而走，波吉亚家族的权势也随而衰落。新教皇是切萨雷的死对头，处处与切萨雷为难，于是他逃到西班牙加入表兄纳伐尔国王的军队，在一场小战役中阵亡。

40. 哥伦布之谜

五百年来，哥伦布在一般人心目中留下殊不简单的印象，他发现美洲、开拓新大陆、改变历史发展，同时不恤人言、面对冷嘲热讽、但凭一股坚定无匹的自信而奋发有为。哥伦布被公认为历史上一个伟大的英雄人物。

然而一如常例，凡事总有另外的说法，有人指称哥伦布吹牛诈骗，行事鲁莽，过犯累累，暴戾恣睢；有的人更说他不顾一切，热衷追求显赫名声，已近疯狂。

哥伦布出身没什么可供考据。有关他的一切，确知的是1451年左右生于意大利热那亚。哥伦布约14岁时首次出海，青少年时代度过了惊涛骇浪的航海生涯。他似乎从小就有吹牛夸大的陋习。据哥伦布之子埃尔南多所著、难以尽信的《哥伦布传》记载，哥伦布自称1477年2月曾航行到冰岛以外水域，不过所叙航程见闻，令人极之怀疑是否属实。

哥伦布遐迩知名可以说当之无愧，因为他四次西航横渡大西洋的壮举，为当时的世界地图添上加勒比海群岛和中美洲海岸线。哥伦布靠个人艰苦奋斗、自修自励才终底于成，曾经有七年倒楣透顶，受尽讥嘲，沮丧莫名，多方央人资助“印度群岛计划”，借以证明从欧洲向西航行可达中国和日本。

哥伦布如何竭力说服西班牙菲迪南国王和伊萨贝拉王后，终于答应资助进行这次航行的故事，莘莘学子大概都耳熟能详。不管他的计算是否出了大错，哥伦布发现的地方根本不可能是中国或日本。首次航行是个人信念和意志力的胜利，哥伦布面对船员不断增长的抗拒情绪，坚持继续西航。但不幸正由于此种一往无前、坚持到底的性格，最后导致哥伦布垮台。哥伦布专横过激的脾性，在船员反叛的危难时刻足以发生威吓镇压作用；后来担当新发现地方行政官员，则导致他凡事专制，搞得手忙脚乱，却徒劳无功。

哥伦布的时代，人人追求荣誉、财富和权力，他自然不例外。但这位目光远大、才能卓越的航海家，常常因为陆上的工作一无是处，而坏了名声。1492 年首次长途西航，由于伊萨贝拉王后承诺，第一个看见陆地的人，回国后可享终生恩俸，所以哥伦布的手下愿意跟随他冒险犯难。可是他们回到西班牙，哥伦布却声称赏赐全归于他，后来更转送情妇恩里克兹（就是他儿子埃尔南多的生母）。据说哥伦布霸占了德特里亚诺应得的赏赐，引致德特里亚诺离开了西班牙，参加摩洛哥叛乱。

哥伦布回西班牙后，因发现土地有功，被封为“海洋元帅”，还获委任“印度群岛总督”。但他走马上任后，就发现自己背上了繁忙复杂的公事包袱，集殖民地总督、城市设计师、工程师、执法官等职务于一身，是难以胜任的。哥伦布渴望全世界的人都与他有相同看法，相信这个他命名为希斯盆约拉岛的地方（今日海地和多明尼加共和国）就是印度群岛（尽管这些地方传说中的财富还没有发现)；他并且颁布一条法例，规定所有欧洲移民都要签署一份声明，承认希斯盆约拉就是印度。甚至有人说，如果任何人等拒绝签署，会受割舌之刑。

哥伦布当总督弄得一塌糊涂，所以1500年被召回西班牙。菲迪南和伊萨贝拉知道哥伦布虽则是个能干的航海指挥官，却绝不是个好总督。有关哥伦布的轶事，最脍炙人口的是说这位海洋元帅给人锁起来运回西班牙。虽然哥伦布回国途中极受优待，他却拒绝解开链子，也许是为了博取大力支持他的王室同情。如果他真有这种动机，在某种程度上倒是达到了，王室仍对他宠爱有加，虽然不再容他插手希斯盆约拉政府事务，还是加以礼待。

哥伦布求名立功失败之后，曾于1500年上书伊萨贝拉王后请求再出航，声称从前数次出航是出于神灵感召。哥伦布摘抄圣经章节，写出了他的《预言书》，旨在证明他是上帝使者，是上帝差遣他去亚洲替西班牙统治者开发财富，以便西班牙有大量黄金可用于组织一支庞大十字军，最终使耶路撒冷重归基督教统治。

西班牙国王和王后批准了这次航行，但命哥伦布不得不重回他当过总督、弄得一塌糊涂的旧地。偏偏哥伦布生性固执，立刻违反禁令，可是希斯盆约拉新总督坚决不准他登岸，迫不得已，只好扬帆出海去找寻那虚无渺茫的印度黄金了。

哥伦布最后承认这次号称“伟大航行”的任务失败了，他回到西班牙，精神沮丧，身体哀弱。然而他仍坚称发现了印度，他写信给西班牙王室会议说：“我的种种努力并不非徒劳无功。我们的救主迄今仍在指引我的道路，在印度群岛那边，我将许多土地置于上帝管治之下，这些地方比欧洲和非洲加起来还大，以及除希斯盆约拉岛外，尚有一千七百多岛屿，总面积比整个西班牙还大。”

1506年5月20日，哥伦布死时默默无闻。落得这样的下场，主要全因他自己过错，失掉自己发现地方的总督之位。这个地方（虽然他不可能知道这事了）在他死后一年，不是为了纪念他，而是纪念他的朋友阿美利哥·维斯普奇而易了名。但哥伦布有一点令人永志不忘的，就是探测新陆地的卓绝才能和天生本事，这并不因哥伦布不善领导人民，未能将欧陆文明传播到新大陆，就不值一提的。历史传记作家费尔南德斯—阿马斯托说：“把很困难的事做成，在哥伦布看来是不够的；他要征服不可能。他虽败犹荣。他并没有航行到东方。他的失败使人更加珍惜那伟大的成就：发现美洲大陆。”

41.1000年前的马轭套具之谜

公元500年左右，中国有个赶骆驼的人发明了一样东西，使千千万万住在西伯利亚草原，以至全欧洲或更远地方的人生活方式顿然改观。这个人的发明有极大贡献，他的名字却无人记下来。这项发明使农业和战争方式都起了革命，产生前所未见的大变化同时使贸易、旅行和国计民生方面，出现了新的面貌。这项发明却简单得很，它就是马轭。

当然，马匹如骆驼一般给套上轭具，已有好几千年的历史，这一近代发明品原来为骆驼设计。这种新发明的轭，因为是刚性的材料加软垫造成，所以适合装于马肩，不会勒住马颈，马匹的牵引、驮载能力才可以充分发挥。这项发明品面世以前，用的是围结颈部的软轭，马匹开始拖动后面的重物时，软轭一拉即紧，压住气管和颈外后静脉，马匹必须仰起头来才不致窒息。那样看来虽似乎雄赳赳、气昂昂，就像古典艺术品描绘的一样，但驮载负重总不大能胜任，也因此，古时的马匹从不能用来犁田耕地，对农业生产没有什么帮助。

刚硬的马轭面世后，情况开始改变。根据计算，使用刚硬马轭的一群马能牵引的重量，比过去的可增大四倍、五倍。因此长远看来，马力对农业经济的影响就十分巨大。当时马匹并没有立即取代牛的地位而成耕作的主力，主要因为养马的费用比养耕牛大。然而当硬马轭于公元八世纪在欧洲初次出现后，马的作用就越来越大。到了十一世纪，不少欧洲农庄都用马匹耕田。现存最早的马耕田场面，见于著名的贝育兹织锦画上接近边缘的一处，西班牙吉罗内的大教堂所藏织绵画较晚出，描绘几匹马在拖轮犁。

十二世纪和十三世纪前期，欧洲基本上发生了一场农业革命，壳物产量增到空前的高水平；其后再过500年，壳物产量才超过这个水平。改革的基础是改良了耕种技术，以及设计了更完善的犁，并且采用农作物三次轮种的方法，代替二次轮种。如果不是发明了看似微不足道的刚硬马轭，三次轮种就办不到，而农业革命也不会发生。

同样道理，因为有了这种发明，驮畜更能载重，中古时代的指挥官打起仗来能重新运筹。贸易也因马车更大而蓬勃起来，后来加上运河船运，贸易更兴旺，往来各地的人也可以改乘长途马车。然而马轭的深远影响大部分在农民的家庭生活方面。没有马轭，农民多居于农田附近只有四、五户人家的村里。马轭面世后，就能住在较大的村庄里，每天坐马车出去种田，晚上才回来，因而能守望相助，过更安康的日子。他们从来没有听人说过东方远处那个赶骆驼的孩子的名字，可是他们该多么感激那个发明者啊。

如果爱马如命的法国退休骑兵利菲布尔没有写成他那本著作，史学家可能永远不知道硬马轭这项发明是何等重要。利菲布尔退休前是个骑兵军官，每天与马为伍，行军时傍马而睡对马更是无微不至，爱护有加。因为他爱马如命，促使他研究轭具的发展史，经二十年孜孜不倦的追求探索，终于1931年写成一部马匹轭具史书。

利菲布尔读到一条罗马法，特别感到困惑难明，因为法律规定，两匹马一起牵引的重物不可超过500公斤，违者即受重罚。根据现代标准，两匹马牵引500公斤简直算不上什么。他还注意到，出现在希腊和罗马石刻上的马，颈子总是拗曲得不自然。为了找出其中，他将两匹马像古典雕塑中的马匹那样挽在一起，马头上围个套索，做了一连串试验。他很快发现，两匹马真的只能牵引500公斤，否则就要窒息。由此可见古代希腊人和罗马人虽然在其他方面有那么多辉煌成就，却完全不知道怎样充分利用马力。

42.1000多年前的国际都市之谜

假如像科学幻想小说所描写的，有一条时光隧道可以让今人回到一千多年前的唐代都城长安，我们必然会发现：长安城的居民也经常唱外国歌曲，穿外国衣服，吃外国东西，跳外国舞蹈，而且结交外国朋友。喜欢饮酒作乐的人，恐怕更加得其所哉，因为可以跟随李白，在“细雨春风落花时，挥鞭直就胡姬饮”，正是“落花踏尽游何处？笑人胡姬酒肆中”！

根据史书，比如《唐会要》的记载，唐贞观初年，投降的突厥人入居长安的近万家之多，加上其他流寓长安的西域人，像魏周以来即迁居中华的、东来做生意牟利的、异教僧侣到中土来说教的、作为人质入充侍卫的，可见在长安的外国人，人数显然不少。但长安是怎样成为一个国际都市的呢？

唐代长安有这么多外人来居，当然是李唐声威显赫之故。但据历史家考证，李唐氏族原就出于蕃姓，那么对于接受西域文明就具备了主、客观的条件，所以能够兼收并蓄，并为中国文化添了异彩。

唐代长安的国际化，在许多方面有痕迹可寻。所谓上有好者下必有甚焉，唐太宗固然迷上了波罗球，唐玄宗更是声色犬马，雅好西凉传来的婆罗门舞曲“霓裳羽衣曲”。总之，在王公贵胄的带领下，胡服、胡帐、胡床、胡坐、胡饭、胡笛、胡箜篌、胡舞等等，举凡衣食住各方面，都为唐代长安人接受，西域风尚堪称盛极一时。

中国的建筑，以大同、龙门石窟雕刻的宫殿房舍而论，颇受印度阿旃施及珊齐壁画建筑风格影响，但唐玄宗的避暑凉殿，“四隅积水成帘飞丽，座内含冻”，近乎现代室内空气调节的装置，则不知道是不是也模仿了泰西的建筑方法。当时还有自雨亭子，帘上飞溜四注，炎夏置身其中，就像秋日一般清凉，这也许便是后世圆明园中的“水木明瑟”了。

王国维“胡服考”指出，胡服入中国上及远古；因此，唐代长安的中国人穿外国服装，根本是等闲之事。然而寄居长安的各国人士，也有穿唐人服装的，真是奇装异服、五花八门，充分体现了中西文化交流的天下一家精神。唐代长安妇女的装扮，自也免不了受西域影响，白居易“时世妆”即产以不胜感慨系之口吻，加以咏叹：“时世流行无远近，腮不施朱面无粉。乌膏注唇唇似泥，双眉画作八字低。妍蚩黑白失本态，妆成尽似含悲啼。圆鬟无鬓堆髻样，斜红不晕赭面状……”可见当时面部化妆学的是吐蕃，发型也流行西域式样，就像敦煌壁画中的仕女那样。

据说“渔阳鼙鼓动地来”的时候，唐玄宗“千乘万骑西南行”，离开了长安以后，再无山珍海味可吃，只好以胡饼充饥。这种胡饼又叫麻饼，或称炉饼，有的还着馅，唐代长安人人爱吃，日本僧人圆仁见到也痛痛快快吃了不少。也不知是否日本僧人或留学生传回日本去的，今天日本人还常吃呢！

唐代长安也流行“洋酒”，像波斯的三勒浆、龙膏酒，高昌的葡萄酒，而古长安西市及春明门至曲江池（芙蓉池）一带，也有不少胡姬侍酒的酒肆。李白的作品中对胡姬即多有咏吟，所谓“催弦拂柱与君饮，看朱成碧颜始红”，更写到“胡姬貌如花，当垆笑春风”，正是金樽美酒、胡姬妍艳，一片异国情调，旖旎风光！

唐代长安是一个人文荟萃、万商云集的城市，世界各地人民，不是前来做买卖，便是到来学习“上国礼仪”。日本还专门设有遣唐使，处理有关事项；而日本所受唐代长安的影响，就不论在城市建制、衣冠饮食，即是宗教思想、文学艺术各方面，都至为深远。日本人有的跑到长安，舍不得走，就长年住了下来，像李白的朋友晁衡（安倍仲麻吕的中文名字）。后来晁衡回日本，误传过溺，李白写有“哭晁卿衡”诗哀悼，可见当时国际交往，已非泛泛。

唐长长安和东罗马帝国也有往来。根据史书记载，“拂菻”（拜占庭）历代国王，从唐贞观17年（公元643年）至天宝元年（742年）的99年中，先后派遣外交使节前来中国，开始了中国和欧洲第一次正式的接触。西安一座古墓，就曾出土拜占庭皇帝查士丁尼二世时钟的金币“索里德”，可证中国和欧洲早有往来。

外人来到长安既多，除商务旅行外，自然也带来各地的风俗，而唐朝国势昌盛，也促成长安“万方来朝”。

唐代长安在隋代大兴城的基础上扩建而成。公元582年，隋文帝杨坚命当时著名建筑师宇文恺，在汉长安东南规划、督造新都，命名大人城。李唐立国后，仍以之为都，改名长安。唐代长安布局整齐，规划严谨：

王宫、官衙、民居，分区安排；设有中轴线，东西对称，街道宽广笔直；引水系统、城内风景区域，莫不齐备，是古代城市建设典范，影响日本、新罗等国极为深远。

长安城北枕渭水，东靠灞、浐二水，交通利便。外郭城又名罗城，东西长约十公里，南北宽八点六公里；城墙高六米，约厚十二米，城门十二（如图），归纳面中部为宫城所踞，因此三门开在靠西位置。城门共有南北向大街十一条，东西向大街十四条；南北向的中间大街南出明德门，北越皇城朱雀门，直通承天门，称为朱雀街，又叫天街，宽一百五十米。其他通出城门的大街也宽百米以上。大街两侧筑有排水沟，在交叉路口则架桥而过；大街两侧排水沟旁植的榆、槐等树木，株行划一，纵横成列，一派林木葱茏的景色，清风徐来，树影婆娑，十分宜人。

长安城共分为一百一十个坊（东、西两市共四坊），城东南隅一坊划入内江池（又名芙蓉池）。各坊筑有坊墙，坊内有大街或十字大街，更有规划整齐的曲、巷。东、西两市为商业区，在皇城东南及西南对称位置，西域人多在西市营商。白居易诗："百千家似围棋局，十二街如种菜畦"，的确是长城的如实写照。

43. 不近女色的帝王之谜

身兼学者、战士、立法者的阿佛烈王是唯一获授"大帝"称号的英国君主，但他同时是个盲信宗教的人，深受犯罪感的困扰，甚至把婚后性行为也视为罪行，使他担忧得一辈子陷于身心不安。阿佛烈王 20 岁时与一个年轻貌美的贵族少女成婚，举行庆典时他突然昏倒，连医生亦诊断不出是什么病因。根据为他立传的人所称，阿佛烈王一生五十年中，饱受"极度痛苦"或"精神恐惧"的折磨，使他自已也认为几乎无法执行宗教和政治上的领导职责。

为阿佛烈大帝立传、将皇帝恐惧性事及郁郁寡欢个性公诸于众的阿西尔主教，原来是皇帝的挚友，处处尽力予以表彰推崇。可是，一些现代历史学家并不相信阿西尔记载阿佛烈昏倒和身心衰竭等事情，他们认为其说法与这位盎格鲁撒克逊皇帝的文治武功，根本格格不入。另一些学者则认为阿佛烈的性紧张心理，与他在军事上、学识上的卓越成就并不相悖，反而可能是促成伟大事业的主要动力，因为积极进取可帮助他摆脱萦绕于怀的惴惴不安意念。

今天人人知道阿佛烈确实伟大不凡，这一点无可争辨。在九世纪下半叶，英国分崩离析，成为好几个王国，常常彼此争斗，而且维京人（丹麦人）经常进袭。公元891年，阿佛烈成为英国西南角的韦塞克斯国王，但28年后他逝世时，已使整个英国的局面大为改观：盎格鲁撒克逊人的英国大部分已经统一，同时解除了维京人恃武力进侵的威胁。这种种丰功伟绩，主要应归功于这位卓越斗士战胜内心痛苦的决心及其不屈不挠的意志。

阿佛烈即位之初，似乎并无任何人或任何团体，能力拒丹麦人的连串入侵。维京战士横扫英国，向西渗透进击，又自海上不断登岸滋扰英国居民，以配合攻势，因为丹麦人是航海民族，所以能够海陆并进，而盎格鲁撒克逊民族大部分是农民，故难撄其锋。到878年，阿佛烈治下的韦塞克斯王国也危在旦夕。韦塞克斯人竭尽一切力量防守而连战皆北后，抵抗异教侵略的战意已经差不多完全瓦解，有的向维京人投降，有的逃难往别处，大家显然对局势不存任何希望，只有阿佛烈王本人矢志不移，坚持保家卫国的努力，尽显基督徒的坚定信念。阿佛烈有一阵子似乎销声匿迹，原来他正带领军队与入侵者打游击战，同时不断争取忠诚的百姓支持。最后在爱西顿一役，阿佛烈和他的军队大获全胜，不但解除丹麦人对韦塞克斯的威胁，而且趁着敌人向东撤退时乘胜追击，终于将维京人逐出伦敦，阿佛烈因而深受爱戴，成为全英国各地盎格鲁撒克逊人（以及从来逐渐改奉基督教的维京移民）的实际领袖。另一方面，阿佛烈更深谋远虑，洞烛机先，知道要抵御海上的敌人再次来犯，最佳的策略是建立一支强大的英国海军，以兼收阻吓和抗敌的作用。他并且采用新方法建造战船供海岸防卫之用。

然而，阿佛烈大帝也许感到需要一种强烈的创造欲以转化“罪恶的”性冲动，所以除战功彪炳外另有所图。天下既然太平，阿佛烈就决心成为一位博学多识的君主。当时要做皇帝并不一定要懂读书写字，事实上公元九至十一世纪数百年间，阿佛烈是唯一能读能写的盎格鲁撒克逊君主。他深信学识是改善全国子民生活的关键，因此如召集各方学者来到他身边，亲自和学者合力将一些拉丁文益智书籍译成英文，分发各地主教，使知识能像罗马文明崩溃前那样四处传播。各阶层的自由人为求本身利益，莫不深受鼓励，都去读书识字。同时阿佛烈认为当时和往日的史实，应当留下永久记录，于是下令编写一部《盎格鲁撒克逊编年史》。这部史书记载阿佛烈之前及其统治时期历代民族事迹，至今仍然有人予以研究。这么说来，阿佛烈大帝被称为“英国散文之父”，不是没有理由的。

阿佛烈大帝的成就还不止此。他在暮年监修了一部法典，所根据的原则是除了叛国罪，某些犯罪可向受害者或其家属支付金钱以作补偿，而无须像当时那样，将罪犯断脚或处死以作惩罚。此外，阿佛烈还是一位发明家。他的一项杰出成就是发明了一种原始时钟——包括六支刻在度数的蜡烛，由一条烛芯连接，各支蜡烛次第烧完所需的时间刚好是二十四小时。这项发明说明阿佛烈大帝善用时间，珍惜光阴，应该花多少时间去祷告、工作、娱乐以及从事别的活动，都井井有条。

阿佛烈王不仅是卓越的军人、学者和立法者，而且是使当时英国得免于异族统治的救星，以及孜孜不倦地为百姓谋幸福的政治家。至于他因强烈的罪咎而导致身心不安这一回事，只有使他更形伟大，而无损于他的声名。有些庸劣无能的统治者，往往暴虐无道，以掩蔽自己心中的忧疑，阿佛烈大帝却只将自己的恐惧与沮丧向自己发泄。

44.《源氏物语》的隐秘之谜

将近一千年前，一位文静害羞的日本少妇备好纸笔墨砚，握管蘸墨，以“不知何朝何代……”这句开头，写出了日本史上最早、最伟大的长篇小说，也是世界文学的经典著作《源氏物语》。这部文学巨著，有人拿它与蒲鲁斯特《往事依稀》和托尔斯泰的《战争与和平》等长篇小说相提并论。《源氏物语》描写日本平安王朝中期至末期共70多年贵族阶级生活，分54帖。前44帖多写皇子光源氏，后10帖则写光源之子薰大将。书中有名有姓者共430人，无名无姓的更不计其数。

虽然这本书是日本文学奠基之人，我们对本书的作者却所知甚少，甚至连她的真实姓名都不知道。一般人称她为紫式部，则因《源氏物语》女主人公紫姬为世人传诵，而其长兄又曾任式部丞，集紫姬之紫及式部的官衔而得此名。她所以埋名隐姓，最重要的原因是她身为十一世纪时晶子皇后宫中一名女官。当时除了公主外，贵族妇女的名字是不公开的。尽管她的姓名和她的大部分具体事迹仍然是一个谜，但在过去数百年间，许多学者已就她的生平和生活方式，勾划出一个相当可靠的轮廓。其中部分资料，取材自《紫式部日记》。这部日记她写了好几年，至今仍然留存，其内容不太明确。

紫式部出身于极具权势的藤原家族旁系一个家庭。藤原家庭的成员一手操纵朝政，左右国家大事，实际上自 866 年至 1160 年期间统治日本，天皇则徒具虚名而已。因此，虽然父亲仅为一名地方官吏，但紫式部和朝廷中人的关系很密切。紫式部兄长接受中国历史文学教育（当时认为做官的必需条件）时，她亦获准一同学习，这在当时是妇女极少享有的特权。大约在 1000 年，她嫁给御林军军官藤原宣孝为妻，至少生下一个女儿。结婚仅一两年，藤原就去世了。

年纪轻轻做了寡妇的紫式部静居家中，据说就是在这时开始写《源氏物语》的。在 1005 年或 1006 年，她通过父亲的关系，入宫当女官，为一条天皇的十九岁皇后晶子讲解《日本书纪》及白居易诗。1011 年一条天皇驾崩后，晶子和她的侍女便搬到一座较小的宫殿居住。没有人知道紫式部是否继续随侍这位新寡皇后，因为《紫式部日记》只记 1007 年至 1010 年之事，显然为她在宫中任职时所写。

在许多本文学者看来，《源氏物语》最令人不解的一点，并非作者身分隐晦不明，而是作者竟然是一个女人。那时的妇女，即使是贵族也没有几个能看懂文学著作，更遑论执笔从事创作了。那么一名女子又怎能写出日本最早和最优秀的一部小说呢?不过，这点较之有关紫式部的其他谜团易于解答。在那个时代，

这幅绢画，描绘了1000年前的日本寡妇的孤寂生活场景。

日本男人书写、阅读的多为汉文。当时汉文是标准文字，日文则只用于日常琐务方面，以及供女人应用。因此，用日文书写的大致都是女人。紫氏部的女儿后来也成为一位作家；而当时还有一位名气稍逊于紫式部的女作家清少纳言，写了一本随笔集《枕草子》。

《源氏物语》与其他小说不同之处，是其规模庞大和想象力丰富。故事所写大致为年轻皇子光源氏和他周围各色人物的故事。紫式部可能在丈夫死后要找点事做以消磨时间，所以开始写《源氏物语》；其后她进宫侍奉晶子皇后，仍写作不断。正如关于莎士比亚的“真正”天才来源有许多传闻一样，《源氏物语》亦有一项关于写作经过的奇妙传闻，而且并非“寡妇消磨时间”那样平淡。传闻说皇后因感烦闷，命令紫式部写些新奇有趣的故事供她消遣。由于紫式部既无灵感，又从未写过文章，不得不到一座寺庙祈求神明指点。结果祷告大有效用，灵感顿如泉涌。她迫不及待，就在圣坛上拿了几卷圣画，在上面开始写起来。这不是渎圣行为。后来为了赎罪，紫式部亲自制了几卷精美的圣画送还那座寺庙，以代替她涂污了的几卷。

现在那座寺庙内，游客仍可看见据说紫式部曾在其中开始写作的庙堂。这幅十九世纪的日本绢画，描绘紫式部在写小说巨著《源氏物语》时的情景。

47. 古代定居中国的犹太人之谜

诚如法国汉学家沙畹说，所谓周代或汉代即有犹太人定居中国之说，只是揣测之词，要不就是牵强附会，要不便是出于宗教情绪，并无确切历史资料为凭。研究中、西宗教的中国学者，也认为犹太人在唐代入中国，大多数为了贸易，不见得是到来长期定居。

不过，明弘治二年（公元 1489 年）开封《重建清真寺记》碑刻历数犹太人的宗教信仰、“敬天礼拜”的纲领、尊孔与尊重中国文化，以及犹太人何时入中国及开封等事项，却是较正史（《元史》）记载为早，并且为一般学者承认是犹太人何时到中国定居的可靠资料。弘治碑比对后来的正德碑、康熙二年碑所载犹太人入中国的年代虽不一致，但弘治碑较为早出，似更可信。弘治碑铭刻中有云：“噫！教道相传，授受有自来矣。出自天竺，奉命而来。有李、俺、艾、高、穆、赵、金、周、石、张、黄、聂……七十姓等，进贡西洋布于宋。帝曰：‘归我中夏，遵守祖风，留遗汴梁。’”

既然有“归我中夏，遵守祖风，留遗汴梁”等字句，并且由皇帝说出，自然是有大批犹太移民前来定居了。宋代汴梁（今天开封），是当时世界一个经济、文化中心，人口约100万。犹太人向宋帝进贡西洋布，似可证明是初次到中国来经商的。西洋布就是棉布，十四世纪产，中国人尚未种棉，因此犹太人进贡棉布，也从侧面证明了弘治碑所记，犹太人于宋代定居开封并非无稽之谈。当然，个别犹太人入中国，也许在汉朝张骞打通“丝绸之路”之后，就迭有发生。

开封犹太人虽则采取移民“客随主便”的现实态度，他们仍可信奉犹太教，而由弘治碑“夫一赐乐业立教祖师，阿无罗汉，乃盘古阿耽十九代孙也。自开辟天地，祖师相传授受，不塑于形象，不谄于鬼神，不信于邪术”等语看来，他们的确很熟悉圣经《旧约》的早期族。还有，这些人虽然定居开封，敬天礼拜的时候也始终奉行祖先遗下的“礼法”，例如鞠躬、静默、鸣赞，礼拜时脱鞋、戴蓝帽、女人不戴头巾，面向西方圣地耶路撒冷等。至于开封犹太教清真寺所藏经籍，例如《五经》不依希伯莱文分为五十四卷，而仿波斯将其中二卷合为一卷，仅五十三卷，则似乎表明犹太进入中国前，辗转亦受其他文化或多或少的影响。也许流浪的犹太人已失国土，却还互相传授着宗教信仰，到任何可以容纳他们的地方定居。

不过，如德国哲学家康德所说，因为犹太人很早就具备成文及颇完整的宗教典籍，所以即使犹太人居于异乡，也不像别的群体那样，一旦进入别的宗教信仰地域，日久就丧失原有宗教信仰。康德认为古今的犹太人即使在习俗、仪式不同的社会，仍然可以保持固有信仰。但以开封犹太人为例，康德总结出来的规律，却不算完全准确。无疑，定居开封的犹太人既有经籍，复造寺院，更奉行祖宗礼法，可是他们采取了不是坚持而是权宜的方法，固有信仰好像作了部分修改。弘治碑说：一赐乐业教与儒教大同小异，而且“受君之恩，食君之禄，惟尽礼拜告天之诚，报国忠君之意”，似有别于原始犹太教信仰。至于开封的犹太人在宋室南迁之后仍以宋朝正朔为建寺的纪年，以及使用一些佛教、道教的辞句，诸如无相、净业、古刹、道一天真、幽玄、至妙等，也在在表示犹太人到开封来定居后不久，便开始为中国文化同化。

46. 麦第奇家族之谜

1478 年 4 月一个星期天，佛罗伦萨大教堂内挤满了做弥撒的教徒。平民并肩站在中殿，而在教堂巨大的圆屋顶之下，市内的高门望族云集，身上尽是丝绒织锦，珠光宝气。离大祭坛最近的显赫人物当中，包括富裕的麦第奇银行业世家的成员。麦第奇家族非正式地统治佛罗伦萨已达半个世纪。其中罗伦索是家庭之首，在历史上有“伟大的罗伦索”之称，年约 29 岁，皮肤黝黑。在他身旁的就是相貌俊美的弟弟吉里亚诺。

到了最庄严的一刻，领圣餐仪式开始，雄浑的钟声在头顶高处响起，祭坛附近一些人突然发难，动手杀人。

人群中混进了巴龙切利和嫉妒麦第奇家族的帕齐家族成员弗朗切斯科。他们拔出常人可以带进教堂的长剑，扑向年轻的吉里亚诺诺乱砍乱刺；后来在他尸身上发现十九处伤口。在同一时间，另两个教士装束的人从长袍下抽出匕首，迅雷不及掩耳般向罗伦索猛刺，使他立刻倒地。这四名刺客事后跑出街外，按照计划和同党会合，并且向佛罗伦萨的人民呼吁，自麦第奇的“暴政”下起来，挣脱枷锁。

这些刺客的估计完全错误。佛罗伦萨的人民不错是立刻起来，却是满腔悲愤，要缉捕刺客及其同党归案。结果，捕获全部有关的罪犯，均予处死。关于佛罗伦萨人民为麦第奇家族复仇的行动，有一项独特的记载留下来，令人毛骨悚然：年轻艺术家达芬奇看见市政议会大楼（今日游客称为韦基奥宫）的窗户上，悬着一名刺客的尸体，于是把它画了下来，连披在那被人鄙视的尸体上的衣服，也仔细描绘而来。

吉里亚诺伤重而死，但罗伦索侥幸逃过大难，并继承祖父和父亲的基业，继续支配佛罗伦萨的共和政体十六年。从罗伦索的贡献看来，他能逃过 1478 年 4 月的刺杀，实在值得庆幸。自十四世纪至十七世纪，麦第奇家族在佛罗伦萨城邦掌权几达 400 年。他们是商人出身，由于经营有术，成为富甲一方的银行世家，在政界有庞大势力，其后在君主政体中累代均为大公爵，经过一个长时期，后人逐渐沦为膏粱子弟。麦第奇家族在近 400 百年中，只有十五世纪因促进意大利的文艺复兴运动，才真真正正名垂青史。至于麦第奇家簇里又以“伟大的罗伦索”贡献最大。他努力推广文化活动，使佛罗伦萨充满朝气。

罗伦索的祖父柯西摩是尽心致力于佛罗伦萨政治和文化的第一位麦第奇家族成员，1429年，柯西摩40岁，继承了父亲庞大的银行事业，银行分行遍布欧洲和意大利各大城市。柯西摩既是佛罗伦萨首富，本来可以舒舒服服地过活。但他继续拓展家族的业务，而且好比农场一个普通农民垦土耕种一样，亲力亲为。柯西摩又顺利涉足政坛，正如他的孙儿罗伦索后来评论说："在佛罗伦萨，有钱而没有政治势力后果堪虞。"佛罗伦萨这个城邦，名义上由一个九人议会管理，议员表面上都由人民选举出任。不过柯西摩开始用钱收买政治势力时，议会可以说是富有的阿尔比齐家族"囊中物"。柯西摩权势日大，阿尔比齐家族恐怕既有的优越地位受到威胁，于是在1433年诬陷柯西摩卖国。他们的阴谋得逞，柯西摩被流放到派杜阿城。

阿尔比齐家族没料到事情的严重后果。柯西摩把麦第奇家族财产悉数提走，结果佛罗伦萨官员均损失重大。不足一年，柯西摩应邀回佛罗伦萨掌政。自此之后，阿尔比齐家族声誉大损，柯西摩和他的后人不断加强控制议会，不久，议会便完全听命于麦第奇家族。不过柯西摩善用权术，虽然独裁，却绝不是个暴君。除了敌对家庭如阿尔比齐和帕齐之外，一般佛罗伦萨的人民从来没有反抗柯西摩。柯西摩更开创麦第奇家族的传统，大力资助建筑师、艺术家和文学家，让他们得以各展所长，使佛罗伦萨成为文艺复兴的发源地。

柯西摩的儿子皮耶罗在1464年继承父业，但不幸患上家庭遗传的痛风症，饱受折磨，五年之后便撒手尘寰。当时其子罗伦索年纪尚轻，仅满20岁，但佛罗伦萨人民仍然拥戴他主政。罗伦索本来不允，但议会鉴于麦第奇家族以往处理政务井井有条，坚决力邀，在此责无旁贷的情况之下，罗伦索毅然肩负重任，直至1492年他英年去世为止，死时只有43岁。佛罗伦萨城邦在罗伦索领导下，达23年。

罗伦索其貌不扬，皮肤黝黑，五官并不讨人喜欢，鼻子大，声音沙哑刺耳。不过他为人和善，掩盖了貌丑的缺陷。他才情丰富驳杂，令人啧啧称奇。前一天他在简陋酒馆和粗鄙的老朋友喝酒作谈，次日竟和严肃的学者辩论哲学问题。他既写淫亵的歌调，又有极优美的诗作。此外，他也像祖父柯西摩一样，推动艺术发展不遗余力。米盖朗基罗亦有赖于罗伦索的慧眼赏识，和源源不绝的巨额资助，才可以展开艺术创作。事实上，任何有志于复兴古典艺术的人，都可以得到麦第奇家族的资助。在罗伦索领导下，佛罗伦萨成为璀璨的文化中心，不仅给意大利文化带来了新生命，其影响力最后更遍及欧洲每一个角落。

不仅如此，罗伦索更是一个出色的政治家。他不用发动战争，只是藉谈判和缔结联盟，便巧妙地使佛罗伦萨免受敌国侵扰。他致力维持意大利各城邦之间势力均衡，所以1492年他逝世时，那不勒斯国王不禁表示衷心哀悼，并予赞颂，称他是不可多得的英雄。“罗伦索足以名垂千古”，那不勒斯国王说，“但对整个意大利来说，他实在是英年早夭了”。

十五世纪时期，佛罗伦萨城人口约有6万。它和邻近六个附庸城市包括比萨、勒果恩和阿累左等，都归入一个城邦内，由佛罗伦萨城统治，总人口约40万。佛罗伦萨城邦理论上具民主共和政体，不过只有佛罗伦萨城人二十一个同业公会约5000名男性会员才有公民权；同业公会本身又分等级，少数地位较高的同业公会如律师、商人、银行家和熟练技师等，掌握治理城邦的大部分实权。那时候并没有现代形式的选任政府。

佛罗伦萨的这幅雕像“法力”无边，谁若触摸了像中人的小腿，谁就能获得黄金万两。这其中有什么秘密呢？

他们把有资格的候选人名单放进皮袋里，抽出九名市民加入政府议会，处理城邦政务，任期为两个月。他们在九名议员中选出一个担任“议长”，其权力和地位都比其他议员为高。

事实上，这个中央组织的确按照规定每两个月解散一次，再选新阁员继任，而每次当然亦选出不同的议长。不过，由于在佛罗伦萨财可通神，城邦真正的领导人其实就是最富有的市民。柯西摩在他悠长的一生（他不少后代患痛风夭寿，他却活到75岁）中只当过约三任议长；不过，麦第奇家族的财力确实对佛罗伦萨的社会繁荣贡献良多，柯西摩因而拥有控制议会的实权，地位稳如磐石，不管在每两个月中谁人获选，他的地位都不受影响。

当然竞争者总是有的。不过柯西摩和罗伦索祖孙两人同样个性坚强、富可敌国。在他们的治理之下，佛罗伦萨保持繁荣富足，声誉日隆，所以在公元1492年罗伦索去世前，根本就没有人可以严重威胁麦第奇家族专政。

47.“彩衣笛手”之谜

“1284年6月26日约翰和保罗节，哈默尔恩城的136个孩子，被身穿斑斓彩衣的笛手带走，从此杳无踪影……”

上段文字是在德国哈默尔恩城的“无鼓街”的一个木牌上发现的。从中可以看出，1284年6月26日，在哈默尔恩发生了一件悲惨的事件。孩子们为什么出走？走向哪里？谁带走了他们？至今仍是一个谜。

根据传说，哈墨尔恩在1284年遭过鼠疫袭击。那一年，来了一个身穿五颜六色衣服的来历不明的陌生人，他答应以商定的款项为酬劳，将城里的老鼠赶走。他吹起笛子，老鼠便都跟着他到威悉河里淹死了。但忘恩负义的市民不遵守诺言，拒不付钱。那彩衣人的报复十分可怕。他又吹笛子，130个孩子便跟在他身后，经该城的东门朝着哥本山而去，那里大地开裂，将孩子们吞没殆尽。

这便是“彩衣笛手”的传说，如今它已传遍全球，为各民族所传诵，成为许多小说家、诗人、剧作家和作曲家灵感的源泉。

在文史界，有人主张“彩衣笛手”是一个流传于民间的类似神话的传说故事，这个民间故事之所以盛传不衰，是因为“彩衣笛手”的传说中包含了一个道德哲理，因而它又是一个政治讽喻寓言。研究专家们指出：“彩衣笛手”的故事神乎其神，这个不幸的结局更使民间传说增加了感染力，这个传说故事的目的是要求后人牢记讲究信用，不可忘恩负义的道德规范，并且讽刺了那些只会夸夸其谈则不信守诺言的虚伪君子，它并没有以历史上的真人真事做为依据。如同欧美许多文学作品的古老传说一样，“彩衣笛手”的故事成为后代许多人创作的素材。

然而在哈默尔恩城的博物馆里却布满了与该城奇异传说有关的纪念文物，其中有一个十五世纪的手稿记载了“彩衣笛手”的事情。手稿把他描述为一个约模 30 岁的漂亮男子，他吹奏银笛令人倾倒，孩子们听到笛声便跟在他身后出城去了。一个名叫路德的妇人和一个 10 岁的少年目睹他们离去。悲痛的父母四处寻觅，再也没有找到他们。

另外一篇手稿说，在 1300 年，哈默尔恩市民在教堂内装了一面纪念之窗，在这面已毁于十七世纪的窗上记载着：“所有的孩子们历尽艰险，到达哥本山，然后音讯杳然。”

一些学者专家用尽多年心血考究后也认为：“彩衣笛手”并不是子虚乌有的杜撰故事，它在历史上是实有其人其事的。事情的真相是这样的：1284 年 6 月 26 日，这位“彩衣笛手”名叫施皮格尔伯格，带领了 130 位少年向东迁移，到波罗的海沿岸的波美拉尼亚一带去了。他是一位蓄有胡须、和蔼可亲的老者，曾任德国的一名地方移民官，在1284年前后经常往来于哈默尔恩城和波美拉尼亚之间，他的两个弟弟也是当地负责转运移民的行政官员，曾经在哈默尔恩城附近定居过。

很显然，也许当时确实发生过130名少年失踪的事件，那么，他们又到什么地方去了呢？为何杳无音讯？

据史料记载：当130位孩子失踪时，施皮格尔伯格也一时不知去向。1284年7月8日，在孩子们失踪后的第11天，有人亲眼看见施皮格尔伯格在德国的什切青港（今属波兰），什切青港是当时移民的必经之地，距哈默尔恩城大约250英里，10天左右的行程。十三世纪时，当时人口稠密的许多德国城镇有不少移民，地域广袤的东部被称为“福地乐土”，那里盛产小麦、蜂蜜、肉类，因而人们迫切希望向东迁移。当地居住的斯拉夫人和匈牙利人也欢迎来自德国的移民，因为他们的到来可以增强防卫力量，用于阻挡来自俄罗斯的侵扰与掠夺。于是，受王公贵族的支持和怂恿，当时德国东迁的移民不断增加。在这样的历史背下，施皮格尔伯格带领130个孩子向东迁移是一件十分平常的事情，不足为怪。不幸的是在东迁途中，他们所乘坐的航船在波罗的海岸附近沉没了，施皮格尔伯格与130位少年一同遇难，无一人生还。

一生中大部分时间用于探究这一历史悬案的谢博尔特为了解开“彩衣笛手之谜”，翻阅了哈默尔恩博物馆的大量历史史籍和纪念文物，他认为，要了解事实真相，还必须弄清楚笛音捕鼠这一事件的真实性。科学实验证明，“彩衣笛手”用笛子诱捕老鼠的作法是完全可行的，他利用高频率的笛声使老鼠的神经紧张而产生紊乱，从而诱使它们纷纷拥入河中自杀。历史上，英国就有人使用过一种锡笛，捕鼠人利用锡笛发出的高频率的抖颤声将成千上万只老鼠驱入陷阱内。在中世纪时代，欧洲大陆鼠害横行，因此，出现了一个巡游捕鼠的人，利用高频率的笛声把老鼠引向河中淹死，是完全可能的，不足为奇。

直到现在，每逢一年一度夏季6月26日的宗教节日，哈默尔恩城还上演有关“彩衣笛手”的戏剧。

“彩衣笛手”的真相究竟如何？当年那些孩子到底走向了哪里？现今，这个未解之谜每年吸引着数十万游客在哈默尔恩观光旅行，其中不乏有研究“彩衣笛手”谜底的有心人。

48. 加利福尼亚属于英国之谜

1936年夏季的一天，旧金山一位名叫贝里尔·希恩的店员在金门湾大桥北岸野餐。他拾起一块石头，惊讶地发现石头下压着一块锈迹斑斑的铜牌。他把它拿回家，心想也许修车时用得着。

希恩把铜牌扔进车库，过后也就忘了这事。过了8个月，他又偶然瞥见了它。这次他用清水和肥皂把它洗干净。这块铜牌长20厘米，宽近13厘米，底部有一个锯齿状的缺口。铜牌上的文字已经模糊，勉强可以辨认出其中的一个词：德雷克。

希恩把铜牌交给加利福尼亚大学的赫伯特·博尔顿博士。博尔顿对它进行了仔细的清洗，发现上面刻的是这样一段文字。

布告周知

承蒙上帝的恩典，我以英格兰至高无上的女王伊丽莎白和她万世不竭的继承人的名义，宣布拥有这块土地。它的国王和臣民自愿放弃他们的权利和资格，把全部土地献给女王陛下。我命名

2000年前的土尔其人，为何要
建造这24000个座位的大剧场?

这块土为新英格兰，希各知照。

弗朗西斯·德雷克

1579年6月17日

文字表明，弗朗西斯·德雷克爵士于1579年正式兼并加利福尼亚。

博尔顿博士欣喜若狂地向加利福尼亚历史学界宣布："要找的东西就在这里。瞧，这是德雷克的铜牌，加利福尼亚考古学最上等的珍品！延续357年的错误终于得到修正。"

但事情没有这么简单。大规模的争论刚刚开始。

众所周知，德雷克爵士进行过环绕世界的航海旅行。在绕过南美洲南端之后，他受到西班牙人的追击。为了逃避西班牙人，他试图到达传说中的西北航道。这是早期的航海冒险家想象中能贯通太平洋和大西洋而通向加拿大北部的航道。然而，他却登上了加利福尼亚靠近今天的旧金山的土地。这是1579年的事。他和他的手下人受到了印第安人的热情款待。印第安人以为他们是神明，就把沿加利福尼亚海岸的全部土地都奉献给了他们。

根据航海日记所载，德雷克谦和地接受了印第安人的奉献。他命人制做了一块牌子，把它钉在柱子上，竖立在海岸边。他宣布这个地区已经成为伊丽莎白女王的领地，并把它命名为新英格兰。

在希恩去海边游览之前，没有人知道这块牌子的下落。然而现在，整个学术界都为之轰动了。有些专家斥责这块牌子是伪造的。他们指出，根据记载，德雷克是在一个有“白色的海岸和峭壁”特征的地方登陆的，而希恩野餐之处并没有这样的地形地貌。此外，牌子上的日期也令人难以接受。根据记载，德雷克是6月17日登陆的，但印第安人直到6月26日才奉献出自己的土地。

对铜牌的金属分析表明，锌的含量超过十六世纪的铜制品。铜牌表层的碳含量较高，似乎经过火考以达到仿古的效果。

最主要的非难，集中在铜牌的文字和语法方面。牌子上用的是罗马字母，而在伊丽莎白一世时代，只有学者才使用，一般民众偏爱的是有装饰价值的都铎王朝的文字。此外，在拼法富于变化、往往每页写法都不一样的那个时代，铜牌上单词拼法的一致性也令人起疑。还有，一些词，如英格兰、国王、女王和它，用的是现代的单词形式。最后一点，他们认为，当时还没有herr（等于her）的写法。

不管怎么说，博尔顿博士完全可以逐一答复非议者的问题。

也许直到6月26日，印第安人才正式放弃领土，但当时的航海日记清楚地写着，那块牌子刻于“我们抵达的那一天”。

科学分析证实，铜牌确实是古代的物品。它表面的膜，是“经历多年”而自然形成的；锯齿孔上的蜂窝状组织“无疑是矿化了的”，这种现象只有暴露在空气中才会发生。“字母的每一道刻槽，都经过放大50~200倍的显微镜的检查。对于赝品，往往可由细微之处发现人工制造氧化表层的痕迹……而铜牌上没有任何人造铜绿的迹象。”

对于文字和语法方面的质疑，博尔顿的支持者们也能做出回答：难道就没有学者在德雷克的船上吗？退一步说，难道德雷克就不能根据书籍查阅罗马文字的写法吗？在这样短的一篇文字中拼法一致，有什么不妥当吗？伊丽莎白时代流行的词尾变化，不就是“现代”的拼法吗？

很快，人们发现，德雷克曾在一份土地说明书中用过herr的拼法。博尔顿博士唯一无法反驳的非难是：铜牌并不是在德雷克登陆的“白色的海岸和峭壁”附近发现的。

问题很快得到了解决。希恩发现铜牌的新闻发布之后，一位名叫威廉·喀尔迪拉的汽车司机出面了。他声称，4年前，他在拉古纳海滨等候老板，他用脚翻动一块泥巴，发现泥巴下有一块铜牌。尽管他已认出英文写的“德雷克”这个词，但仍然认为它是一块中国的碑文。他也曾将铜牌带回去，以备修车之用。但几个月后，扔在离希恩发现处不远的地方。喀尔迪拉发现铜牌的地点是德雷克湾，那是人们传说德雷克登陆的地方。它最显著的特征是高高的白色峭壁。

铜牌的真实性得到了实证。它作为英国的地契存放在加利福尼亚大学。

五、近代及现代人类神秘现象全记录

这是一个令我们非常亲切的时段，这是一个让我们恍若昨天的时段，这也是一个我们正在经历的时段，还是一个我们将要跨越的时段……的确，我们无法不去钦佩这个时期的人们，他们创造的文明与繁荣达到令人惊叹的高峰，没有谁可以撼动他们的地球霸主之位，也没有谁不相信他们终究会成为宇宙的主宰……但正是这个地球上最为聪明的群体，却仍面临着无法解答的难题，特别是当一群驾着飞碟的客人到来的时候，他们经受了一场超级的震撼。他们无法面对失去地球主权的可能，也无法面对祖先承担这滔天的罪责，他们为了捍卫人类的尊严，在一遍遍地叩问着苍天：人从哪里来？人到哪里去？……

1. 人类寻祖之谜

人类从哪里来？这是千百年来中外科学家、哲学家不断思索和探讨的奥妙，人类的起源已经与宇宙的起源、地球的起源和生命的起源并列为四大起源之谜。而这四大起源之谜，又纵横交错、互相联系，若能揭开其中一个谜底，对揭开另外三大起源之谜，就是一个重大突破。

荒原中的这具石像，是否也在向人们暗示着人类的由来？

人类从来就对自己本身是怎样来的，怎样产生的关心备至，这关系到人在自然宇宙中所处的地位问题。人的地位是至高无上的，还是地位卑微的？人的本质是什么？人对自然界应有什么作为？人的能力如何？……这都是我们想知道的，需要探讨的。因为，它是我们的根。

人类只有找到自己的根，才能在历史的潮流中找到发展的基点，在这个基点之上，建立起文明的灯塔，守住自己、地球以及整个星球的命运。

对于人类的起源问题，一直众说纷纭。

达尔文是十九世纪英国学术上破旧立新的大师。他身患痼疾，为探讨自然规律，苦学终生。1859 年他的《物种起源》一书问世，总结了他自己多年在世界各地亲自观察生物界的现象，发现自然选择在物种变化上起的作用，探索了物种的起源和进化的规律。尽管当时达尔文并没有把物种起源直接联系于人类，他只说了一句话：通过《物种起源》的发表，“人类的起源，人类历史的开端就会得到一线光明”。这本书的发表，对上帝造人的宗教神话和靠神造论来支持的封建伦理不啻发动了空前挑战。当时保守势力的反扑顽抗和社会思想界的巨大震动，使一贯注意不越自然科学领域雷池一步的达尔文也不能默然不语。他发愤收集充分的客观事实来揭示人类起源的奥秘，终于在 1871 年《物种起源》出版后 12 年，发表了《人类的由来》这本巨著，用来阐明他以往已形成的观念，即对于物种起源的一般理论也完全适用于人这样一个自然的物种。他不仅证实了人的生物体是从某些结构上比较低级的形态演进来的，而且进一步认为人类的智力、人类社会道德和感情的心理基础等精神文明的特性也是像人体结构的起源那样，可以追溯到较低等动物的阶段，为把人类归入科学研究的领域奠定了基础。这是人类自觉的历史发展的一个空前的突破。

马克思主义诞生以后，恩格斯运用辩证唯物论和历史唯物论综合了科学的成就，全面地分析了从猿到人的过程，创立了“劳动创造人”的理论，从根本上粉碎了上帝造人的宗教迷信神话。在从猿到人的转化过程中，劳动起着决定作用。无论是手足分工、制造工具，还是语言的产生、脑的发展和思维的出现，都是在劳动中出现的。所以恩格斯说：“劳动是整个人类社会的第一个基本条件……在某种意义上不得不说劳动创造了人本身。”

那么人类到底是如何在劳动中不断进化的呢？人类到底有几个祖先呢？

①达尔文的非洲猿说

英国学者达尔文在他的《人类起源与性的选择》一书中指出，人类是由已灭绝的非洲古猿进化而来的。在这本书中，达尔文既肯定了人与猿的亲缘关系，表现在身体结构、心理特征和生理特点方面；又肯定了人与猿在直立、双手、牙齿、脑、智力等方面的区别。他认为支配人猿分化的不是超自然的东西，而是生物演化的规律，即用自然选择和性选择来解释人类的起源过程中的一切变化。

达尔文认为非洲的大猿与人类最为接近，从而推测人类起源于非洲。他指出人和猿最重要的区别在于两足直立行走的行动方式，以及小的犬齿、高的智力和能使用工具等，而这些是与从树栖转变到以狩猎为主的地面生活有关的。他说，在地面生活的灵长类能两足行走，使其双手能空出来携带狩猎使用的武器。用这些武器作为一种适应方法，用增长的智力来指导武器的使用，致使大而突出的犬齿由于不起作用而变小了。

虽然也有人提出灵长类中的长臂猿甚至眼镜猴与人最为接近，但大多数人承认非洲大猿与人最为接近，详细的解剖和行为研究以至生化特性都表明了这一点。达尔文提出非洲大猿是我们最近的亲属的论点，长时期来得到各方面的支持。只是最近才有人提出亚洲的猩猩比非洲大猿与人的关系更为密切。

人类和猿类的共同祖先是否树栖？从东非中新世的原康修尔猿以及埃及法龙姆渐新世发现的可能是猿类祖先的化石表明，它们确是树栖的。这也表明达尔文的论点是正确的。对现代人和现代猿的比较解剖学研究，也证明它们许多相似之点是由于树栖生活产生的。

由达尔文的上述论点，演变成多种假设。

②腊玛古猿与南方古猿

这是以达尔文进化论为基础而提出的传统说法。

十九世纪中叶，达尔文提出了人类起源于古猿的理论。长期以来，新第三纪（中新世、上新世）的森林古猿被认为是人和猿的共同祖先。但究竟是哪一种森林古猿，在第三纪的哪一时期，都不明确。

学者们有以下几种推测：

一是腊玛古猿。它生存在距今1400万年至800万年前，身高1米多，脑容量约300毫升，能够直立行走，可能已有说话功能。而最有力的证据是它的牙齿珐琅质“棱柱晶体”呈锁孔状，与人类的很相近。但也有学者持不同意见。

二是南方古猿。有的古人类学家认为，南方古猿是人科早期成员，它的脑容量已达现代人的1/2或1/3。但也有人认为，南方古猿与“完全形成的人”是并存的，但它没有发展成为人，而只是人类旁系，并在100万年前就灭绝了。

60年代末，西蒙斯和皮尔比姆提出，人和猿是第三纪的中新世开始分化的，腊玛古猿是最早的人科代表，而森林古猿属里的几个种则是各种现代猿类的祖先。还认为腊玛古猿是在大约1500万年前由一种森林古猿演化而来的，以后再由腊玛古猿演化成400万年前的南方古猿，进一步发展成现代人。

人的起源大致的路线是这样：中新世出现的森林古猿演化出腊玛古猿。腊玛古猿生活在距今1400万年到800万年之间，在距今800万年前，腊玛古猿几乎全部灭绝。腊玛古猿以后便是南方古猿。南方古猿生存的范围从大约距今400万年到100万年前。在它们身上，一方面仍然保留了若干由人猿祖先的主干继承下来的原始特征，另一方面，更重要的是已经进化出现了人这一支所特有的、而与猿那一支区别开来的人科的特征。

在初步解决了人的起源问题后，随着时间的流逝，科学的不断发展，化石的大量出土，古人类学家们不断深入地研究，又发现了不少新问题。最突出的问题是叫做“化石缺环”的现象，即存在着从距今800万年到距今400万年前的这一段400万年的化石缺环。在这段400万年的长时间里，没有找到任何能证明关于人类起源的中间过渡生物的化石，这就给经典的关于人类起源的理论提出了难题。在目前，西方有一部分学者认为，全世界的人种是由各种不同的古猿演化而来，此说被称为“多祖论”；另有许多学者则认为，世界人类起源于另一种古猿，属同一个物种，此学说被称为“一祖论”。

③巨猿

巨猿也是很引人注意的一个种类。巨猿是在1935年由荷兰人孔尼华定名的。他在香港的中药铺里购得了大量哺乳动物牙齿化石，其中有一颗巨大的高等灵长类下臼齿，他认为代表一个新属新种，定名为孔氏巨猿。他推测这种巨猿化石产于我国华南，地层时代大概是更新世中期。1954年，原籍西德后入美国籍的魏敦瑞，又根据孔尼华后来购得的另两颗牙齿（前后共三颗牙齿），认为巨猿具有明显的人的性质，因而主张把巨猿改称“巨人”，并提出了人类的巨人起源说。他推论“巨人”可能是人类的祖先，然后体型逐渐变小，经爪哇直立猿人、北京猿人而发展到现代人。后来孔尼华又去南洋一带中药铺里集到五颗可能是属于巨猿的牙齿。1952年他根据先后得到的八颗牙齿发表论文，放弃他原来的看法，转而同意巨猿确是巨人；但认为它是人类进化系统上的一个特化的旁支，而非我们的直系祖先。世界各国的人类学家对巨猿是人还是猿，意见分歧，对巨猿生存的地质时代、分布地区和演变过程等也一无所知。巨猿从而成了研究人类起源一个重要问题。

1956年初，我国科学工作者在广西各地进行洞穴调查和发掘，在大新县榄圩区那屯村的牛睡山黑洞中发现了三颗巨猿牙齿。同年秋，广西壮族自治区柳城县凤山区新社冲村的农民覃秀怀在楞寨山的一个山洞里发现了一个巨猿下颌骨。有关的科学部门对这个山洞进行了长期的发掘，又发现了两个巨猿下颌骨和1000多颗单独的牙齿以及大量的哺乳动物化石，从而确定了柳城巨猿的地层时代为更新世早期。

巨猿的门齿小，位置垂直；臼齿齿尖呈方块型，咬合面脊纹少而较粗，有第六齿尖。这些特征都是与人类相似的。

这些新的巨猿材料，使我们对巨猿有了深入的了解。由于迄今所发现的巨猿材料仅限于下颌骨和牙齿，没有发现头骨、体骨和肢骨，它的分类位置至今仍有争论。有人认为它是人科系统上早期分出的一个旁支，有人则说它是猿类的一种特殊类型。由于其年代太近，体形太大，似乎不可能是人类的祖先，而更可能是猿类系统上的一个灭绝的旁支。魏敦瑞的人类的巨人起源说是没有根据的。现在的一切人类化石材料表明，人类的身材在进化过程中是逐渐增大而不是减小。现在也已知道，巨猿生存的时期从第三纪上新世经更新世早期到更新世中期，分布的地区从亚洲南部的印巴次大陆到我国南方的广西和湖北一带。巨猿的身材也随着时间的推移而逐渐增大以至最后绝灭。这些研究有用力于我们对人类起源问题的理解。

④黑猩猩

美国加州大学伯克利分校的华什伯恩和他的学生以及其他一些人设想：人和猿的共同祖先最像现在的黑猩猩，人类的起源正像现在狒狒那样对稀树干草原的适应。但由于黑猩猩的解剖结构和行为特征不同于狒狒，而且两者之间存在着重要的差别。像黑猩猩那样的灵长类一旦开始像狒狒那样适应草地的生活，其结构便是向人的方向发展。因为在这种情况下的古猿，为了能够生存，必须依赖工具的使用，这从犬齿的变小上可以反映出来。工具的使用促使两足直立行走、群体关系的增进和复杂化等等。再从现生灵长类中母子关系可以终生维持的现象进一步推论，早期人科成员可能也是如此。女性对围周的环境更为熟悉，在群体中的作用比男性更为重要，因而在早期原始文化的形成中也比男性起着更大的作用。

概括来说，他们认为工具的使用、直立行走、犬齿的变小以及智力和社会行为等四种特征的相互作用是人类起源的因素。

⑤小猿和残猿

塔特尔的小猿假设认为人科成员最早是由小型的猿进化而来。东南亚的小猿、长臂猿在树上经常站立起来，在地面时几乎总是两足行走，虽然这并不表明它比非洲的大猿更接近于人类，但也暗示一种在非洲的小的猿演化出了类似的行动，从而设想人类是从另一种较小的猿进化来的。它的较小的身材可以演化成像长臂猿那样的在树上两足直立行动，用手抓取食物，或是在树上垂直爬行，躯干都在垂直位置，在下到地面活动时，已能两足行走。

“残猿进化说”是两位法国人——生物学家夏尔·德维耶和地球古生物学家让·夏利内——1990 年出版的一本题为《进化论》的书中提出，人类的起源很可能要归功于一只有生理缺陷而不能同它的同伙一样用 4 条腿走路的残猿。由于在猿群中，直立的姿势更有利于吓唬对手，所以，这只病猿的生理缺陷反而成了一种优势，使它更容易接近和占有雌猿，并将“直立”遗传给下一代，从而成了两足行走的猿类以及以后的人类的始祖。

2. 人类的近亲之谜

进化论是人类伟大的发现之一，但它有不完备的地方，试看根据进化论列出的人类起源时间表：

古猿：生活于 800 万～1400 万年前；

南猿：生活于90万～400万年前；

猿人：生活于20万～120万年前。

这里有两个空白期：古猿与南猿（相当于类人猿）与猿人之间空缺20万年。所谓“空白期”，就是没有发现这一时期的化石。

相比而言，400万年的空白期更引人注目。

有的学者提出了一个新的学说来解释这一段时间的化石空白，这个学说就是“海猿”说。

1960年，英国的人类学家阿利斯特·哈代提出：化石空白期人类的祖先不是生活在陆地上，而是生活在海洋中，人类进化史中，存在着几百万年的水生海猿阶段。哈代提出：地质史表明，400万～800万年前，在非洲的东部和北部曾有大片地区被海水淹没，迫使部分古猿下海生活，进化为海猿。几百万年后，海水退却，已适应水中生活的海猿重返陆地。它们是人类的祖先，在水中生活进化出两足直立、控制呼吸等本领，为以后的直立行走、解放双手、发展语言交流等重大进化步骤创造了条件。

提出海猿说是根据人的许多生理学方面的特征，这些特征在别的陆生灵长类动物身上都没有，而在海豹、海豚等水性哺乳动物身上却同样存在。

作为这一论断的根据，哈代列举了人与猿猴之间的许多不同点，这些不同点大部分和水有关。例如，猿猴厌恶水，而人类婴儿几乎一出生就能游泳，而且游泳是孕妇妊娠期内惟一能进行的安全运动。猿猴不会流泪，而海豚和其他海洋浦乳动物（比如儒艮，即“美人鱼”）有眼泪。人类是惟一能以含盐分的泪液来表达某种感情的灵长类动物，这可能和人类早期在海洋中的经历有关。再从身体的结构上看，人的躯体绝大部分是光滑的，和海洋哺乳动物相同，只有头部长有毛发，这可能和游泳时头露出水面有关，正如“美人鱼”一般；人和海豚有皮下脂肪，猿猴却没有；人的脊柱可以弯曲，适合于水中运动，而猿猴的脊柱是不能后弯的。人类喜欢吃鱼、贝和海藻等水中生物，而猿猴则不。最令人瞩目的是，雄性猿猴与雌性猿猴的交配是倚伏于背部进行的，而大部分海洋哺乳动物，是面对面进行的。有趣的是，海豚生产时也像人那样，是由充当“接生婆”的海豚用“手”迎接新生儿，这和猿猴也不一样。综合这种特性，所以哈代断言：人由海洋哺乳动物进化而来，上岸的成为“人类”，没上岸的被叫做“海怪”。

在研究人类与其他哺乳动物控制体内盐分平衡的生理机制后发现，在这一方面人类与所有陆生哺乳动物不同，而与水兽相似。缺盐时，动物食欲锐减，对食盐的渴求抑制了其他生理欲望。然而，一旦满足了它们对食盐的需要，多余的食盐就再也不能引起它们的兴趣，动物对自身食盐的需要量有精确的感觉，它们摄入食盐也极有分寸。

然而，人类对食盐的需求量是没有感觉的。摄入食盐毫无分寸。例如，生活在美洲的一些印第安部落人生来就厌恶食盐。而日本和西方的一些国家，人们摄入的食盐量超过健康需要量的15~20倍，达到了危害心血管系统的地步。人类不具备别的陆生哺乳类动物那种对食盐摄入的精细的调节本领，体内缺盐不产生渴求，摄入食盐过多也不能自我控制，而这一特性与生活在海洋中盐分充足的水兽相似。

专家指出，人类的潜水生理反应也很有说服力。人潜水中时，体内会产生一种称为“潜水反应”的现象。人潜入水中，肌肉收缩，全身动脉血管血流量减少，呼吸暂停，心跳也变得缓慢。此时，还饱含氧气的血液不再输入到皮肤组织、骨肌和其他器官，而全部集中到维持生命的最重要的机体中心大脑和心脏上，使它们的细胞得以在几十分钟的时间内不致死亡。这种现象与海豹等水生动物的潜水反应十分相似。

伦敦动物园的营养生物化学权威克劳福特教授经过多年的研究指出：“人类进化成具有高度智慧、脑容量大的动物，主要得益于所食的鱼。”

鱼和贝类体内含有较多的不饱和脂肪酸，这种成分对大脑的发育有益。而身体其他部分的生长则需要大量的蛋白质。

巨大的食草类动物，用蛋白质构成了它们巨大的身躯而没有使脑容量增加。而脑力仅次于人类的海豚在陆地上生活时，其食谱和当时沿海地区的人类没什么区别。由此可见，人脑是靠食鱼进化而来的，而不是通过生育时的自然选择。

实际上，这也为“人类是从海洋进化来的”论点提供了新的论据。

科学家还认为，从海猿到人这一进化过程，大致可以这样设想：海水分隔了古猿群体，迫使其中一部分下海生活，进化为海猿；几百万年后，海水消退，海猿重返陆地，成为人类祖先。甚至还可以进行更大胆的设想：在几百万年中的某个时期，分成了两支，一支上了陆地，进化成现在的人类，而另一支留在水中，由于适应环境，进化较快，成了高于陆地文明的“海底人”。

这，是否能充填“空白期”呢？

人类确实有许多性状与其他陆生灵长类动物不一致，而这些性状只发现在水生生物中。获得这些特性，除了下海以外，难道就不可以通过其他途径获得吗？所以，有科学家认为这些性状是其他水生生物传递给人类的，生物是由两个或两个以上的物种组合形成的，物种是“杂交”的产物。他们不赞成海猿假说。因为第一，古猿下海约400万年的时间，获得了一些适应于水中生活的海洋生物的特性，在距今400万年前又重返陆地，为了适应陆地生活，它也应该丢掉一些适应于海水生活而不适合于陆地生活的特性，如人类不能对体内所需食盐进行精确控制这样的特性。第二，400万年的化石缺环，海猿说仍没有很好地解释。在海洋生活就没有化石可找了吗？我们现在不也发现大量的海中生物的化石吗？第三，根据近十多年来分子人类学研究所得的结果，人和猿开始分化的时间是距今400万~500万年前，与原先单纯根据化石所测的年代（距今1500万年）要晚得多，这一点也不支持海猿说。

也许人类的祖先并未经历过下海这一阶段。这段400万年的化石空白较合理的解释是古猿与海洋生物发生了基因重组，于400万年前产生了南方古猿。组合产生新种所需的时间很短，短到相对于地质时间可以忽略不计，甚至可以在十几代到几代的时间便可形成新种，从而可以说过渡阶段的化石是没有的。这样既可以说明化石空白也可以说明人类为什么具有一些发生的事情，就是说人类是组合的必然结果，就像生物登陆事件一样，在没有上岸之前，肺已产生，为登陆做了准备。

在日本发现了一种人面鲤鱼，它的头部生得很像人类的面孔，有眼，有鼻，有嘴巴。这种人面鲤鱼属于锦鲤的一种，大约有10条左右，已被列为保护动物。

这个例子也许并不能说明什么问题，还不能作出确切的结论，但很有可能是接受了人类的某些基因而造成的。

人类有两个祖先：一个是古猿，另一个是海洋生物。当然，关于人类的双祖先复合起源的说法仅是一个假说，还没有绝对的证据。

3. 人类是否会灭绝之谜

生物考古学家在考古中发现了许多至今都无法解释的古代文明：美国科学家多次在岩石中发现约有2.5亿年历史的类人猿动物脚印，特别是在含有三叶虫化石的同一块岩石中还发现了穿鞋子的人类足迹，而三叶虫存在的时间是6亿年前至2.8亿年前，那时根本没有我们人类！

科学家在加蓬奥克洛铀矿发现了一个20亿年前的核反应堆；在古埃及金字塔内发现那些裹着的尸体放射着的粒子和光子射线。在发掘爱尔兰栋拉雷和恩尼斯古城堡时，发现了只有核爆炸才能留下的遗迹；在古印度遗迹中发现了佩服所含放射能是正常情况下的50倍，这两条都表明是核袭击的结果。而人类近几十年才开始掌握核技术，那以前的核技术是谁发明和应用的呢？

考古在南美洲发现了一个描绘2.7万年前的古代星空图，图上的符号记述的是极其深奥的天文知识，这些知识是现代人类所未掌握的。在秘鲁珍藏着一块3万年前的石刻，石刻描绘一位古印第安学者手持一个跟现代望远镜非常相似的管状物贴近眼前观测天象。而人类第一架望远镜是在十七世纪中期才发明的，至今不过300年，3万年前的望远镜又是从何而来？

对于上述古代文明，许多考古学家都深感蹊跷，谜题难解。他们认为，除非外星人所为（可至今也未找到外星人），绝非近代人类或古代某一个时期的人类所能做到。

瑞典学者丹尼肯在其代表作《众神之车》中把这一切不可思议的谜一概归之于“神”，他认为是“神来到了地球，把人猿变化为人，并教会人识字，吃熟食，穿衣服，建筑等等之后，才离开地球”。并且他预言，“神”将在不久的将来还会重来。

许多比较严肃的科学家，并没有轻信丹尼肯的理论。因为，虽然经过长期、大量的工作至今未能发现外星人存在或来过地球的有力证据。对丹尼肯理论，目前在世界上依然是毁誉对半，褒贬不一。

人类进化至今是不是只是30万~40万年历史呢？很多人肯定地回答不是。人类进化至现在，已经有上百万年历史，通过碳14已经精确地估算出某种高度文明的产物远在3万~4万年前，人类有一个活跃、鼎盛时期。

我们的地球曾经不止一次遭到大洪水、大爆炸、大灾难的侵袭，因此古文明可能一毁再毁，古人类也死而复生。

对于这些大洪水的各种传说，考究其历史，都可以追溯到1.2万年以前，刚好在冰河结束时期，这使我们对这些传说无法掉以轻心，仅仅视之为神话或多事的臆测。同时这也证明了人类远在 1.2 万年以前就有“历史”，而且较 4000 年前甚至比今天更发达。

也许在 1.2 万年前，人类对宇宙的知识已经超过了今日；也许在几万年或 10 多万年以前，人类已经有了数次这种文明的高峰。我们仅仅可以知道地球文明史的高峰是人类创造的，但无法得知人类文明的进程。

有一部著名的古印度史诗《摩诃波罗多》，写成于公元前 1500 年，距今有 3400 多年了。而书中记载的史实则要比成书时间早 2000 年，就是说书中的事情是发生在 5000 多年前的事了。

此书记载了居住在印度恒河上游的科拉瓦人和潘达瓦人、弗里希尼人和安哈卡人两次激烈的战争。令人不解和惊讶的是，从这两次战争的描写中看，他们是在打核战争！

后来考古学家在发生上述战争的恒河上游发现了众多的已成焦土的废墟。这些废墟中大块大块的岸石被粘合在一起，表面凸凹不平。要知道，能使岩石熔化，最低需要 1800℃。一般的大火都达不到这个温度。只有原子弹的核爆炸才能达到。

在德肯原始森林里，人们也发现了更多的焦地废墟。废墟的城墙被晶化，光滑似玻璃，建筑物内的石制家具表层也被玻璃化了。除了在印度外，古巴比伦、撒哈拉沙漠、蒙古的戈壁上都发现了史前核战的废墟。废墟中的“玻璃石”都与今天的核试验场的“玻璃石”一模一样。

由此而论，国外物理学家弗里德里克·索迪认为：“我相信人类曾有过若干次文明。人类在那时已熟悉原子能，但由于误用，使他们遭到了毁灭。”

这可能吗？大部分科学家们认为这仅是一种附会，是不能令人信服的。但是另有一些人坚持自己的看法，认为我们的地球早已存在50多亿年了，而人类仅仅有5000多年历史有些“说不过去”。

于是有人推测，地球诞生至今的45亿年历史中，曾数度诞生过生命。主要经历了五次大灭绝，第一次在5亿年前，第二次在3.5亿年前，第三次在2.3亿年前，第四次在1.8亿年前，灭后生，生后灭，周而复始，最后一次发生在6500万年之前。也有人根据考古发现的20亿年前的核反应堆推断，可能20亿年前地球上存在过高级文明生物，但不幸毁灭于一场核大战或特大的自然灾害。总之，当太阳系运转到宇宙空间某个特定位置时，地球上会周期性地出现不适宜人类生存的环境条件，如地球气候的周期性变化，地球磁场的周期性消失等，前一届高度文明便会遭到灭绝，随后又会导致高级智慧生物的周期性起源和进化。6500万年前恐龙的灭绝便是一个例证。

有趣的是，最近美国国家航空和航天局盖·福克鲁曼博士等人根据阿波罗计划所掌握的小天体撞击月球的历史资料，通过对小天体撞击地球图样的研究，证实了上述观点的可靠性。研究认为，约35亿~45亿年前，地球上曾数度有过生命，但由于发生过几次大小行星和陨石与地面相撞（至少有两次直径为800公里的小行星与形成10亿年时的初期地球相撞）。除如此大规模的撞击外，还时常发生中等规模的撞击。这些撞击都可能使地热上升，海水蒸发，地表面熔化，生命消失，数亿年后生命才得以再生。只有那些生活在深海海底的生命体才能生存下来。目前在深海海底发现的生物，也许是地球无数生命的祖先。

所以在我们这一代文明形成之前，地球上就很可能存在过若干高度发达的文明社会。

因为我们知道，地球上的万物、宇宙间的一切事物都是在有规律运转、发展、更换交替进行着，它们都有自己的周期性。寓生于死，由死而生，由生而死，大自然就是处于这样的进化、演变之中。

当地球上的各种条件适应人类生长时，他们就会大量繁殖、发展；当条件不适应人类了，他们就会在地球上灭绝或外迁。

假设，地球上的人类发生了人口在爆炸，整个生态失去了平衡，各种资源枯竭，或是各国都在进行军事扩张，大量制造、贮备核武器，有那么一天，某个战争疯子发动战争，引爆这些核武器，地球就会成为人类的墓场。几百万或几千万年之后，地球再次适应人类生存时，他们也许又开始从新的原始社会、奴隶社会、封建社会……一直向进步的社会发展。

4. 夏娃与亚当之谜

《圣经》称：上帝用泥土造人，取名亚当，并以亚当的肋骨造出其妻夏娃，同置于伊甸园中，由于他们的繁衍生息便出现了人类。

谁是我们的父母双亲，这种“上帝造人”的说法，在达尔文创造生物进化论学说之后本已被人视为无稽之谈。但在十多年前，美国加州大学一科学家却提出了一种与此相关的新见解。因为，随着分子生物学的发展，人们发现了细胞质中的线粒体也含

谁能破解这千古遗下的图形?

有遗传物质DNA(脱氧核糖核酸),现代生殖学业已证实,在高等动物的受精过程中,精子中的线粒体DNA是不能进入受精卵的,人类细胞的线粒体DNA都来自母亲,因此,线粒体DNA属于严格的母系遗传。这样一来,如果人们能证实同一人种的线粒体DNA是相同的,则说明他们来源于同一个母系。

据此,美国加州大学伯克莱分校的威尔逊遗传小组,选择了来自非洲、欧洲、中东、亚洲以及几内亚和澳大利亚土著妇女147人,利用她们生产婴儿时的胎盘,进行不同种族婴儿胎盘的线粒体DNA研究,发现全人类线粒体DNA基本相同,差异很小,平均歧异率只有0.32%左右。因此,从逻辑上说,现代各民族居民的线粒体DNA,最终都是一个共同的女性祖先遗传下来的。那就是大约20万年前生活在非洲的一个妇女,这个妇女就是全世界现代人的祖先。

威尔逊说："我们可以将这位幸运的女性称为'夏娃'，她的世系一直延续至今。"这一理论也就被称为"夏娃理论"。

"夏娃理论"还认为，当时也许有几千男女同"夏娃"生活在一起，但其他女性都没能留下后裔，因此，她们的线粒体DNA谱系便断绝了。"夏娃"的后代在9万~13万年前迁徙世界各地时，各地已有许多古人类在生息，如欧洲的尼人，中国的北京人等，但"夏娃"不同的线粒体DNA遗传下来，现代人中就会有多种线粒体DNA，而事实上现代各种族居民的线粒体DNA却是高度一致的，这说明他们都来自同一个祖先"夏娃"。

现代人的男性祖先是否便是"亚当"？英国剑桥大学和美国亚利桑那大学的两个研究小组都认为，世界各地的男性基因源于同一种基因。如上所述，分析女性祖先的基因比较容易，因为线粒体DNA只通过女性遗传。而分析男性祖先的基因则复杂得多，为此，英国和美国的研究人员均把突破口选在男性独有的Y染色体上。美国研究人员利用计算机分析了8名现代非洲男性、2名澳大利亚男姓、3名日本男性和2名欧洲男性以及4只大猩猩的基因，结果发现，从基因角度看，世界各地的现代男性源于同一副Y染色体。通过与人类最近的近亲大猩猩比较后，美国研究人员认为，非洲一个部落的Y染色体是现代男性Y染色体的祖先。同样，人们也可以将这位幸运的男性称为"亚当"，自然也应该可以称这一观点为"亚当观点"。如果这两个结论是正确的，那么说明400万~600万年前，从猿分化出来的原始人类大都没有留下后代，只有非洲的一个部落生存下来，然后向世界各地迁徙，形成了现代人。

“夏娃理论”提出以后，在科学界引起了强烈的反响，而“亚当观点”使这场争论更为激烈。

例如美国伊利诺斯大学和密执安大学的科学家对此种看法提出了异议。他们认为，现代人的确进化自非洲的一个部落，但其进化过程并非是20万年，而至少是100万年。他们说，如果夏娃之说可以成立的话，那么，世界上一切与夏娃无关的人类祖先就都已绝种了。但从对古人类化石的分析结果看，事实并非如此，科学家们在对100万年前的古人类化石研究后发现，它们的特征与亚洲现代人极其相似，这就意味着今天的亚洲人是百万年前非洲祖先的后裔。

争论还在热烈地进行。但是，不管争论的结果如何，“亚当观点”、“夏娃理论”都是现代分子生物学发展的产物，而不是“神创论”的翻版。

我们几乎都听说过“八卦”。八卦学说始见于殷周时代的《易经》。据说，它是我们祖先伏羲氏创造的。它含有极深奥的内涵和博大精深的哲理。

我们从八卦图上可以看到两条鱼尾相抱而合的圆形图案，它一黑一白，代表了一阳一阴。凡了解人类生理解剖学的人都会知道，人在母体中的早期胚胎极像鱼形。这些都说明了什么呢？这是不是说明，地球陆地上的一切动物（也包括人类）都是由水中的鱼类进化而来呢？如果不是，为什么人类胚胎与鱼相似？并且连古代的八卦图上也用鱼形来表示呢？

5. 人类无性繁殖之谜

几乎世界所有民族的史前文化在解释人类的起源时，都说是神创造了人，那么，就有了一个纯技术的问题：人是可以被制造的吗?

创造与发明是现代人的拿手好戏，从60万年以前，那个想吃果子的原始人制造第一块石器开始，人类就步上了制造业的道路，这种方式使我们培育出了一代物质文明。随着科学技术的进步，人类制造的本领越来越高，我们不但可以制造那些没有生命的东西：像一张床，一部电话，一台机器，一辆汽车等，我们还可以在生命的基础上再造新的生命。

前不久，美国的研究者莫尼卡·博诺其与罗·卡诺成功地从一只被包裹在琥珀中的蜜蜂身上使4000万年左右的细菌复活。1994年，北京大学的生物研究者们从尚未完全石化的恐龙蛋化石中分离出了6000万年以前的恐龙基因片断，使人们真正看到了恐龙复活的希望。

我们不知道高科技给人们带来的是喜还是忧，也不知道随意改变自然规律是好还是坏。从哲学的意义上讲，每一种生物都有维护自己遗传基因，以本来面目出现在这个世界的权力，更有权力拒绝进入人类的实验室。但这个世界从它产生以来就不是公平的。

现在遗传工程已经发展到了相当可怕的地步，有人不但要干涉植物和动物的生命过程，而且已经在打人的主意。前苏联的科学家将一个人的受精卵，移入一只母猩猩的子宫内，让猩猩代人育儿，9个月以后，这只母猩猩顺利产下了一个人类婴儿，体重3600克。1987年，有报道说，新加坡遗传工程专家正在进行让母牛或母羊替人类怀胎的试验。据意大利佛罗伦萨遗传学教授查利里博士说，有一些人正在做另一项实验：将人类的精子与黑猩猩的卵子结合，然后培育出一种非猿非人的东西。他说："进行这样的试验，从技术上来说是毫无困难的。"试想这个胎儿一旦出生，必定是一个半人半兽的怪物。难怪有些国家，甚至联合国都要下令限制遗传学的某些发展。他们担心什么呢？大约是担心有一天，突然从遗传工程实验室里跑出一个比人还聪明，比猴子还敏捷，比大象还力大，比狼还凶残，既能在陆地上行走如飞，也能在水中自由来去，更能像鸟一样在空中飞舞的怪物，这绝不是吓唬人。

既然植物和动物可以被制造，那么人是否也可以被制造呢？

虽然有许多生物学家站在维护人类尊严的立场上否定制造人的可能，但从纯技术的角度来看，人也是可以被制造的。

如果以是否可以造人来衡量传说里的神，那么，人类马上就要成为神了。可要知道，人类的文明史不超过6000年，而在广大的宇宙之中，比我们历史长的生命是否存在呢？按道理他们是存在的，比如，现在天空中飞行的UFO的制造者，他们能穿行于漫长的宇宙星空，表现出目前我们尚无法企及的技术，那么，像制造我们人这种生物技术，对他们而言，就像是玩一样简单。

如果按我们对神话的解释，即我们先民崇拜的神就是来自于宇宙的高级生命，那么神话中造人的记载恐怕就不再是神话，而是某种真实的记录。请按照我们的这个思路假设一下：

数万年前，地球正像神话中最早描绘的那样，是一个没有人类但勃勃生机的蓝色星球，陆地上长满了各种植物，丛林里自由自在生存着各种动物，鸟儿在空中飞翔，在枝头鸣叫；海洋生物在大海中嬉游，猿猴类灵长目动物安然自得地生儿育女。突然，来自某个宇宙空间的高级生命，驾着他们的宇宙飞船降落到这个有趣的行星上，出于某种目的，他们采用先进的遗传基因科学，从猿猴、狼及海洋生物身上提取出遗传基因，将这些基因进行分离、剪切、组合、拼接后创造出一个既具有海洋生物特点，又具有陆地生物特点的新物种，那便是人类。

在世界造人的神话里，还普遍存在无性生殖的思想。所谓无性生殖就是单性生殖，即精子和卵子不结合的生殖。

1902年，奥地利的生物学家哈布兰特曾预言：人类终究会有一天成功地实现无性生殖。二十世纪60年代，英国牛津大学的生物学家高登，成功地实现了非洲青蛙的无性生殖。据最近的有关报道，人体无性生殖的技术已经突破，从技术上讲，目前复制一个人已不再是幻想。美国就有一位大富翁要求“复制”一个自我，以补偿幼年的不幸。

1994年1月3日，美国《时代》周刊公布了刚刚评出的“1993年科学之最”项目，其中“克隆人胚胎”一项震惊了全世界。美国华盛顿大学的霍尔博士与斯蒂尔曼教授合作共同研究人类遗传技术，他们在实验室里利用17个人类显微胚胎进行“克隆化”（即无性繁殖）实验，总共复制出48个新的人类胚胎。做父母的可以要求将这些胚胎冷藏起来，一旦他们的孩子发生不测。马上可以得到一个相貌、智力、性格等方面分毫不差的复制人。当1993年10月，美国《纽约时报》首次报道这一研究时，整个世界为之一震，法国总统密特朗看完这则报道后声称对此“颇感惊诧”。据《时代》周刊的调查显示，四分之三的人反对类似的科学实验。

同样，复制人的技术现正引起科学界的极大争议，它涉及人类道德及有关社会管理方面的问题。不少科学家认为，复制人体技术不利于人类总进化。诺贝尔奖得主、遗传学家列德·波克也指出，人类的无性生殖技术不仅可能，而且会“将人类驱逐到进化道路上的混乱边沿”。

所有的学术性争议留给科学家、社会学家和法律学家去解决，我们需要考虑的问题是：无性生殖这一高科技思想怎么会出现在上古神话当中？如果我们将无性生殖这类神话，与女娲和伏羲用高科技造人的传说联系起来，不难发现神话内在的一致性和连贯性，它们反映了同一个内藏着的主题：神用高科技创造了人，无性生殖的遗传学成果只是造人过程当中的一个细节而已。因此，我们认为，上古神话中无性生殖的思想来自于人类被创造的记忆。

6. 人类的未来之谜

人口的增加，资源的消耗，能源的不足，污染的蔓延，这一切使得我们这个星球显得太狭小、太拥挤了。展望未来，人类的衣、食、住、行将越来越困难。到下一世纪，人类就将面临这样一项震撼宇宙的伟大任务：扩大人类活动的舞台，创造一个新世界。

这个新世界的目标是改造太阳系，建立太阳城。太阳系的确需要改造，因为它的能量分布太不合理了：有生命而需要能量的地球，仅仅获得太阳能量的五千亿分之一，太阳的其余能量都白白弥散到茫茫太空中。一方面是节衣缩食，另一方面却在惊人地浪费，人类显然有权提出“均富济贫”的口号，为自己，也为生命争得更舒适的空间。

这是一场革命：重新组构太阳系，以便更有效地利用太阳能。这个胆大包天的思想也不是今天才出现的，早在1893年，俄罗斯航空之父齐奥尔科夫斯基就在他的《地球与天空的“梦想”》一书中提到过这个思想。英国物理学家伯那尔发展了这个思想。1929年他预测说，将来，大多数人可能会居住在空中的天体上。

今天，空间科学家已为此勾画出三种独具匠心的方案。在这些方案中，未来的世界比地球大100万倍。建筑这样一个新世界，材料从何而来？科学家们想到了木星，这个罗马神话中的主神朱庇特、太阳系中最大的行星将成为新世界的矿山。

让我们逐一浏览一下这些方案，或许能把我们的思路拓宽。

第一个方案：迪森球。这是美国普林斯顿大学物理学家迪森提出的方案。未来的人类世界是半径1亿5千万公里的中空球体，将太阳囊括在其中。这样一来，太阳辐射能可以说是点滴不漏了；在中空球的内球面上用绿色植物或光电池把太阳能截留住。迪森球的外表面积是地球的10亿倍。人类就居住在球内，这里有地球、类地球、小行星，或人造行星。也有成千上万个形形色色的生命点。这一切都得靠木星解囊相助。迪森的取料设想是用离心力把木星拉散架。木星是个气态行星，自转一周的时间为10小时。在木星周围修建一个硕大无朋的金属网，用太阳能发电的能力使网带电，从而产生电冲击力，此冲击力便可逐渐加速木星的自转速度，到最终离心力将其解体。取自木星的材料即可用于建造迪森球球壳和人造行星及形形色色的生命点。这样庞大的世界可供几万亿人居住得舒舒服服。

这个规划与其说是实践性的，勿宁说是可行性的。因为有的科学家认为，这个设想也许需4万年才能实现。然而也有一些科学家不这么看。他们认为，只要在下一世纪人类能研制出一种核弹而把木星炸毁，改造世界的工程便可开始。有人甚至说，迪森球工程业已破土，据说就是人造卫星、星际探测船已经上天，第一个空间站也表明人类的设计比大自然的创造更高效。

第二方案：环形世界。这是一个像水平转动着的无辐条车轮一样的环形世界；太阳位于轮壳中央，球半径也是1亿5千万公里，环的厚度不到1公里，转速达每秒1200公里。为了防止大气逃逸，可能需在环边建筑一道高达1600公里高的山脉或墙壁。为了模拟生命已习惯了的白天与黑夜的周期交替，在靠近太阳的周围将另建一道环，环上交替地出现透光带和不透光带，这样在外环上投下阴影的区域便是黑夜了。人类在这方面还可以玩点新花样，比如改变阴影带的大小即可随心所欲地创造出白天长短；改变环相对太阳的倾角，又可创造出各种季节变化。这个方案比起第一个方案来的优点是用料较省，因而不用过多地麻烦朱庇特。此外，迪森球内可能没有重力，需创造出模拟重力，而环形世界由于环的自旋则不需模拟重力，尽管这个世界中的重力是指向环外的。

第三个方案：阿尔德森盘。这是美国喷气推进器试验室的D·阿尔德森构思的方案。盘形世界的外观就像是个留声机唱片，太阳位于其中心，重力垂直于盘的表面（除开盘边之外）。盘的内缘处也需修筑一道1600公里高的墙，以防太阳把新世界的大气吸走。

今天看来，这些方案太像是神话。说真的，构思这类方案的人都是未来学家。问题是，人类是否真的需要扩大自己的世界？还要看怎么说了。当今世界人口增长率为3%，每35年即翻一番，若能将增长率控制到1%，翻番的时间将延到69年，按现在燃料消耗率计算，地球上的化石燃料尚可维持100年。从这个角度看，上述方案就不是天方夜谭。

也许人类将来能够用巨大的激光炮把太阳改造成可控的超新星，让太阳内部的核反应加速，为地球收获更多的能量。也许人类有更宏伟的进展，创造出一个超球体世界，将银河系的中心包容起来。

也许会有人说，提出这样的人类未来图画，与其说是美好，倒不如说是恐怖，其实，这仅仅是假想而已。

7. 地球外的生命之谜

智慧生物与生命是两个不等同的概念。即使我们能十分有把握地断定，在太阳系诸天体中，除地球外，没有任何一个天体拥有智慧生物，但仍不能肯定，在其他天体中也不存在任何生命活动，特别是那些低等的微生物。

在被怀疑拥有原始生命的太阳系诸天体中，火星是被议论得最多的一个。

在70年代，“水手号”和“海盗号”飞行器对火星的探测，终于否定了“火星人”的神话。然而，从海盗号探测站所做的三项实验来看，却不能绝对地肯定，那里不存在任何生命形态。

第一项实验是检查有无以光合作用为基础的物质交换，结果是否定的。第二项实验是仿效地球上的物质交换，以澄清土壤样品，视察其中有无微生物。实验时在土壤样品中加入含碳-14的培养液，若土壤中有生物，会吸收与消化养分，会排出有放射性的碳-14，这可在计数管中进行检测，结果记录到了。而在预先经过消毒处理的土壤中则没有记录到。第三项实验是测量生物与周围环境所发生的气体交换。在加入培养液的土壤样品中，质谱仪记录到有氧的发生，但两小时后却突然停止，不过微量二氧化碳的析出却持续了11天之久。有人指出，如果土壤中存在过氧化物，那末氧的析出就可能不是生物造成的。因此根据这三项实验的结果，人们既不敢肯定火星上有生命存在，也不能否定火星生命存在的可能性。

即使退一步说，这三项实验证明了火星没有生命。但它毕竟只能反映实验地点的情况，而不能以点代面地说明整个火星的情况。要知道，40多年前，人们对环境恶劣的地球南极地区进行考察时，也曾认为那里是不适宜生命存在的，在早期的考察活动中也确实没有发现“定居型”的生物。然而在1977年，人们却在那里的石缝中找到了地衣和水藻。此外，一些火星研究者还指出，在火星赤道附近有两个地方，土壤中水的含量要比别处丰富

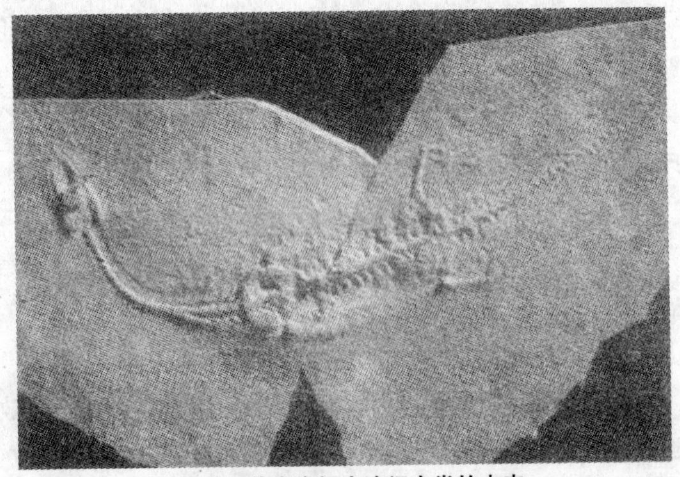

现代人只能在发掘中追问人类的未来。

得多。每天每平方厘米的地面至少能释放出100毫克的水（一到夜晚，水汽则凝结为霜，因此这两个地方从地球看去要比火星其他地方明亮得多）。他们认为这两个地方的环境比地球上一些已发现有微生物的极端恶劣环境，更适于生命的存在。

美国国家航空航天局局长可鲁把火星上可能存在生命体这个宇宙研究史上的最新发现称之为“令人震惊的发现”。

新发现是从1984年被发现的12个陨石中的一个叫作“ANL8400”的南极陨石分析中产生的。它大约是1500万年前火星与木星间小彗星群碰撞的结果，大致在1300万年前落在南极大陆，年龄大致是40亿~45亿年。

美国国家航空航天局和斯坦福大学的研究表明，对陨石进行薄片分析后，能见到一种叫“多循环芳香碳水化合物（PAH）”的有机物。从这种有机物看，可以证明火星的生成过程或微生物存在的可能性，但从陨石切片看，可以得出火星上曾有生物体存在的痕迹。

从 PAH 中还可发现，有的细菌酷似地球细菌，其分子结构为与磁铁和巴代利亚硫化铁相似的单细胞物质，这也为火星上有微生物存在的推论提供了证据。当然，美国航空航天局仅用“有力的证据”、“有待进一步调查证实”等字眼，尽量避免使用火星上存在微生物的肯定性语言。

可鲁局长解释说：“陨石中发现的火星上存在与地球细菌相似的单细胞生物痕迹，并不是说火星上过去就一定存在高等生物。”

有关的详细研究成果刊在《探索者》上。关于火星上生命体存在与否的话题，今后必将有进一步的争论。

总之，对火星是否拥有低等的生命形态这一问题，目前我们还无法作出肯定与否的回答。

土卫六是土星的第六颗卫星。它的直径约 5800 公里，是太阳系中最大的一颗卫星。它也是太阳系里已知的唯一具有真正大气层的卫星。根据 1944 年奎伯对其光谱的分析，认为它的大气主要由甲烷和氢组成，其大气压约在 0．1～1 个大气压之间。也就是说，其大气密度虽不及我们地球，但比火星大气却要密得多。土卫六的表面温度，因距太阳较远，大约维持在零下 150℃左右。

根据科学家对生命起源的实验研究，人们知道，用紫外线照射甲烷和氢，就能形成许多有机化合物，如乙烷、乙烯、乙炔等。事实上，1979 年 9 月，“先驱者”11 号宇宙探测器在距离土卫六 356000 公里处拍摄到的照片显示，这颗卫星呈现桃红色。这表明它的大气中确实含有甲烷、乙烷、乙炔等，还可能有氮的一些成分。乙烷、乙炔的存在使人们相信，土卫六上有可能找到更复杂的有机物。因此人们认为，在土卫六表面可能存在一层由较复杂的有机物构成的海洋和湖泊，其情形也许酷似地球生命发生前夕的所谓“有机海洋”。如果这一推测是可靠的，那么土卫六上就很可能有一些原始的生命形态。

1980 年底，“旅行者”号飞船飞临土星上空时，人们曾期望它能给我们带来更多的有关土卫六的信息。遗憾的是，它只发现土卫六的大气并不像早先所认为的以甲烷为主，而是以氮为主，氮约占 98%，甲烷占不到 1%。此外，还有乙烷、乙烯、乙炔和氢。值得高兴的是，在红外探测资料中，发现其云层顶端含有与生命有关的分子，可能是属于生命前的氢氰酸分子。但是，由于它的大气几乎完全呈雾状，妨碍了飞船对土卫六表面的观测。因此土卫六上是否真有生命，也还有待进一步证实。

第三颗引起人们注意的可能拥有生命的天体是木星的卫星木卫二。

木卫二，直径为 3000 公里左右，在木星的卫星中属第四大卫星。根据近红外波长的光谱分析，这个卫星的表面存在大量由水构成的冰。而根据其平均密度为 3．03 克/厘米^3 来估算，它可能有一个厚约 100 公里的由冰和液态水组成的壳层。

1979 年 3 月，当“旅行者号”飞船飞越木卫二上空时，人们曾非常惊奇地注意到，木卫二具有奇特的与众不同的外貌，分布着许许多多纵横交叉的条纹，犹如一大堆乱麻。经分析，这些条纹应是木卫二冰壳上的裂纹，其中有些裂缝的宽度可能有数十千米，长达1000千米，深为100~200米。更有意义的是，人们还注意到，这种像乱麻一般交叉的裂缝具有褐色的基调，与其周围颜色浅得多的部分相比，显得轮廓分明。对这种褐色物所作的光谱分析表明，它们很可能是有机聚合物。据此，人们推测，当木卫二从原始星云中形成时，可能也和地球等天体一样，聚集有一些来自原始星云的甲烷和氨。以后，这些气体可能在内热的作用下不断地释放出来，当其渗透到表面时，便会在太阳紫外辐射和来自木星的带电粒子的激发下，合成为有机物。尽管同样的辐射也会摧毁这些有机物，但液体水却能保护它们，甚至还会促使它们进一步水解，复合形成氨基酸，为生命的形成提供了条件。

与此同时，来自地球的一项发现也启迪着人们的思考。那是在南极的干谷，有一些常年冰封的湖泊。极地微弱的阳光在透过上部厚厚的冰层以后，到达湖底已是微乎其微。然而，当人们潜入这冰冷的、幽暗的湖底时，却意外地发现那里活着一大片蓝绿藻。它们就靠这微弱的阳光生活。木卫二尽管离太阳比地球远得多，温度低，阳光弱，但并不比南极冰湖下的环境更差。而且由于自转和公转的耦合关系，它有长达60小时的白昼。因此在一些裂缝刚刚破裂开来的地方，水体里将有可能接受到较充足的阳光，从而使生命有可能在那里繁殖生存。一直到5~10年后，当裂缝重新为厚厚冰层所覆盖时，生命也就暂时地潜伏起来，等待另一次机会。

当然，以上所述还只是一些推测，要证实这一猜想，需要有一个能潜入木卫二冰壳下的太空潜水装置。

其实，不仅是上述三个天体，就是对金星、木星、木卫一，甚至我们的月球，是否就完全没有任何生命形态，人们也没有完全排除怀疑。

金星以其表面具有高达400℃以上的温度，而一直被人们认为是不适宜生命生存的。然而，1977年以来，人们在调查洋底的地壳裂缝时，却发现在一些温度高达300℃甚至更高温度的海底喷泉旁，生活着许多可耐高温的生物。这使人们认识到，生命对环境的适应能力远比人们想象的大许多。因此，我们不能保证金星对生命来说就是绝对的禁区。何况，即使金星表面没有生命，也不能肯定排除在它的大气层里温度适宜的地方，就没有漂浮着一些含微生物的云层。

木星是一个主要由氢和氦组成的天体。理论分析表明，它的云层厚约730公里，下面是厚约24000公里的液态分子氢组成的木星幔，再下面是具有金属特性的原子氢组成的下部木星幔，然后才是一个可能由硅和铁组成的石质木星核。木星距太阳较远，理论计算表明，其云层顶的表面温度应在-168℃左右，但实测的结果比理论值高出20~30℃。这表明它有来自内部的热量。因此可以算出，在云层底部，温度可高达5500℃。

1979年，“旅行者号”飞船飞临木星上空所作的光谱分析表明，木星大气中除了氢、氦、氨、甲烷和水外，还可能有乙炔、乙烷、硫化铵、硫化氢铵、磷化氢等各种有机或无机聚合物。人们还发现木星上不时发生闪电。这使人们推测，在木星的大气层里完全有可能合成复杂的有机物，甚至出现生命。一些研究者指出，由于木星大气存在着垂直湍流运动，来自云层底部的高温、高压气流会对生命造成毁灭性的破坏，所以气流运动相对平稳的两极地区，存在生命的可能性要比木星赤道地区大一些。

木卫一是木星的另一颗卫星，具有石质的表面。根据对其红外反射光谱的研究，没有水的痕迹，但富含硫质。1979年，“旅行者号”飞临它上空时，曾观察到它的上面有活跃的火山活动。木卫一上这种强烈的火山活动，和伴随火山活动喷溢出来的硫，使一些人猜测，在它的上面有可能存在像太平洋底热喷泉周围的那种以硫为食料的生物。换言之，这种生物可以不必依赖阳光来提供能源，也无须依靠光合作用来生活。

至于月球，尽管已有阿波罗6次登月和苏联2次月球自动站的考察记录，但仍有一些人对月球生命问题不肯轻易罢休。他们提出了种种怀疑，并猜测是否会有生命隐居在月面之下。

综上所说，我们对太阳系中其他天体是否拥有生命的讨论远远没有结束，人们正期待着今后更深入的探索。

8. 地球是否被淹没之谜

在著名的中国古代文献《淮南子》中，记述过古代的一个重要天文现象：“天倾西北，故日月星辰移焉”，“地不满东南，故水潦尘埃归焉”。它告诉我们，我们所在的地球在历史上一度经历了一个重大的变故。事后幸存下来的地球人那时发现，夜晚许多星辰同平时正常情况相比较，向西北方向发生了移位，感觉就像天空朝西北方向倒下去一样；而在相反的东南方向地平线上也出现了许多平常见不到的新星，就如同是东南方的大地陷下去了一般。

拨开语言的历史隔膜，我们能够感觉到这是典型的地轴由西北向东南方向偏移的现象。在本书《地球南北磁极互换之谜》一文中，我们曾经谈到地球磁场不是永恒不变的，整个地磁场曾经发生过颠倒，南磁极与北磁极曾经对换过位置。这种现象被科学家们称为“磁极倒转”。在地球的生命史中，磁极倒转现象曾经多次发生，仅在近450万年里，就可以分出四个极性不同的时期。纵然是在同一个时期里，地磁场方向也发生过一些历时较短的极性变化。地球磁场的这种极性变化，同样存在于更古老的年代里。从大约6亿年前的前寒武纪末期，到约5．4亿前的中寒武世，是反向磁性为主的时期；从中寒武世到约3．8亿年前的中泥盆世，是正向磁性为主的时期；中泥盆世到约0．7亿年前的白垩纪末，又是以正向极性为主；白垩纪末至今，则是以反向极性为主。

地球磁极的变化必然会导致地球表面海洋和陆地的剧烈动荡，《淮南子》中所记述的现象大概就是这种情况。有专家认为那是一颗行星与地球擦肩而过或是地球在捕捉月球的过程中所产生的巨大作用力，使地球上的海水涌向陆地造成的动荡。因为即使一颗直径是月亮1/5的小行星，从地球37000千米的地方通过，地球也会发生比普通涨潮大10倍的汹涌波涛，海水会以排山倒海之势席卷大陆，吞没广大平原和低洼地区，于是曾经草木繁盛、生活着各种动物的广大地区，变成了冰和水的世界。在地球旋转轴发生移位时，地球运动的巨大力量，也引发了地壳的一些异动，导致地震、火山活动十分频繁。

世界各地原始民族的许多传说也从另一方面证实了这一点，

如传说中古时候支撑天地的天柱突然倒塌了，大地的基础在颤动，天开始向西北倾倒，星辰都改变了各自的轨道，还有西方关于大西州的沉没，中国传说中东海的五座仙山沉了两座等等。

相似的记述也在《旧约·创世纪》第七章中出现。《旧约》中有这么一段耳熟能详的文字：有一天“大渊的源泉都裂开了，天上的窗户也敞开了，连续40昼夜大雨降在地上……水势浩大，天上的高山都淹没了，地上的生灵都死尽。”只有挪亚，因为事先得到耶和华的指点，造了方舟，求得生存。挪亚和方舟所载的畜类、飞鸽就成了地球上的再造“父母”。

类似的洪灾故事也出现在古代亚述人写的泥版上。这块泥版保存在亚述国王亚述巴尼帕一世的藏书楼内。他从公元前669～公元前626统治亚述王国。1872年，一位英国考古学家发现了已成碎片的泥版。他重新拼合了泥版，并发现泥版上有着与《圣经》挪亚故事非常类似的部分内容。

在已达5000年历史的《古尔伽美什史诗》中，以及夏威夷人和中国人的传统故事中，这些故事内容都非常相似，因此专家们认为，它们描述的是同一次洪水，而这次洪水在公元前5000年以前的某个时间曾淹没了整个世界。有些传说讲述到猛烈的暴风雨，被困在山峰上的船舶、被卷入大海的城市以及逃到高山洞穴求生的人们。我们永远不会知道有关大洪水的任何细节，但看来好像是发生过一次巨大的自然灾难，或许是几次。古代人对灾难的记忆保存在他们的传说中，一直流传至今，成为今天我们文化和文学的组成部分。然而，科学家们经过考证发现，在地球史、人类史上，确实曾发生过全球性的洪水灾难。汹涌的洪水曾经猖狂地将大陆淹没，致使桑田沦为沧海。随着斗转星移，海水逐渐退去，沧海又复变为桑田。

想象着那种天翻地覆的沧桑之变，人们不禁有些惧怕。于是，人们不禁会问：这种毁灭性的洪灾、海浸还会侵袭人类吗？

据最新卫星图片显示，位于印度洋北部的马尔代夫共和国，有一个数平方公里的小岛悄然消失。对于由1196个岛屿组成、平均海拔仅1．2米的岛国来说，小岛的消失或许是一种不祥的预兆。

科学家们立即想到，它可能与海平面上升有关，而海平面上升便意味着这个岛国将受到严重威胁。

与此同时，科学家们也吃惊地发现：肥沃的尼罗河三角洲也在持续下沉。作为埃及的精粹之地，它的下沉立即惊动了埃及政府。经过实地考察，专家们一致认为尼罗河三角洲的下沉是由多种因素造成的。但有一条重要原因就是与世界性的洋面上升有关。

另一条消息似乎更让我们担忧：据中国科学院考证，中国大陆上的长江三角洲和珠江三角洲也正在不断下沉。并预计，在未来的50年内，球江三角洲濒临的南海海平面将上升50~70厘米，长江三角洲所濒临的东海海平面也将上升50~70厘米。这就是说，海平面上升的威胁已经悄悄向人类逼进。

在1989年11月21日召开的拉美和加勒比气象及水文经济效益技术大会上，世界气象组织秘书长戈德温·奥巴西指出：“据世界各地170个气象站关于地球大气污染的报告，目前大气象中二氧化碳含量比1880年提高了50%。”他估计，到2020年，地球气温将经现在升高4℃，倘若这个估计是正确的，那么，倒2050年，世界洋面将上升40~140厘米。

假如世界洋面上升1米，将会出现什么情景呢？

科学家告诉我们，到那时，不仅一些珊瑚岛国会遭受灭顶之灾，沿海一带地势平坦的三角洲与河口三角洲也会被海水吞没。诸如马绍尔群岛共和国、图瓦卢、瑙鲁共和国等岛国的公民将无立足之地，不得不背井离乡。埃及12%~15%的耕地、孟加拉17%的耕地将变成海滩。印度尼西亚、越南要完成大规模的居民迁移与安置工作。美国的陆地面积减少2万平方公里，损失约6500亿美元。

这些消息听起来似乎有些骇人听闻，倘若地球上洪水再次泛滥，那么，我们怎么办？目前人类还不能搬到别的星球上去，难道我们就束手待毙吗？

其实，我们或许不必过于杞人忧天。就像与大海苦苦抗争的荷兰人，他们国土的2/3陆地是通过围地从大海中争夺来的。荷兰人是大海的朋友，也是大海的克星。居安思危，人是万物之灵。人的智慧已经穿越各种各样的自然界巨变，必将掌握着一种强大的武器，用来捍卫自己生存的权力。

9. 宇宙的生死之谜

宇宙有没有终结的一天？宇宙将会如何终结？是“砰”然的一声大爆炸，还是逐渐消亡？当地球人在无数个夜晚，悄悄地仰望灿烂星空，对生命、对宇宙浮想联翩的时候，总会从内心深处发出这样的疑问。

根据科学家利用天文望远镜获得的最新观测结果，宇宙最终不会变成一团熊熊燃烧的烈火，而是会逐渐衰变成永恒的、冰冷的黑暗。这听起来似乎太骇人听闻了。然而地球人或许没有必要杞人忧天，因为地球人暂时还不会被宇宙“驱逐出境”。根据科学家的推测，宇宙很可能至少将目前这种适于生命存在的状态再维持1000亿年。这个庞大的数字相当于地球历史的20倍，或者，相当于智人（现代人的学名）历史的500万倍。既然它将发生在如此遥远的未来，对地球人今天的生活就不会有丝毫影响。

与此同时，科学家又指出：没有什么东西是可以永远存在的。宇宙也许不会突然消失。但是，随着时间的推移，它可能会让人觉得越来越不舒服，并且最终变得不再适于生命存在。

这种情况将会在什么时候出现呢？又会以怎样的方式出现呢？

自从二十世纪20年代，天文学家哈勃发现宇宙正在膨胀以来，“大爆炸”理论一直没有摆脱被修改的命运。根据这一理论，科学家指出，宇宙的最终命运取决于两种相反力量长时间“拔河比赛”的结果：一种力量是宇宙的膨胀，在过去的100多亿年里，宇宙的扩张一直在使星系之间的距离拉大；另一种力量则是这些星系和宇宙中所有其它物质之间的万有引力，它会使宇宙扩张的速度逐渐放慢。如果万有引力足以使扩张最终停止，宇宙注定将会坍塌，最终变成一个大火球——“大崩坠”，如果万有引力不足以阻止宇宙的持续膨胀，它将最终变成一个漆黑的寒冷的世界。

显而易见，任何一种结局都在预示着生命的消亡。不过，人类的最终命运还无法确定。因为目前，人们尚不能对扩张和万有引力作出精确的估测，更不知道谁将是最后的胜利者，天文学家的观测结果仍然存在着许多不确定的因素。

太阳系及宇宙的运动图。

这种不确定因素又是什么呢？科学家指出，这一不确定因素涉及到膨胀理论。根据这一理论，宇宙始于一个像气泡一样的虚无空间，在这个空间里，最初的膨胀速度要比光速快得多。然而，在膨胀结束之后，最终推动宇宙高速膨胀的力量也许并没有完全消退。它可能仍然存在于宇宙之中，潜伏在虚无的空间里，并在冥冥中不断推动宇宙的持续扩张。为了证实这种推测，科学家又对遥远的星系中正在爆发的恒星进行了多次观察。通过观察，他们认为这种正在发挥作用的膨胀推动力有可能确实存在。

倘若真是这样的话，决定宇宙未来命运的就不仅仅是宇宙的扩张和万有引力，还与在宇宙中久久徘徊的膨胀推动力所产生的涡轮增压作用有关，而它可以使宇宙无限扩张下去。

但是，人们最关心的或许是智慧生命本身。人类将在宇宙中扮演什么角色呢？难道人类注定要灭亡吗？人类已经在越来越快地改变着地球，操纵着自己的生存环境，也许到那时，人类将会以高度发展的智慧在宇宙中立于不败之地。谁知道呢？且让未来的地球人和地外一切生命拭目以待吧。人类对宇宙的认识永远没有终极，认识穷尽的那天也许就是人类或宇宙毁灭的那一天。正如爱因斯坦在写给一个对世界的命运感到担忧的孩子的信中所说："至于谈到世界末日的问题，我的意见是：等着瞧吧！"

10．"参加"第二次世界大战的UFO之谜

1939年到1945年，是血雨腥风的6年，整个地球都被历史上最可怕的屠杀震撼着（死亡人数达5000多万）。在此期间，空军第一次成为决定因素，不仅决定着陆战和海战的胜负，而且决定着战争的进程，如进攻英国、盟军对德国的战略轰炸、日本以及后来美国军空在太平洋战线的胜利等，莫不如此。

1944年，冲突各国总共拥有6万架飞机；而主要交战国英、美、苏、德、日每月生产飞机3百架。在5个交战大国的军队人数中，空军占35%。飞行员以其特殊的心理和身体素质、复杂的训练，又及武器特点，无可争辩地成为军队的王牌；而经常面对死亡，又训练出了他们超常的反应能力。因此，1935——1945年间空军飞行员提供的有关发现不明飞行物体的报告具有特殊的重要性。在这些情况下，任何观察失误都可以排除。参加第二次世界大战的飞机驾驶员不可能看错他们面前的敌机型号，因为，

他们的生与死取决于能否快速和准确地发现敌机。

在此类报告中，经常提到无法辨明的空中物体的活动，这对那些了解正在执行战斗任何的飞机发出的报告当是多么严肃而简洁的人来说，无疑是有说服力的。显然，报告中描述的两方面情况特别引起交战国参谋部的兴趣，这就是：有关飞行物体所达到的令人难以置信的速度；它们尽管表现出“机敏的好奇心”，但并不参与冲突，不进攻，特别是在受到地球飞机攻击时也不还击。这种难以解释的表现，比采取公开敌对行动更令各国军界担忧，因为，战争结束后，每个交战国都曾把这些奇怪的空中物体当成是敌人的秘密武器。大国之间相互猜疑，无法理解这些奇怪的空中不速之客的行动和操作方式的各国参谋部，对这种现象展开了认真的考察。早在1942——1943年间，英国、美国和德国都组成了由科学家、军事专家和王牌飞行员组成的研究小组，并配备了现代化的研究仪器和当时最好的飞机。

正如飞行员们所说，这种措施太及时了，因为，在一些王牌空军大队的飞行记录中，越来越频繁地提到了“不明空中现象”。而这些歼击机、侦察机大队是由出色的飞行员和飞机组成的，指挥它们的是大名鼎鼎的驾驶员凯萨达、尤勒、杜里特尔、施拉德、狄雷、贝格兰德和克洛斯特曼（盟军方面），以及诺沃尼、加兰德、戈洛布和冯·格拉夫（德军方面）指挥的。他们的飞行员在空中飞行时间在1000——6000小时之后。每天都在打残酷的硬仗，不可能被怀疑缺乏经验或胆量。但是，可以明显地看出，他们对自己遇到的空中物体的奇特性能感到震惊……

从战争档案中发现，同奇怪的空中物体有过“遭遇”的著名空军大队和中队有如下这些：

——皇家空军方面：英国611、616、415、122和125大队；加拿大124和49大队；挪威117大队、新西兰486大队；自由法国阿尔萨斯374、346和341大队；捷克斯洛伐克311和68大队；波兰303大队；以及国际格拉斯戈602大队和孟买132大队。

——德国空军方面：神鹰JG2、JG26、JG52和JG53大队。

——美国空军方面：第8、第9军各飞行大队。

许多这方面的报告引起了军事家和科学家的共同兴趣。

1942年3月25日，英国皇家空军战略轰炸机大队的波兰籍突击队员罗曼·索宾斯基奉命对德国城市埃森进行夜袭。任务完成后，他驾驶的飞机升到5000米高空，借助漆黑的夜色掩护，返回英国。经过1小时的艰难飞行，飞机飞出了德国领空。正当索宾斯基和他的伙伴们松了一口气时，后机关炮炮手突然发出警报说，他们的飞机正被一个不明物体跟踪。“是夜空猎手吗?”驾驶员问，他心里想的是危险的德国空军驱逐机。“不，机长先生!”炮手回答，“它不像是一驾飞机！没有清晰的轮廓，并且特别明亮!”不一会儿，机上的人员都发现了那个奇怪的物体。它闪着美丽的桔黄色光。于是，跟任何处在敌国上空的有经验的驾驶员一样，索宾斯基机长当即作出反应，“我想，这大概是德国人制造出的什么新玩意儿，于是下令炮手开火。”但是，使全体机组人员感到惊愕的是，那只陌生的“飞船”尽管离轰炸机只有将近150米，又被大量炮弹击中，但并未被击中，而且显出满不在乎的样子。炮手们惊惶失措，只好停止射击。那个奇怪的物体就这样静静地伴着轰炸机飞行了一刻钟（此间机上人员的神经紧张到了极点)，然后突然升高，以难以置信的速度从波兰飞行员的眼前消失了。

1942年3月14日17时35分，德国空军设在挪威巴纳克秘密基地突然进入紧急状态，因为雷达上显示出一个陌生空中物体正在飞行。基地最优秀的飞行员，工程师费舍上尉立即驾驶一驾M——109G型飞机起飞，并成功地在3500米高空截住了该物体。这位德国飞行员后来在报告中写道：“陌生的飞船似乎是金属制造的，形状如一架机身长100米、宽15米的飞机。前端可以看见一种天线一样的装置。尽管没有机翼，也看不见发动机，这艘飞船在飞行中能完全保持水平。我跟踪了它几分钟，然后，它突然升高，以闪电般的速度消失了。”费舍上尉截住它的打算失败了。基地雷达站再没有找到它的影子。尽管这位德国上尉是造诣很高的军事专家，但他承认自己鉴别不出这艘飞机。他深感惊叹的是，它的速度非常快，只有机身没有机翼却操作异常灵活，而且不倚仗自己的优势把费舍上尉的飞机击落。

1943年10月14日，拥有全欧洲最重要的滚珠轴承厂的德国城市施魏因富特受到盟军的空袭。在这次著名的大空战中，参加攻击这一头等重要目标的有美国空军第8军的700架“空中保垒”波音B17E型和“解放者”联合B24型重型轰炸机。担任护航的有1300架美国和英国歼击机。空袭的目的达到了，施魏因富特滚珠轴承厂被夷为平地，但盟军损失很大：111架歼击机被击落，将近600架轰炸机被击毁击伤；而德国人只损失了300架飞机。德国人在这次空战中投入了3000多架飞机，第一次突破了盟军轰炸机的密集队形（每70架飞机组成一个方阵)。看来，那个空中战场确实像一个地狱。法国驾驶员皮埃尔·克洛斯特曼把它比做“一个大鱼缸，里面的鱼全发了疯；一场真正的噩梦，任何人除了奋力保命而无暇他顾”。……

编入一个B17轰炸机方阵的英国少校R·T·霍姆斯却报告说，在他的飞机编队到达目标上方开始发起攻击时，一些闪闪发亮的大圆盘突然迅速地靠拢过来。那些奇怪的“飞船”（其大小与一架B17型轰炸机差不多），穿过美国轰炸机方阵，似乎对机群的700门机关炮的疯狂射击以及地面上无数高射炮组成的火网并不在意。美国飞行员们惊讶地发现那些奇怪的“无翼飞盘”并无恶意，对他们的疯狂射击也不反击，只是静静地飞远了，一点也没有妨碍他们的轰炸。不过，驾驶员们也没有时间按照美国的高贵传统问一问：“这些疯子是什么玩意儿?”因为正在这时，德国的歼击机群出现了……雷姆斯少校的座机侥幸得以平安返回基地，下飞机后他的第一件事就是向皇家空军统帅部递交了一份详细报告。英国的军事专家和科学家们对报告的内容既感兴趣，又迷惑不解，猜测它们可能是德国人研制出的新型秘密武器，因为飞盘刚巧在德国飞机到来前10分钟出现。1943年10月24日，作战部对情报部发出一份报告，命令火速查明这件事。三个月后，英国情报部门汇报说，奇怪的闪电圆盘跟德国空军以及世界上任何一国的飞机都毫无联系……它们纯粹是一些UFO——不明飞行物，或者说飞碟。

1943年12月18日，从11时45分起，德国设在赫尔戈兰岛以及汉堡、维滕贝格和诺伊施特雷利茨市的雷达站相继发现一大群圆筒形物体以每小时3000公里的速度静静地从空中飞过。德国空军拥有当时世界上飞行速度最快的飞机（Me——262：时速925公里），但是，德国指挥官们一想到这些魔鬼般的空中圆盘子可能是盟军投入战斗的新武器时，心中就不寒而栗……

1944年2月12日，在许多将领的参加下，在德国的秘密基地孔梅尔多夫发射了第一枚V——2型导弹。这次试验的目的是为了检验这种超音速导弹（当时还没有任何武器可以将它截击）的性能。当然，这一事件从头至尾都被拍成电影。但是在冲洗胶片时，技术人员惊愕地发现，他们那无与伦比的导弹在飞行过程中始终被一个不明的圆形物体跟踪。那物体竟然还若无其事地绕着导弹飞行。基地上的人们发现不了那个物体，因为它的飞行速度超过导弹：时速2000公里。这件事当然发人深思，引起了巨大恐慌。希特勒和戈林都很恼火，认为盟军通过发射间谍装置把他们寄托全部希望的V——2型导弹秘密武器了解得一清二楚，而且敌人研制出的武器超过了它。在他们看来，那个奇怪的飞行物如果不是敌人的武器又是什么呢！可笑的是，英国人也为同样的问题大伤脑筋。海军元帅严厉地斥责飞行员，因为他们在1943年竟然允许一个陌生的物体在庞大的海军基地斯卡帕弗洛上空自由自在地翱翔。当然。奥尔卡德群岛基地上的喷火式战斗机没有能够拦截住一个时速达3000公里的飞行物体，这对海军元帅来说无关紧要，他只是不失身份地警告皇家空军："这样的事不容许再次发生！"

1944年9月29日，在德国最大的秘密试飞基地正在检验一架Me——262型飞机。在1．2万米高空，驾驶员发现一艘奇特的飞船，纺锤形，无翼，但是有舷窗和金属天线。据德国驾驶员估计，飞船长度超过 B17 型飞机，它以 2000 公里的时速从基地上方掠过，德国喷气式战斗机尽管超高速飞行，也没有能够截住。

1944 年 11 月 23 日 22 时，美国空军第 9 军 415 大队的两架野马 P——51 型歼击机在他们设在英国南部的基地上空巡逻。驾驶员 E·舒特和 F·林格瓦尔德中尉对这种老一套的飞行腻味了，打算进行一些完全非军事性质的动作，好让基地的雷达兵们开心。突然，两位中尉惊慌地报告说，发现一个由 10 个明亮的大圆盘组成的飞行大队快速地掠过他们上空。两架野马式歼击机立即上仰，组成战斗队形想截住那些奇怪的圆盘。但是尽管开足了最大马力，时速达 730 公里，两个驾驶员仍觉得他们简直是在圆盘后面爬行。基地雷达站指挥官 D·麦尔斯中尉一直注视着这场空中的疯狂追逐，认为“猎物”的速度至少要比“猎人”的大 4 倍，于是建议他们最好放弃跟踪。这正是驾驶员求之不得的，因为他们飞机的发动机已经热得很厉害，有爆炸的危险。就这样，经过 13 分钟毫无结果的跟踪之后，两个驾驶员返回了地基，他们汗如雨下，大声地痛骂那些“该死的怪物”。

如此众多的报告汇集到各国参谋部办公桌上来，终于使军界要员们恼羞成怒，三个空军大国（美、英、德）政府命令着手进行一系列正式的（当然是秘密的）调查。在美国空军的强烈要求下，情报部门早在 1942 年率先开始调查。但是，鉴于这些空中的不速之客的表现，总的看来并不构成对盟军的威胁，而且它们不太可能属于德国人，这个问题被排除出了紧急军务之列，只是建议专家们继续进行研究。可是由于某种原因，美国空军一点也不喜欢在这些陌生的空中物体（不论它们属于谁）面前表现出明显的低人一等。于是，美国空军就同不明飞行物结下了“深仇大恨”，这种情况至今还给美国官方对飞碟的态度打下了烙印。可是在英国，皇家空军成立了一个由许多科学家和航空工程师组成的专门小组和一个受过专门训练、配备有英国最先进飞机的拦截大队。该小组由空军元帅 L·梅塞领导，这充分证明英国空军对研究不明飞行物的重视。这些研究是为了弄清这些经常出现在盟军飞机附近，而飞机上的火炮损坏不了它们一根毫毛的物质究竟来自何处，它们行动的目的是什么。不幸的是，飞碟研究小组得出的结论过去和现在都是“绝密”。在德国，空军对飞碟的兴趣也一样大。1942 年，成立了“13 号专门小组”。从那时起，直到 1945 年，这个小组在“天王星行动”计划内，一直从事对奇怪空中物体的研究。这个小组拥有第一流的专家和最先进的仪器，而且在那样一个时期，当国内一切资源都用于前线时，还调了整整一个 Me——265 型飞机中队供小组使用。这充分说明，德国空军意识到必须高度重视这个问题。

当然，在历史上这场最可怕的战争中，交战各国的空军参谋部都不太情愿考虑这些飞行物体有可能是一些外星文明的信使。普遍同意的理论认为这些飞行物属于敌方，而它们同我方飞机相比所具有的明显优越性造成了内心的恐惧。在战争结束之后，当研究专家们有可能看到部分档案时，这种恐惧才被暴露出来。弄清一些问题，以保持公众舆论的斗志，这种办法在战争期间经常使用，战后也被延续下来。今天人们对待飞碟的态度和方式仍然打着它的烙印。

11. 美国总统目睹 UFO 之谜

“飞碟”这个称呼，始于 1947 年。那年 6 月，一位美国商人驾驶私人飞机飞经华盛顿的艺特雷尼地区时，见到 9 个排成队形的飞行物，其形状与两个对扣的咖啡碟子极其相似，在前进的同时，它们还围绕自身的中心轴高速旋转。于是，“飞碟”一词沿用至今。

人们常将 UFO（不明飞行物）与飞碟等同起来，其实，飞碟仅是 UFO 的一个局部。纵观人们的分析，UFO 至少有下列 3 种：

①不明的自然现象，如宇宙空间的流星体、大气涡流等；

②科技发达国家发射的秘密飞行器；

③外星人的飞船，即常说的飞碟。

现今说的飞碟，不一定是碟形。1970 年在巴西圣保罗市召开的美国和中南美各种宇宙现象研究会上，展示了 132 种飞碟照片，大体上可分为 12 类。

这些飞碟中，最小的直径仅有 30 厘米，它只能是不载人的探测器。最大的直径达 600 米，可能是母船。

1966 年 12 月 21 日上午 7 时 51 分由船长弗拉克·鲍曼，驾驶员詹姆斯·拉佩尔和威·恩道达斯 3 人乘坐的阿波罗八号飞船从肯尼迪宇宙中心飞向月球，在圣诞节的早晨进入月球轨道，他们 3 人是人类有史以来第一次进入月球轨道，并成为用肉眼观看月球背面的最早的人类。在离月球表面 100 公里高处用带望远镜的照相机拍摄了第一张月球背面照片，并且显示出飞碟的降落点。

当你看了照片后，一定以为是从人造卫星或飞机上拍摄的地

这是史前时期的塑像，是否像极了太空宇航员？

口，飞往月球的载人飞船并未考察过，所以可以肯定它不可能是登月艇的某种遗物。据麦杰维耶夫博士推测，这架飞机可能是被外星人劫持到月球上去的。另外，从飞机表面似有苔藓类存在来看，有人推测它可能与百慕大三角有某种关系。有的 UFO 专家曾断定：月球是飞碟基地之一，现在看来，这架轰炸机的发现，无疑为这种说法增添了可信性。确实，以离地球较近而人们又很少注意的月球作基地无疑是比较理想的。到底真相如何？一位权威的 UFO 专家要求美苏两国共同努力，弄清这件事的真相。

12.UFO种类之谜

将目击者所看到的飞碟以大小来分类，从小型迷你型飞碟到大型飞碟形状各异。飞碟如果是外星人所乘坐的飞行器的话，那么可能依照用途的不同，而有各种形状、大小的分别。依照目击案例可由大小分类如下：

①超小型无人探测机：直径3公分左右较多。大的飞碟会飞进房屋内，在大UFO出现前先发现此类小飞碟的情况居多，通常为球型或圆盘型。

在马来西亚也曾出现迷你型UFO载有体型小的外星人的报导，所以也不能断定迷你型UFO为无人探测机。

②小型侦察机：直径在1到5公尺左右，曾有人目击到此大小的飞碟着陆，并由飞碟中走出外星人，外星人还在降落点周围进行各项调查。

③标准型联络机：直径在7到10公尺以上，以圆盘型较多，像最常见的UFO，可能是与外太空及地面调查的飞碟互相联络用，地球人被绑架到飞碟的事件，也几乎都是此型飞碟的杰作。

④大型母船：直径由几百公尺到几千公尺以上大小的飞碟，以圆筒型及圆盘型居多。由几千公尺到1至2万公尺高度被看到的情况较多，降落在地面的目击案例则没有。

由于有许多目击者指出，有小型或标准型的UFO飞进或飞出，因此，此类大小的飞碟被认为可能是飞碟的大型母船。

若依外型来区分的话，则飞碟至少可分为十种，但为何有这么多形状的原因则尚未明了。代表性的飞碟形状，依目击者的证词指出，UFO的形状虽然各式各样，但看到完全相同形状的例子则几乎是没有。

除了上述形状的以外，还有类似直升机形的飞碟。最近并有云状 UFO 或发光体型 UFO 在世界各地出现，假若 UFO 是外星人飞行器的话，那么此形状的飞碟应是最适合宇宙飞行的，所以从事研究的人很多。但也有研究人员指出，云状 UFO 可能是圆筒形或圆盘形 UFO 等所排放的云状物，而非 UFO 机体。

13. “调戏”人类的 UFO 之谜

1953 年 11 月 23 日，美国飞行员菲力克斯少校和雷达员威尔杰少校接到空军防卫指挥部的命令，从罗斯空军基地起飞去追踪苏必利尔湖上空被雷达发现的一个不明飞行物。他们驾驶一架 F——89C 喷气式战斗机由地面导航直扑那个物体。地面指挥员在显示屏幕上看到飞机接近了那个 UFO。在屏幕上飞机和 UFO 的信号都很清晰，可是后来都突然从屏幕上消失了。从此，再也没见到那架飞机和机上的驾驶员，搜索也毫无结果。

1978 年 10 月 18 日，劳伦斯·科因中尉和三名机组人员，驾驶一架美国空军直升飞机从俄亥俄州的哥伦布飞往克里夫兰。40 分钟后，他们飞抵曼斯菲尔德上空，高度为 750 米。这时，一名机组人员发现一个闪着红光的物体正高速从东部靠近飞机。科因中尉立即将飞机下降到 510 米以避免相撞。在离飞机大约 150 米时，这个不明飞行物突然停下来。科因中尉注意到这是一个巨大的灰色金属飞船，大约有 18 米长，形状像流线型的扁雪茄。它前部边缘闪烁着红光，后部闪着绿灯，中间有圆盖。一盏绿灯突然旋转起来，绿色灯光照亮了直升飞机的座舱。科因赶紧用无线电发出 SOS 信号，但无线电装置莫名其妙突然灵，既不能发送信号，也不能接收信号。后来他检查了一下仪器盘和气表盘，发现这架直升飞机正在升入高空。

“我简直不敢相信，”他说，“高度已达到1000米，我并没有拉升高操纵杆。所有的控制系统似乎已被某种力量设定为上升20°，我们在几秒钟内从510米爬到了1000米，没感到压抑或呼吸困难，没有噪音，没有骚动。”。

最后，机组人员感到了一下轻微的弹跳，那个UFO向西北呈“之”字形飞去，7分钟后，直升机上的无线电装置又自动恢复正常状态。

1965年2月5日夜，美国国防部租用的飞虎航空公司的一架班机飞越太平洋，向日本运送飞行员和战士。大约在东京时间1点钟，机上雷达测得空中有三个巨大的物体在高速飞行。

起初，飞机驾驶员和雷达员以为仪器出了毛病，因为他们从未见雷达上出现这么大的三个亮点。可是，说时迟那时快，他们上方和左侧方立即出现了一道红色光。几秒钟后，机长发现空中有三个巨大的椭圆形物体。它们以令人吃惊的速度排着紧密的队形向下俯冲，似乎向他们的飞机直扑而来。

机长当机立断，马上转弯回避，那三个飞行物也很快改航，并突然减速，相互紧挨，大体与飞机飞行在同一高度。

据雷达显示计算，三个飞行物跑飞机大约相距8000米，但他们的体积看上去仍大得惊人，对此，飞行员都觉得是一个谜，更觉得是威胁。机上人员精力高度集中，一个个瞪大眼睛注视着这三个庞大的怪物，生怕有什么事发生。

几分钟过去了，十分奇怪的是，三个不明飞行物似乎不打算靠近飞机，仅仅满足于尾随而已。这时，机长派去观察的一个机组人员带回了一个随机同行的美国军官。机长正准备向日本的冲绳呼叫，希望地面派喷气式战斗机来护航，以防遭受庞大怪物的袭击。可是这个美国军官仔细观察了那三个物体之后，耐心地劝阻机长。他认为即使喷气式战斗机及时赶到也无济于事，相反，如果招来对方的攻击，后果不堪设想。

又过了几分钟，三个怪物赶了上来，与飞机并肩飞行。这时，飞机里乱成一团，紧张的气氛到了快要爆炸的程度。突然，三个飞行物向高空升腾，以2000公里/小时的高速远离而去，转眼之间就消失得无影无踪。

飞机在紧张的气氛中降落了。空军情报员立即向五角大楼发了密码电报，报告了不明飞行物骚扰飞机的经过。应机长请求仔细观察飞碟的美国军官的估计，那些宠大的飞碟长度起码有700米。

一个月后，美国全国大气现象调查委员会得到一份在日本服役的美军上尉签署的报告。经过分析之后，这个案例刊登在该委员会的公报上。不过根据一位心理学家的建议，飞碟的规模被缩小到250米。

1956年，英国剑桥郡和萨福郡的几个镇上空，经常出现UFO，英国皇家空军飞机多次紧急升空，但UFO每次都像在做空中游戏一样，把皇家空军的战斗机戏弄一番。

1956年8月13日上午9时30分，空军雷达员本特·沃特斯看到一个物体正以每小时5000公里的高速掠过屏幕，接着又发现一组物体追踪着它到了海上，它们似乎成串地进入了这个静止的大物体之中，然后一起消失了。

本特·沃特斯提醒此部雷达站的人注意。莱肯黑斯站的人也在屏幕上清晰地看到了这个物体。他们发现，这个物体疯狂地改变方向，以锐角不停顿地飞翔，从静止状态突然以极快的速度行驶，其飞行性能简直令人迷惑不解。

两架喷气式战斗机起飞前往拦截，但升空后却没有发现UFO的任何踪迹，只有返航。然后一架装备了雷达的维诺姆单座战斗机由地机导航又从海滨起飞。这架战斗机升空后，却发现那个UFO正在莱肯黑斯上空静止不动，清晰可见，高度在4500－8500米之间。

飞行员开动了雷达和“炮锁”，还没来得及有所行动，突然发现UFO“失踪”了。他赶紧询问地面控制中心：“它跑到哪里去了?”地面控制中心回答：“罗格，它出现了，它在你的后面，它还在那。”这个UFO以“之”字形变换着位置，并以令人不可置信的锐角飞行，其速度之快以致雷达都跟不上。一会儿，它在战斗机后面，分解成两个不同的单元，一个挨着一个，紧紧锁住了那架战斗机。

1967年2月2日，一架秘鲁航空公司的“DC—K”客机，载着52名乘客从皮乌拉飞往利马，途中被不明飞行物追戏了差不多300公里。

飞机飞到奇克拉的上空时，高度为2000米，机长奥斯瓦尔·桑比蒂在飞机右侧发现一个发光体，虽然离客机尚有几公里之遥，但它强烈的光芒仍可令各乘客看清。那是一个倒锥体模样的飞行物，它的速度、方向、高度都大体与飞机相同，与飞机并列飞行。不久，那个飞行物显示出极为高超的杂技般技巧，翻着跟头，做着奇怪的动作，一会儿垂直上升，一会儿飘然下降……不知怎的，它猛然朝飞机冲来，飞机已经无法回避，机上的乘客吓得面无人色，有的甚至大哭起来，可是它略一抬头，便从飞机顶上安然掠过。它的底部像个漏斗，上面直径约70米。令人不安和恐惧的是，它掠过飞机之后，飞机的电子设备全部失灵，无法和利马机场或其他机场取得联系。飞行物跟踪大约一个小时后离去。52名大难不死的旅客都是活生生的证人。

1982年4月13日早晨5时15分，西班牙利阿里群岛的桑塔尼军事基地上空，出现了六个盘状物，悬浮在一架正在装货的飞机尾部上方。它像一只倒扣的菜碟，上部发光，下部较暗，无声响，不一会又腾飞向高空，与另外五个盘状飞行物会合，去拦截一架正在航行的大型运输机。此时，基地雷达测得六个飞行物反射回波，看见它们摆成“八”字形挡在运输机的前方。指挥中心立即命令一架战斗机紧急升空，试图驱散正编队飞行的不明飞行物。战斗机升空之后，那六个盘状飞行物仍然且退且拦，并随运输机的速度变化或快或慢，一点没有离去的样子。战斗机快靠近运输机时，那六个不明飞行物突然收到一起，好像合成了一个整体，转眼间就快速离去，消失得无影无踪。据运输机长说，不明飞行物缠住他的时间起码有30分钟，而这些飞行物出现于机场上空直至消逝，先后持续达18分钟。

1986年12月7日黄昏，一架波音747货机由巴黎飞往东京，在经过美国阿拉斯加上空时，机长突然发现在飞机左前方偏下的600米处闪现两束灯光，并以与该日航货机相同的速度相伴飞行。7分钟后，不明飞行物突然向飞机靠拢，在距飞机150米左右的地方猛然放射出刺眼的强光同时，顿时照得舱内通亮，同时机组人员感到一股热浪逼来。几分钟后，不明飞行物又恢复先前情况，继续在机前导航般飞行。机组人员观察到，不明飞行物像正方形，中间部分黑暗，左右两端各三分之一部分有无数个像喷嘴似的物件。白炽灯似的亮光从这些嘴里射出来。

突然，不明飞行物消失在飞机左前方大约40°的地方。大家正暗自庆幸之际，它猛地又在左前方出现了。地面指挥塔此时命令一架正从日航货机逆向飞来的美国飞机协助侦察该空域的不明飞行物，而就在美、日两架飞机交错而过的刹那，它又失去了踪影。

半小时后，不明飞行物再度出现。在靠近费尔邦克斯市区上空时，由于地面灯光照亮，机组人员第一次看清不明飞行物的实体。原来它竟是一个比航空母舰大两倍的巨型球状飞行物，直径足有大型货机的几十倍。

这个巨大的 UFO 追随日航货机近 50 分钟，行程 760 公里，最后在抵达美国安克雷奇之前消失在茫茫夜空之中。

14. 恶作剧的 UFO 之谜

不明飞行物对电流产生作用，许多目击报告都谈到了这一点。1957 年，美国空军的研究人员发现，不明飞行物是通过某种受控电磁波来干扰我们的电路的。汽车灭火、引擎停转、飞机导航仪及无线电通讯受干扰，这些现象十分危险，特别对正在航行中的飞机来说，必然是凶多吉少。然而，还有一种威胁严重地影响了公众的生活，那就是大规模的停电事故。

1965 年 9 月 23 日晚上，墨西哥奎尔纳瓦卡市附近上空出现了一个巨大的淡红色圆盘形飞行物。目击者成千上万，其中有州长埃米利·里瓦·帕拉西。这个不明飞行物掠过市郊村镇时，所有的电灯都暗了下来。接着，圆盘物飞入了市中心上空，整个城市便陷入了一片漆黑之中，持续时间竟达数分钟。后来，飞行物向高空升去，迅速消失，城市这时才“重见光明”。奎尔纳瓦卡市市长瓦伦丁·冈萨雷斯和军区长官拉斐尔·恩里克·维加将军同州长一样，自始至终观察着不明飞行物的全部活动。

目击 UFO 的人，描绘着他了解到的 UFO 是菱形的。

类似事件在其他国家也时有发生。在美国，UFO 引起的第一次停电事件发生在伊利诺斯州的塔马罗阿市。1957 年 11 月 14 日，一个 UFO 出现在塔马罗阿市低空，致使方圆 6 平方公里内的电路全部中断。11 天后，巴西的莫吉一米林也发生了同样的事件。不过，这一回人们看到 3 个 UFO 在空中盘旋。1958 年 8 月 3 日，罗马市的一个街区由于 UFO 从空中掠过造成了严重的停电事故。

令人不安的停电事故在美国重要城市纽约也发生了，1957年11月9日当一个着火的圆球体向低空下降时，各个电器和电网的电压就开始急剧减弱。汉考克机场的几位工作人员看到了一个不明飞行物，而刚从飞机上走下来的航空局官员沃尔什则发现，那是一个十分巨大的物体，它缓慢地在低空飞行，几分钟后，沃尔什又看到了第二个不明飞行物，它同第一个一模一样。

这时，教官韦尔登·罗斯正架机向机场飞来，当时他还以为是地面的房屋起了火。可是，罗斯和坐在他后面的控制论专家詹姆斯·布鲁金吃惊地发现，那个“通红的火球”竟离开了地面。它的直径30米左右，它急速飞行，转瞬间便消失在夜空。

当时，机场一片漆黑，罗斯凭着自己的经验安全地着陆了。下了飞机，他立即向指挥塔和沃尔什作了报告。

据罗斯判断，那个不速之客悬停的位置在克莱配电站上空，该配电站控制着全纽约市的用电。当时正是市民们到郊外去度假的时候，停电事故使600列地铁火车停驶，60000人被困在漆黑的隧道里。此外，数以千计的人亦被关在电梯中，欲坐不能，呼之无应。市内桥梁和地铁隧道一片混乱，大小汽车你挤我撞，交通事故一个接着一个。

那天晚上，拉瓜迪亚机场勉强飞出了几架飞机，但肯尼迪国际机场只得取消全部航班，准备在该机场降落的飞机也只好改而飞往其他机场。

纽约陷入了黑暗，消息立即传到了华盛顿和白宫。当时的美国总统约翰逊马上命令紧急战备部颁布全国处于紧急状态。那个晚上，他彻夜未眠，一直守在电话机旁，每5分钟向紧急战备部询问一次情况。能源专家们一筹莫展，无法解释这突如其来的、大范围内的持续停电现象。他们认为，供电和控制系统是万无一失的，决不可能是线路上的问题。

后来，困在地铁隧道里的乘客一个个摸黑走出了隧道。各家电台也启动备用发电机，使中断了的广播又响了起来。

最苦的是困在电梯中的人：有的惊恐万状，发出绝望的嚎叫；有人砸开电梯的门，艰难地爬入楼内；而大部分人则只好呆在电梯里静候了数小时才获得“解放”。事后，曼哈顿和纽约市的救护车统统出动，医院急诊室里挤得水泄不通，疯人院里的床位都被抢订一空。据一则消息透露，连圣帕特里克人教堂里也住满了精神失常的人。当时，有人认为是敌人发动了闪电战，也有人以为天外来客入侵了地球。

大家议论着这次波及8个州的停电事故。要知道纽约周围的电网可都是新设备。几家发电公司的负责人纷纷向电台发表谈话，表示不理解这次事故的原因。约翰逊总统当夜召开紧急会议，下令联邦能源委员会马上进行调查。空军参谋部的官员们希望该委员会仅仅从技术设备入手，去寻找停电原因。然而，翌日清晨，各家报纸都把昨晚目击到的UFO说成是“罪魁祸首”。

锡拉丘兹市的《先驱报》率先发表了有关1965年11月9日夜目击UFO的报告。该报在显著的位置强调指出，有人在克莱配电站附近见到了奇怪的飞行物。接着，印第安纳州波利斯市的《明星报》也发表文章，综述了以前由于UFO的出现所发生的一系列停电事件。《明星报》的结论是：“……答案只有一个：UFO在作怪……这至少是调查员们不能掉以轻心的一个假设。”

供给纽约市的强大电流都是由尼亚加拉瀑布城发电厂通过克莱配电站输送的。11月9日，即事件发生的当天，国防部长赛勒斯·万斯紧急战备部以及核电网的大部分供电专家都曾断言，问题出在克莱配电站的电路上。而11月10日和11日，报界却一致赞同了《先驱报》的说法，并越来越强调UFO的作用，这就使得当局十分难堪。

后来，美国东北部最大的发电公司的经理查尔斯·普拉特先生打破了几天的沉默，向报界发表谈话："我们不知如何来解放。不过，我们的线路没有断，发电机组没有毛病，保险器也没有发生故障。"

爱迪生电业集团的发言人认为，这次停电事件，令人奇怪："大量的电能莫明其妙地被什么东西吸走了，仿佛整个电流都通入地球似的。我们无法作出解释。"

联邦能源委员会主席约瑟夫·C·斯威德勒一筹莫展，两天之后，他不得不垂头丧气地说："东北部的停电大事故，很可能永远也找不到答案。而且，谁也保证不了今后不会发生类似的事件。"

11月14日，加拿大总理电告FPC，加拿大打算退出加拿大——美国联合电业集团，以防止美国的停电事故给加拿大带来的损害。

同一天，美国全国广播公司评论员弗朗克·麦克吉在电台里播发了一份新的UFO目击报告。麦克吉说，在大停电事故前夕，一名飞行员曾看到一个红彤彤的球体在尼亚加拉瀑布城电厂附近的上空飞行。美联社立即转发了这条消息，许多报纸都作了报道。

11月15日上午，纽约《美国人杂志》就锡拉丘兹《先驱报》的文章发表的长篇评述指出，事件是UFO造成的。此后，人们普遍认为，外星人派来的飞碟截断了我们城镇的电流。《动力》月刊主编经过周密的调查，发表了一份证据确凿的报告。内称：

“11月9日下午，亚当—贝克2号机运转正常，它用5条线路为多伦多送电，负荷远远低于设计能力的极限。可是，好像有一股异常强大的电流突然流入似的，一台继电器猛烈爆炸，一条线路被炸断。”

“这件事只是正常工作的一件小事，只要稍加检修便可以恢复线路。然而，一场恶梦开始了：仅仅过了4秒钟，整个加拿大—美国电网陷入了瘫痪。”

“几乎与此同时，多伦多的其他线路都中断了。一股无形的强大电流转眼间使克莱配电站和圣洛朗河上的电力设施遭到彻底破坏。”

《动力》月刊的这份报告是属实的，但它对电网的安全措施和应变事故的能力只字未提。经过长期的调查，专家们私下里认为，只有一种解释，即有一股强大的电磁波袭击了电网，在转瞬间产生了超高电，烧毁了克莱配电站和亚当—贝克变电站的设施。

经多年的研究证明，UFO有中断电流的本领。它致使美国东北部电网发生了严重的停电事故。

15 浑身洒了“香水”的UFO之谜

阿根廷的不明飞行物研究组织CEFANC，曾对一起发生在乌拉圭境内的UFO着陆事件进行了调查，似乎更能说明UFO是外星人的宇航器具。

事件发生在圣何塞省离蒙得维的亚90公里远的一个地方。目击者胡安·费罗切·哈西奥拉，已经是两个孩子的父亲，他有自己的庄园，平时就在自己庄园后面的房子里打铁做工。他的庄园位于利伯塔德市附近一个偏僻的地方。1980年6月14日（星期六）凌晨1点左右，63岁的铁匠罗切正躺在床上听收音机，他的妻子睡在他的旁边。突然，他觉得从外面来了一种奇怪的声音，便翻身起来去查看一番，这个铁匠的房子十分简陋，房门上开着两扇小窗，当他从左侧的窗户中看到门外有两个人在走动时，首先想到的是，可能是自己的两个闺女回家来看望他们，因为他已经很长时间没见到她们了。但奇怪他们怎会在这个时候回来呢？后来，铁匠看清了是两个陌生的人，心里就害怕起来。他发现，那两个样子很怪的年轻人，眼睛好奇地盯着他刚刚打开的门灯，据费罗切说，那两个人好奇地盯着门灯。但他认为，那两个人凝视的目光说明，他们是有意让人看到自己的。就在这很短的时间里，目击者看清楚了陌生人的外表，是一男一女，男的站在前头，女的好像在说话。

据目击者说，那两个人的神态显得很高傲，他们身体的各个部位是很成比例的。从他们的脸上看，他们有16、17岁的样子，他们的身体比较高大，他们的头发短而卷曲，颜色黑极了，他们的上额有一道疤痕，像是一道很深的伤痕，位于两眉之间，一直延伸到头发里。疤痕的宽度约1厘米，脸和手都是惨白惨白的。他们的外貌虽算不上天使，却是很漂亮的，他们的脸圆圆的，脖子比一般人瘦些和长些，他们的仪表跟地球人差不多，看上去像是兄妹两个。他们的上衣连裤服紧贴肌肉，从脖颈起一直套到脚部。费罗切说："那件奇怪的上衣连裤服真贴身，我甚至觉得他们是赤身裸体的一样。那套服装是铅灰颜色的，不发光，色调晦暗。"乍一看，费罗切还以为他们披着一身极纤细的兽毛，他们两人的肌肉要比一般人发达。那女人有着苗条的身材，很容易分辨出两者的性别，费罗切说："我甚至看清那个少女的胸脯上突出的乳头。”据这位铁匠说，那个男青年的双臂、胸部和双腿的肌肉隆起，显得很壮实。

在谈到后来的情况时，费罗切先生说：“那男人毫不犹豫地朝我走来，他走得很快，就好像我的双眼在暗示他走进来一样。”当时，大门关掩着，那男人用手将门推开，而在此之前费罗切已用力把门顶住。然而，这无济于事。因此，费罗切马上用左手攥住那人的手背。这时，费罗切蓦然感到手剧烈地疼痛，好像他的手放在火上似的。铁匠说：“当时，我同他奋力搏斗，不让他进来，奇怪的是，当我感到手被烧得生疼时，也感到那人推门的劲小了。于是，我就用力往外推门，把门关上。但使我感到困惑不解的是，他们把我的手烧伤后就离去了。”当调查人员询问他是否可以讲出那只手的质感时，他回答说，当时那股热量来得极快，他尚未能攥紧那人的手，就痛得将手缩了回来。

那时，目击者的妻子安娜·凰罗迪·德旨罗切夫人正躺在床上。等丈夫从外屋回来，她说：“我躺在床上，并没有感到很不安。我在想，也许是猪或狗想偷吃我们晒在外头的肉片吧。这时，我突然听到丈夫在喊：‘不！不！你不能进来’。在听到门啪地一声关上时，我从床上爬起来，当时我还以为丈夫把动物赶走了，于是，我朝饭厅走去。当我看到丈夫痛苦地把手挟在腋下时，我吓呆了，他对我说的头一句话就是有两个年轻人想进来偷东西！我察看他的手时，发现上面都是很红的小点，后来，我开门朝外头看，但什么也没看见。”

当晚，夫妇两人都没有睡着。天亮后，他们把夜里发生的事情报告了警方。警方将胡安·费罗切送到当地医院拉蒙·努涅斯大夫为他进行治疗。后来，这位大夫对记者说：“我为他进行了诊断，我看到他的左手上有许多烧伤，这些伤在手上的表面，呈点状，散布在手心上。显然，这是因为手接触到高温东西而引起的，但伤热并不严重。”

在调查人员对费罗切进行调查时，他们看到伤正处于结痂阶段，他们数了一下，在他手心上共有 42 个点状伤痕，毫无规律地散布在手心上。

调查人员在费罗切的带领下，来到他住房外的一个地方，在那里，他们发现了 3 个小坑，如果将这 3 个小坑连起来，就是一个每边长约 3 米的三角形，很明显，3 个小坑是某种很重的庞大物体压成的。尽管下过多次大雨，它们的轮廓依然清楚。这 3 个坑，有两个一样，而第 3 个却比前两个大，这个大一些的坑深约 7 厘米，直径有 60 厘米。这些小坑位于费罗切的房屋约 80 米远的地方。费罗切先生说，在他从努涅斯大夫那里看完伤回来后就去查看电表。结果他惊愕地发现，仅那天晚上，电表指示消耗的电竟达 600 千瓦。然而，他平常一个月的耗电量也没有这么多。费罗切先生还对调查人员说，在离房门不远的一张工作台下面，他闻到了一股怪味。这股味是从地里面散发出来的，很香，但却说不出是什么香味。乌拉圭的调查人员讲，他们也确实闻到了一股鉴别不出的气味。

16 会武术的 UFO 之谜

瓦朗索尔事件发生在 1965 年 7 月 1 日星期四清晨。那时，太阳已经升起，晴空万里，风和日丽。一位名叫英里斯·M 的农场主，他家世世代代住在瓦朗索尔。这位 41 岁的诚实者在瓦朗索尔镇开了一家熏衣草香精提炼厂。

事情从 5 时 45 分开始，M 先生听到从熏衣草地传来一阵尖利的好像是钢锯在锯金属时发出的斯斯声。几分钟前，M 先生还耕过这块地。这时，他正在乱石堆后面休息，他的拖拉机就停在乱石堆附近，正当他掏出香烟准备点火时，这奇怪的声音吸引了他的注意力。他透过灌木林屏障向熏衣草地看去，发现 80 米以外的地方停着一个东西。一开始，他以为是一架直升飞机，随即又以为那是一辆雷诺汽车公司出产的多菲纳牌轿车。因为那物体没有旋翼，呈圆形，大小同多菲纳牌轿车差不多。M 先生觉得奇怪并怀疑起来，这车上的人是否就是头几天夜里折枝偷花的小偷呢？他没有点烟就站起身，猫着腰悄悄地朝多菲纳靠拢过去，他要出奇制胜，当场捕获那些小偷，当他走到熏衣草地边的灌木林时，他已经看得十分清楚了。这时，他发现那东西根本不是汽车，也不是直升机，而是一个形状古怪的椭圆物，它像一只巨大的蜘蛛趴在地里，圆球底下有两个人蹲着。在好奇心的驱使下，M 战胜了畏惧，穿过灌木林，进入了他的熏衣草地。此时，那个东西离他已只有几十米远，他看到那两个人很矮小，正面对面地蹲在那里，看上去他们似乎是在地上观察一棵熏衣草。随着渐渐地靠近，M 越来越清楚地看到了他们的外部特征：他们的脑袋奇大，脸形也同普通人完全不一样，这时他已明白他们不是地球人，这形状古怪的椭圆物也可能是来自外部世界的飞行器。当 M 先生离飞行器只有 5 至 6 米远的时候，对着他的那个矮人看见了他（或者说，他假装只是此刻才看见了他）。那矮人好像向背朝 M 的那个飞碟乘员做了个手势，因为第二个矮人也转过身来，两个人同时站了起来，与此同时，那第一个矮人的右手从右侧一个盒子里取出一根管子对准 M。

从这个时候起，M 先生顿时感到自己“瘫了”，想动也动弹不得。然而，他又感到自己并没有麻木，心里也不紧张。他看到那个矮人将自己定身之后，就把管状物放入挎在左侧的第二个较小的盒子里。两个矮人站在原地“讨论”了几分钟，M只听到一阵咕噜声，但不知道这声音是否是从矮人那像个小洞一样的嘴里发出来的。他们的眼睛动了几下，神态高傲，但不怀恶意。恰恰相反，M隐约感到他们对他“和蔼可亲”，怀有好意，不过，事后他说不清自己是怎样产生这种感觉的。不一会儿，他们十分敏捷地靠两只手飞入了飞行器中，球体上的门是滑动的，开在侧面，能自动地由下而上关闭，飞行器顶部有一个圆盖，看上去十分透明，进入座舱后，两位矮人面朝M先生。飞行器发出了一阵低沉的声音，响了几秒钟就停止了，飞行器浮起1米，一根垂直的中心轴慢慢地从土壤中拔出，这是一根固定在飞碟底部的外表像金属的支柱，当飞行器着陆时，它插入土中，飞行器缓慢起飞了，6根侧面的撑脚也离开了地面，开始环绕中心轴顺时针方向旋转。既没有烟，也没有飞扬的尘土。飞行物骤然加快速度，沿斜线朝西南方向腾空而去，它的飞行速度达到了惊人的速度，比喷气式飞机要快不知多少倍。M呆立着，看到飞行物飞了约30米，突然不知去向。不理解那东西为什么不是慢慢消失，而是像屏幕上的图像一样突然隐没，这时，整个天空什么也没有，再也不见飞行器的影踪。

在“瘫痪”状态下失去了任何恐惧心理的M先生意识到“他们”已经远去，这时他顿时产生了一种有生以来最强烈的不安情绪，他仍然被固定在原地，欲动不得，欲呼无力。他害怕自己会这样死在地里。据M先生说，大约一刻钟或20分钟或半小时后，他渐渐开始可以活动两只手了，接着四肢和躯体也能动了。顿时感到十分轻松的M先生走过去察看了地上的痕迹，然后回到乱石堆附近的拖拉机旁。

根据M先生的说法，飞碟着陆的地方在飞碟离去时是湿漉漉的，一片泥泞，中心轴着地的那个点有个洞，第二天，宪兵来到了现场，在着陆地果然发现有个洞。土壤已经变白，且十分坚硬（但没有玻璃化）。而这块地的其他地方，土壤是赭石色的（在旱天或雨天），那里或是一片干土面，或是松软泥泞。地面上有个直径约1.20米的盆状凹面，中心部位有个圆洞，洞壁光滑，四周匀称，像是钻头钻出来的，这个洞的直径为18厘米，约深40厘米。一位马诺斯克镇的小学教员说，他是首批来到现场观察的人中间的一个，当时他看到这个圆筒形的洞底还有3个小洞，分别相隔120厘米，斜着向3个方向延伸出去。《空中现象》杂志在1966年3月号上提到了这位小学教员，并描绘了3个小洞的分布与深度。宪兵们说，他们看到地面上有四道浅沟，都从中间那个小洞向外辐射，形成一个十字形，这几道浅沟宽8厘米、长1米。

美国空中现象研究会的调查员在飞碟着陆事件后赶到了现场，他们在着陆点以及20到30米以外的地区取了样土在实验室里进行了化学分析。着陆点变白了的土壤其含钙量明显地比别地要高（占18%）。可惜的是，化验报告没有明确指出，这钙处于什么状态，很可能是已经电离钙（处于可溶盐状态）。

埃梅·米歇尔是事隔一个月后才到着陆地来的。M先生当时指给他和宪兵们看，飞碟起飞的航线是斜的，顺着这条航线的地面上，熏衣草虽没被烧枯，但都已被焙烤得发黄（从着陆点往外算，被焙烤发黄的共有39行熏衣草，每行间隔1.30米）。比埃梅·米歇尔晚到现场的法官肖塔尔说，他所见到的熏衣草已经“返青”，甚至比周围的熏衣草长得更高更壮实。但是，这些熏衣草上仍留有不少枯萎了的枝叶。

飞碟飞走后，日击者精神上受到了极大的震动。但在头 3 天内，他并没有感到任何不适之处。只是，从第四天起，他一直处于沉睡之中，如果妻子和父亲不叫他起来吃饭的话，他一天 24 小时都可以熟睡。他的睡意很浓，而且有一种“痛快”的感觉。与此同时，M 先生得了轻微的精神运动性紊乱，他的手不自觉地轻轻颤抖着。当埃梅·米歇尔于 8 月 7 日来到瓦朗索尔调查的时候，M 先生每天仍要睡 14 至 15 小时，他的双手仍然有轻微的颤抖现象。除上述异象外，目击者“身体状况十分良好”，他的嗜好睡眠症状一直延续了好几个月，后来才恢复了正常。

在目击飞碟着陆事件以前，M 先生的品行是一直受人夸奖的。瓦朗索尔镇的每一个人都认为他是一个简朴稳重的人，他性格开朗，从不闹事。他在家里和睦生活，在熏衣草香精提炼厂也不跟人闹矛盾，他不爱花钱。他从来没犯过神经抑郁症，也没发生过精神方面的紊乱现象。这些情况，在有 2000 人的镇子里是尽人皆知、有口皆碑的。

17 长了“翅膀”的 UFO 之谜

法国记者若埃尔·梅斯纳尔和克洛德帕维对发生在法国克萨克高原的“外星人”着陆案进行了详细的调查。《空间现象》杂志第 16 期发表了他们的调查报告。下面是主要内容：

事情发生在法国康塔尔省古萨克高原。时间为 1967 年 8 月 29 日。在离圣弗鲁尔市 20 公里外的古萨克，有一片平坦的牧场，周围筑有一道矮墙，高大的树木沿墙而立，一派高原风光，牧场旁一个山岗上，错落星散着几户人家，这就是远离繁华城镇的古萨克村。

上午10时30分左右，在57号省公路旁的一块牧场上，十来头奶牛在悠闲地吃着嫩绿的青草。看守这群奶牛的是兄妹俩，哥哥13岁半，名叫弗朗索瓦·德尔珀什，妹妹安娜玛丽，刚满9岁。一条名叫梅多尔的小狗跟在他们后头。这天风和日丽，晴空无云，吹着微微的西风。

奶牛有点不老实，准备跳过矮墙，去吃人家牧场上的青草，弗朗索瓦立即追了过去。当他无意中扭头时，发现在公路另一侧有4个“孩子”站在绿篱后1面，离他们约40米远。他扒去墙上几块砖，以便更好地看看那四个小朋友。可是，他认不出那些孩子是谁。他们的样子很古怪，脸和衣服均为黑色，弗朗索瓦和安娜玛丽看到，这些怪人身旁有一个极其耀眼的巨大球体，它有一半被篱笆挡住。那球体发着强光，使人不能正视。

4个黑人中有一个弯着腰在地上忙着什么，另有一个人手中握着某个反射阳光的物体。弗朗索瓦事后说，那东西像镜子一样耀眼。握东西者挥动着手，仿佛在向他的同伴们做手势。

这时，弗朗索瓦大喊道：“过来跟我们一起玩，好吗？”那几个人发现有人在监视自已，于是，第一个矮人垂直升起，飞到发光球体上方，头部倒了过来，钻了进去。第2个矮人以同样的方式进了球体，第3个也是这样。至于第4个矮人，当他飞到球体上方时，忽然又拐了下来，似乎在地面拣了个什么（弗朗索瓦推测，他把那镜子忘在了地面），然后又腾空而起。这时，球体已经飞入空中，他追了上去，一头钻进球内。那球体划着圆圈上升，离地面已约15米高。在飞行体旋转升腾时，弗朗索瓦他们听到了呼啸声，声音相当尖利，但不甚高，同时还伴有轻微的气浪。

飞行器继续绕了几圈，向高空腾去，它的表面发着越来越强烈的光芒。过了一会儿，呼啸声消失了，飞行物以罕见的速度向西北方疾驶而去。

在这过程中，弗朗索瓦兄妹两闻到了一股硫磺气味。奶牛露出惊慌的神色，张大了嘴吼叫着。300 米开外的另一个牧场里的 25 头奶牛也不约而同地大叫起来，纷纷跑过来同弗朗索瓦看护的奶牛聚集在一起。梅多尔小狗一个劲儿地朝空中的球体狂吠，还跟在后边追了一阵。

弗朗索瓦同安娜玛丽没有看见那球体是如何消失的，因为他们的奶牛十分惊慌。孩子们比往常提前半个小时把牲口赶回了圈里。并且弗朗索瓦的眼睛因受了极大的刺激，一直流着泪水，医生给他戴上了太阳镜，几天以后才恢复正常。他妹妹没有什么异感，也没有用太阳镜保护眼睛。

事后，我们特地到现场进行调查，并获得这样一些情况：兄妹俩看到的是一个标准的球体，直径约 2 米，呈极其耀眼的银白色。在那球体表面没有发现什么附件，它是光滑完整的，既无文字标号，也无门窗一类的出入口。1 个矮人好像是穿透球壁进入内部。安娜玛丽看到的唯一情节，就是球体底部有一个起落架，由 3、4 个支架组成，支架末端各有一个直径为 10 厘米的滑动轮子，可是，弗朗索瓦没有看见这一装置，当球体升入空中时，起落架就不见了。安娜玛丽说她没有看见起落架缩回球内去。她看见几根支架撑在腹部，但一眨眼就不知怎的不见了。可以设想，当飞行器运动上升时其光闪得十分耀眼，球体的各个部位被强光包围，弗朗索瓦的眼睛受到光的刺激，没能看到起落装置，这也不是不合情理的。

当飞行体螺旋式上升时，空气中飘散着一股硫磺味，这个说法也是符合实际的。因为孩子们在球体的东南方，当时刮的是西风。风把气味吹到东边来了，不过，值得指出的是，当球体起飞时，牲口都跑到一起大声吼叫，致使臭气达到一定的程度，这很有可能被两个孩子当作了硫磺味。

兄弟俩提供有关浑身发黑的矮人的情况是：他们身高约 1 米至 1.2 米，他们的个子是不一样的，第 1 和第 2 个人较矮，第 4 个人最高，他手里拿着一面镜子。他们上下发黑，但闪闪发光。弗朗索瓦说，他们仿佛穿着黑色丝织物。目击者无法确认，这黑色是矮人的肤色，还是他们穿的上衣连裤服的颜色。在大脑与躯体之间，看不出他们是否穿着上衣连裤服，他们脑袋上没有毛发。如果说他们确实穿着上衣连裤服的话，那这种衣服是极其柔和的。

这些人的四肢同躯体的比例，跟我们是不一样的，他们的胳膊又细又长。孩子们没能看清这些人是否有手。矮人们的腿又短又粗。弗朗索瓦他们看到了第 4 个矮人的脚时，他已经从地面上捡了东西追上球体。据兄妹俩说，矮人的脚掌是蹼足。而这种形状会不会是鞋子呢?

同身躯相比，矮人的头的大小是正常的。可是他们的脑顶呈尖状，下巴也很凸出，他们的鼻子亦是尖的，然而，在这一点上，兄妹俩的叙述有矛盾，安娜玛丽说看到了鼻子，那第 4 个人追上球体时，她看清了他的侧影。然而，弗朗索瓦却没有注意到这个细节。

我们特地到现场进行调查，事先可没有通知任何人。孩子们不知道我们要来，因此接受我们的采访前不可能有什么准备。我俩先到了当地宪兵部。负责人热情地接待我们，同我们介绍了一般情况，证实了头些日子卢森堡电台报道的消息的真实性。该电台还把一位记者对孩子的父亲的电话采访录音带送给了我们。

宪兵们告诉我们，在出事那天下午4点，一些调查员到了现场，嗅到了一股硫磺味，此时，宪兵队及其调查员当时一致认为，此案属实，并非讹传或弄虚作假。

接着，我们驱车到了古萨克山村，当时，安娜玛丽正同母亲和小弟弟安德在家，他们热情地接待了我们。

我们询问了安娜玛丽约一个小时。我们两人轮番提问，毫不间断，我们常常用不同的语言或方式提出相同的问题，以检验女孩叙述的真实性，这些孩子相当腼腆，可是她在回答问题时并没有自相矛盾。

谈完之后，安娜玛丽领我们去找她的哥哥。当时，朗索瓦正同另一位兄弟雷蒙在地里劳动。

在现场和孩子们家里，我们向目击者提出了许多具体问题，谈话间，我们从未发现兄妹俩有什么暗示或递眼色之类的动作，他们的态度十分自然，知道什么就说什么。不知道的就说不知道。比如，弗朗索瓦对我们说："打从出事那天起，安娜玛丽就说看到了支架，而我却没有看见。因此关于这一点，我什么也不知道！"他还说，妹妹有可能把树枝当成支架了。

我们从孩子家长那里得知，看见飞行物后的两个晚上，安娜玛丽都没能入睡。弗朗索瓦在第一宿也睡不着觉。两位家长还说，古萨克村的德尔谢先生那天在翻晒牧草时听到球体发出的嘘嘘声，孩子们赶着奶牛回家时，他们的眼睛都淌着泪水，调查中他们没谈到这个细节，也许是出于自尊吧。

父母亲的谈话，从侧面证明了孩子们的可靠性。假如这是杜撰的故事，孩子们的描绘为何同飞碟事件中的一般现象如此相似呢？硫磺气味这个情节，就我们所知的这在飞碟现象中还是第一次听说过。古萨克飞碟案可说是一个典型案例，只有十分熟悉飞

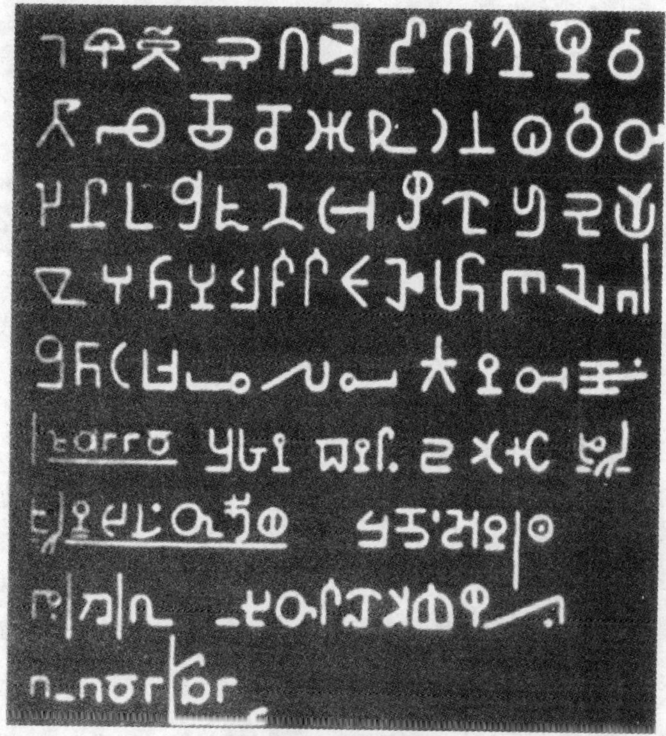

谁能破译这外星人密码？

碟刊物的人才能编造出这样完整的故事来，可是，这类刊物在山区传播很少，孩子们从来没有读过有关文章。因此，杜撰是不可能的。

目击者的父母亲告诉我们，弗朗索瓦正在上四年级，他是一个勤奋好学的孩子。当我们问他看了些什么书时，他脱口讲了几本书名：《法国诗库之宝》、《乔治·桑》、《夏托布里昂》。这些书大概就是学校大纲里规定的。此外，看上去这孩子不爱幻想，不可能凭空编造这么一个奇遇。除了害怕之外，他似乎没有把此事放在心上，也没有想到会引起什么风波。

18. 外星人的长相之谜

目前，各国的不明飞行物专家都掌握了一些可靠的有关外星人的目击报告。从这些目击报告来看，人们所见到的外星人大致可分成以下4类，即：

①矮人型类人生命体；

②蒙古人型类人生命体；

③巨爪型类人生命体；

④飞翼型类人生命体。

a 矮人型类人生命体

矮人型类人生命体也被我们叫做宇宙中的侏儒。他们的身高从0.9米至1.35米。同自己矮小的身躯相比，他们的脑袋显得很大，前额又高又凸，好像没有耳朵，或者说他们的耳朵太小，目击者很难看清。

他们目光呆滞，双目圆睁，说明其双眼对光线几乎毫无感觉。他们的鼻子很像地球人的鼻子，但有些目击者说，他们所见到的矮人的鼻子是在面孔中间的两道缝。矮人型类人生命体的嘴象一个有唇的口子一样，或者说是一个非常圆的、有奇怪皱纹的孔。他们的下巴又尖又小。他们的两只手臂挺长，脚颈肥大，从正面看去，好像几乎没有一样。然而，他们的双肩却又宽又壮。

据目击者说，这些矮人型类人生命体都身穿金属制上衣连裤服或是潜水服。有人曾看到过一小群这样的矮人，当时目击者还认为他们是外形丑陋的类人猿。这些矮人的两侧好像并不对称，他们身躯的左部似乎比右部肥大些。

b 蒙古人型类人生命体

这类类人生命体的身长在1.20米至1.80米之间。从总体上看，他们各个部位之间都很协调，没有任何丑陋的地方。他们的形态在各个部位都与地球人相近。如果要把他们与地球上的某个民族相比，他们很像是亚洲人。他们的肤色黝黑黝黑的。

1954年10月10日，马里尤斯·德威尔德先生发现了一个不明飞行物停在他家附近，尔后，从这个飞行物中走出来一个类人生命体。德威尔德先生说："我所看到的这个类人生命体戴着透明的、柔软的头盔。尽管天色有些黑，我还是看清了他的脸、耳朵和头发。这个'人'看上去很像亚洲人，面也真像蒙古人，他的下巴宽宽的，高颧骨、浓眉毛，双眼呈栗色，很像那种有蒙古褶的眼睛。他的皮肤很黑。"

至于服装，他们穿的是很贴身的上衣连裤服，就像宇航员的宇宙服一样。

从专家们收集到的有关类人生命体的报告来看，这一类人遇到的最多。

c 巨爪型类人生命体

这种类人生命体在50年代发生的世界性第一次不明飞行物风潮之后就再也没人看到过。专家们说，人们主要在南美洲的委内瑞拉发现过爪型类人生命体。

据目击者们讲，这些类人生命体都赤身裸体，不穿任何衣服。他们的身庙0.60至2.10米之间不等。他们的手臂特别长，同其身躯相比极不相称。手是巨型的大爪子。

1958年11月28日凌晨2点，两名加拉加斯市（委内瑞拉）的长途卡车驾驶员看到了一个巨型、闪闪发光的圆盘在地上着陆，尔后从圆盘中走出了一些巨爪型的类人生命体。他们先看到的外星人是一个浑身发光、头披长发的侏儒，这个侏儒一步一步地朝他们走来。当侏儒逐渐离他们非常近的时候，一个司机朝侏儒扑了过去，要把他逮住。这样，司机就同那个来自外星的人搏斗起来。侏儒力大无比，一下子就把司机打翻在地，接着就向圆盘跑去。此刻，其他类人生命体从圆盘中出来解救自己的伙伴。尔后，他们都消失在圆盘中。由于目击者是在近距离看到类人生命体的，所以他告诉调查这次事件的专家们说，这个侏儒有像爪子一样的手指，他的手是有蹼的。

1954年12月10日，在阿根廷的奇科；同年12月16日，在阿根廷的圣卡洛斯都曾发生过类似的事件。

同矮人型与蒙古人型类人生命体相比，这种巨爪型的类人生命体的特点是，具有侵略性，也就是说，他们似乎对地球上的人类有敌意。然而，自打1954年以来，人们就再也没有发现过这种巨爪型的类人生命体。

d 飞翼型类人生命体

1877年5月15日，在英国汉普郡的奥尔德肖特，两名正在站岗的哨兵发现，在军营处出现了一个穿紧身上衣连裤服、头戴发磷光头盔的人，他蓦地腾空飞了起来。两个哨兵惊恐万状，举枪朝那个空中飞行体射击，可是没有打着。那两个哨兵放下了枪，软瘫在地上。

1922年2月22日下午3点，在美国内布拉斯加州的哈贝尔，一个名叫威廉·C·拉姆的人正在森林里狩猎，突然，在一阵刺耳的鸣叫声过后，他看见一个球形物在离他20米远的地方着陆了，几秒钟后，他看到一个身高约2.4米的人朝那个球形物飞去。

1953年6月18日约14点30分，在美国的休斯敦，霍华德·菲利普斯先生、海德·沃尔克小姐与贾戴·万耶斯小姐，正在东三太街118号的花园里散步，突然，他们看见一个戴有头盔的人从他们眼前飞过。

1967年1月11日，在美国弗吉尼亚州的普莱曾特角，麦克·丹尼尔夫人从家里走出来上街去买东西。忽然，她发现在她右侧有一个像小飞机一样的东西贴着树梢从大街上飞过。由于那个东西朝她飞来，她可以辨认出那是一个背上有双翼的类人生命体。

1967年8月26日，在委内瑞拉的马图林，一个名叫萨基·马查雷恰的人发现了一个飞行物。起先，他还认为是一只野鹭。那个飞行物在一座桥的中间着陆了。此刻，马查雷恰才看清楚，那是一个约1米高的矮人，他的双眼大得吓人。

1967年9月29日约10点30分，在法国康塔尔省的居萨克，德尔皮埃什夫妇发现地面上停着一个直径为2米的圆球，站在那个圆球周围，4个矮小的生灵在飞着，他们围着圆球飞了一圈半后，就飞进了圆球。圆球呼啸升空。但这时，从飞行器中飞出来一个乘员，他降到地面去寻找他遗忘在那里的一个发光物。后来，他飞回了圆球内，随即圆球便迅速地飞走了。

1967年10月1日约22点，在美国俄克拉何马州邓肯市，一些车辆行驶在7号国家公路上朝东驶去。突然，司机们发现在公路旁站着3个奇怪的“人”。这些“人”身穿发磷光的蓝绿色上衣连裤服。他们的面孔很像地球人的脸，但双耳却又大又长。当他们看到司机们朝他们走过来时，就腾空飞起，消逝在夜空。

1968年9月2日约14点15分，在阿根廷的科菲科，一个名叫T·索拉的10岁孩子，看到一个身高2.1米的怪人在空中飞翔。他的身子放射出奇异的光芒。他飞到了一个停在地面的飞行器旁边。

e 其他类型的类人生命体

此外，目击者们还看到过其他类型的类人生命体。有人曾发现过一些不具地球人类外形的智能生物。例如，1954年9月27日，在法国汝拉的普雷马农，人们看到一个长方形的生物从一个飞行器中走出来。1954年10月2日，人们在法国刺十字地区，看到过两个发暗的“块状身影”从一个刚刚着陆的飞行器上走下来。据专家们认为，上述两起事件的怪物大概是受某个智能生物遥控的机器人。

1965年和1966年，美国人曾发现过一种新类型的类人生命体。他们或是矮人（0.8米高），或是巨人（3米高），这些类人生命体都具有以下特点：

没有眼睛；没有嘴；没有耳朵。

美国西北大学天文学家雅克·瓦莱曾经总结了发生在1909年至1960年期间的80起不明飞行物事件。在这51年当中，人们在刚刚着陆于地的不明飞行物旁发现过153个类人生命体。在这153个“人”当中，有35个属于蒙古型的类人生命体。

美国学者约翰·基尔认为，也许某一种类人生命体专门考察地球的某一个地区。因此，看来英国和法国是矮人型类人生命体专门光顾的地方，美国东部则是蒙古人型类人生命体“垄断”的地盘，而南美州大陆就成了专门吸引巨爪型类人生命体光临之地。这样，接下来的问题是，这些各种类型的外星人，是属于同一种文明呢，还是不同的文明呢？

对于这个问题，答案只是两个：第一，这些外星人彼此之间互不相识，他们所进行的任务也不相同，他们不属于同一种文明；第二，这些外星人属于同一种文明，他们在执行共同的探察地球的任务时担负着自己的那一部分使命。

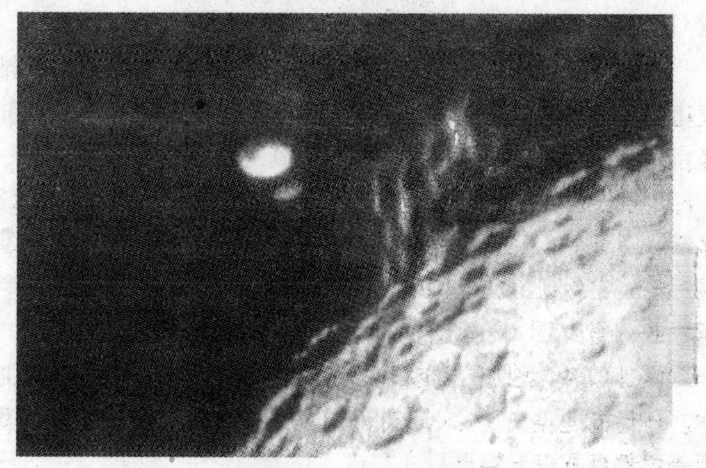

UFO“光临”月球的情景。

但从大多数目击报告来看，似乎各个目击者发现的类人生命体并没有在进行特定的使命。这样，人们就会提出这样一个问题：为什么外星人要让地球人发现呢？或者说，通过这类接触，外星人是否企图逐渐与地球人进行联系呢？

对这个问题，由于专家们缺乏两者之间进行对话的材料，是很难予以回答的。

然而，在这一些事件中，目击者们却看到了外星人在地面上进行着特定的活动：

他们考察土壤，采集石块，在进行考古研究。

这一切都表明，外星人是在科学地考察着我们的地球。

19. 住在地球的外星人之谜

1988年，在巴西深山中发现了一个外星人居住过的地下城，这对研究外星人很有帮助。

由巴西著名考古学家乔治·狄詹路博士带领20名学生到圣保罗市附近山区寻找印第安人古物，却找到了这个外星人曾居住的城市遗址，迹象显示，这个城市已存在8000年之久了。

当时这个考古队的一名学生，无意中跌落到一个20英尺深，又湿又黑的洞穴之中。狄詹路和其他同学立即去救他，这才发现洞穴内别有天地，不但宽大而且深不可测。他们在手电的照明下，找到一个巨大的密室，里面放满了陶瓷器皿，珠宝首饰。更令人吃惊的是，他们还发现了一些只有4英尺高的小人状骷髅。

狄詹路博士说："我最初还以为找到了一个古老印第安部落遗迹，直到我细看骷髅后才知道不是。"

它们头颅很大，双眼距离较一般人近得多，每只手只有两个手指，脚上也只有3个脚趾。

狄詹路博士等人再深入洞内，还发现了一批原子粒似的仪器和通讯工具。根据对洞内物件年份的鉴定，显示它们超过6000年以上。毫无疑问，这是一个曾在南美洲生活的极先进的外星民族。发现的那些骸骨与人类不同，其智慧也远远超出人类。从发现的通讯器材来看，他们必是来自另一个银河系，为了某些原因才在地球上定居下来。这次发现外星人地下城古迹是前所未有的。如能揭开其来龙去脉，将能更好地了解这个宇宙。

有这样一件令人感到十分惊讶的事情。在非洲的撒哈拉沙漠以南的贫困落后的马里共和国境内，有一个黑人部落——多贡部落。他们竟知道天狼星里有一个用肉眼看不见的伙伴，他们甚至可以准确地画出它的椭圆形轨道来。他们还说，还有一个天狼星C，虽然我们现代观测仪器还未发现它。

天狼星是个一等亮度的星，它离地球有8.7光年之遥。自1926年以来，人们在天文望远镜观察发现，天狼星是一个三元系，它还有一个伴星天狼星B。天狼星B是由密度很大的物质构成的。在多贡部落，只有部落里的教士和熟悉天狼星祭礼秘密的人才知道这些。这个秘密是加拉曼特人告诉多贡人的。而我们则对加拉曼特人一无所知。

多贡人知道天狼星B绕天狼星A公转周期是50年，这与事实是相符的。

难道说，外星人是从天狼星上来的？他们在人类中留下了这条线索，使人类永远记着？

1917年，在葡萄牙的法蒂玛有7万人目睹了在他们眼前发生的奇迹。10月13日这天，一大群人聚集在法蒂玛郊区的田野里，焦急地等待奇迹的发生：因为有3个儿童声称有一个乘坐光球，从天而降的神秘人物曾答应他们在这天将再次出现。从当年6月13日起，他们已在法蒂玛城外的田野见到这个神秘人好几次了。当第5次见面时，有几个成年人在场，他们证实了孩子们的话。在成年人之中，有莱里亚的代理主教，他说这个神秘的物体在“一个发光的飞机和一个大球中”出现。其他在场者说，那是“一个发光的球”。看来，只有孩子们才能和这个物体对话。

这个故事迅速在欧洲传开，到了指定的日期，有7万人来到位于里斯本北面的这座小城镇，以观看奇迹出现。这天正午时，突降大雨，站在雨中的人们惊讶地看见一道一道灿烂的光在大雨中闪闪发光。有些人认为是太阳，但云层太厚，并且无缝。当时在场的一位科学家、科英布拉大学的阿尔梅达·加勒特教授叙述说："一个轮廓清晰的珍珠色圆盘"，透过云层放出光芒，它开始旋转起来，由慢而快，由白色变成血红色。红彤彤的圆盘愈来愈接近人群的头顶，似乎要把他们全体压碎似的。此时，7万目击者，不由都惊惶失色，不禁大叫起来。突然，就像它来的那样，这神秘之物又出其不意地不见了。这事始终无人弄清楚。

开罗大学1990年7月16日举行了一次奇特的新闻发布会，介绍了对一名自称遇见了外星人和飞船的埃及青年的化验检验结果。这是埃及首例不明飞行物的报告。小伙子当众回答了几十个提问，令各国记者和学者们大感兴趣。

这位27岁的农村青年名叫克利姆，是一所电力学院的毕业生。1989年10月的一天，他为了进行马拉松赛训练，跑步穿越艾斯尤特沙漠的神庙山。这天清晨，他跑到了中途，忽听一阵尖啸声，并且越来越尖锐，他有些害怕，但没有停下步来。当他跑到一沙丘顶，眼前的情景令他目瞪口呆。一个金光闪闪的东西向他靠近下降。当这个形如球状飞船的东西靠近他时，他感到身体轻飘、迷醉一般被带入了飞船。在他眼前是密布的线路管道，五彩讯号灯和按钮、电视屏幕。一会出现3个外星人，他们长腿短臂，头小颈长，脸色暗绿而起皱，各长了3只眼睛。两个人离他4米，一个人慢慢靠近，手中拿着一架录音机似的仪器放在他右手上，他的手骨立刻显示在四周的屏幕上。外星人又把一玻璃管放入他口中，他一紧张把琉璃管咬碎。外星人面面相觑，一言不发。后来他又被带入一间闪烁光线的明亮房间，用各种仪器检查他。然后，让他沿着一束强光走，忽然强光消失，他已躺在沙地上，那圆形飞球早已无影无踪了。

后来，克利姆来到开罗亲戚家，他一靠近电视，图像就受到干扰并立即消失；他离开些，电视画面便恢复。更令其亲友惊讶的是，克利姆喝茶之后，若无其事地咬碎玻璃杯，嚼碎后咽下。他还能毫不费力地吃木头、金属和硬币。

美国大学理工系主行赛弗成立调查组检查克利姆，拍了录像。他们在实地测量时发现，飞碟未留下压痕，但该处的射线剂量明显高于周围。经过克利姆检查发现，他的身体、智力均正常。因此有一些学者相信，此飞碟之事确有其事。但也有一些心理学家认为，他的确有些吃硬物的奇异功能，也知道一些外星人和飞碟知识。他的脑电图有些异常，他小时又得过癫痫，认为该奇遇是他精神分裂，把想象当成事实而臆造的。

目前，克利姆已被送到埃及核能委员会作更深入的检查。

几年前，从南美的原始森林中又传来惊人的消息：这里有7600多名几十年来被外星人劫持的地球人！这是1988年7月初一位巴西科学家发布的。

消息说，该科学家6月份在亚马逊河时，意外地在原始森林中发现这些人。他们过着群居生活，年龄最大的80多岁，最小的才几岁。他们当中有60多年前被外星人劫持的，有的是最近几年才被劫持的。他们都曾被带往其它星球，或作苦役，或被当作怪物展览，或被用作活体研究，受尽了各种折磨。这些人大部分神智清醒，但一被问及外星人的特征及劫持经过等问题时，他们都缄默不语，看来他们可能是受到了外星人的威胁。这些人现已被转移到一个秘密的地方，以便进一步调查。

据说，美国中央情报局和苏联有关当局对此事甚为关注，苏联还专门为此发了一个内部文件。

就在此事披露不久，1988年7月14日，瑞士人类学家波·史皮拉在巴西原始森林中发现了一个被遗弃的外星人的婴儿！这个婴儿年龄在14至16个月之间，他与人类有点相似，不过耳朵是尖形，双眼无色，鼻子像管子。后来这个婴儿被带到阿诺里市以南的一个军事机构接受研究。

1887年8月一天下午，西班牙庞诺斯村的居民正在地里干活，突然，他们看见从附近的一个洞穴里爬出两个孩子来，一个男孩一个女孩。村民们都很奇怪，马上围了上来。只见这两个孩子皮肤呈绿色，绿得像树叶一样。他们身上穿的衣服不知道是用什么材料做的。两个孩子讲的话，村民们一句也听不懂。人们赶紧把这个消息报告给当地的治安法官。他请求上司派专家来检查这两个孩子，以弄清真相。可是，专家们也未能弄清孩子究竟讲的是什么语言。至于孩子皮肤上的绿颜色，不是涂抹的，而是皮肤里的绿色素所致。这两个“绿色孩子”的面庞很像黑人，但眼睛却像亚洲人。开始，人们给孩子弄来了各种各样的食品，他们都不吃。后来，有人给他们送来刚摘的青豆，他们很香地吃了起来。男孩由于体力太弱，很快就死掉了，而女孩则由那位治安法官收留下来。后来她那皮肤上的绿颜色慢慢地消褪了，并学了一点西班牙语。每当人们问她是从哪里来的时候，她回答总是使人莫名其妙。她说她来的那个地方没有阳光，始终是一片漆黑，但与之相邻的却是一个始终光明的世界。这个女孩在法官家里生活了5年，后来，也死去了。至今，“绿色孩子”的谜仍没人弄清楚。

近年来，世界上有的地方不断有人发现类似人一样的生物在活动。

在世界其它地区出现过“野人”，或者说出现过类似于人的生物。

1952年9月，美国弗吉尼亚地区的一个小村庄的一群孩子发现一个怪物从村后面的树林里走出来，它很像一个鲜红的大球。孩子们报告了当地的宪兵队，宪兵队派人同孩子们一道到树林里去搜查。果然找到了那个怪物。它身高约4米，身体与人体相似，它穿着衣服，像是用橡胶一类材料做的。它头上还戴着防护帽子，面孔呈红色，两只大眼睛呈桔黄色。从它身上散发出一股难闻的气味，这个怪物像是在地面上移动，而不是在走动。孩子们见此情景，吓得四处逃窜，连宪兵带去的狗也吓得跑开了。他们跑回去用电话报告了县长，等县长再派人到那森林里寻找时，已经找不到“怪物”了。但那股难闻的味仍未消散，并且还留下了一些难以解释的痕迹，好像有什么东西在空气里移动似的。

1963年7月23日午夜1点，美国俄勒冈州有3个人同乘一辆小汽车，行驶在公路上。突然，汽车前面出现了一个像人一样的庞然大物，它高4米，灰色的头发，绿色的眼睛，正在漫不经心地横穿马路。几天以后，还是在俄勒冈州，一对妇夫正在刘易斯河边钓鱼，突然，他们看见河对岸一个像人一样的东西在瞧着他们。这“野人”还穿戴着像风帽一样的护身衣，身高也不下4米。这对夫妇吓得连忙逃走。同年8月，《俄勒冈日报》派记者前往野人出现的地区调查，终于拍到了许多奇怪的脚印。这些脚印长40厘米、宽15厘米，估计留下脚印的生物体重超过200公斤。同时，有人在刘易斯河附近还拍摄到了另一些脚印：两个脚印间的距离达2米，估计这个野人体重达350公斤。由此可见，在刘易斯河附近发现的不只是一个“野人”。

那么，“绿色孩子”和上述那些类似人类的生物究竟是什么呢？它们是从什么地方来的呢？目前，尚没有确凿的证据得出结论，所以只能提出各种各样的假设。

“野人”是残留下来的古代人类吗？看来不大像。因为像美国这样的国家，科学技术十分发达，为了防止森林火灾，上述“野人”出没地区的森林时时刻刻都有直升飞机巡逻。而且，该地区人口也很稠密，在这样的地方，还生活着古代人类是不大可能的。如果真有什么古代人类留存至今的话，他们也不可能是一二个，所以不被人们发现更是不可能的。

有人认为，“野人”只不过是大猩猩一类的动物。那么，“绿色孩子”这个例子又做何解释呢？更何况，大猩猩也不可能高达4米，更不可能穿戴防护帽之类的东西。

那么，地球上发现的“野人”是不是来到地球上的外星人呢？这也是难以令人相信的。目前人们谈到的“野人”看来智力都并不很发达，至少没有给人以智力发达的印象。而外星人如果真的来到了我们的地球上，他们的智力当然要比地球人发达。他们来到地球也一定是为了科学考察，甚至与地球人交往，因而他们身上一定带有我们不认识的先进设备。他们用不着在深山老林里躲躲闪闪，更用不着像地球上没有智慧的动物一样在野外活动。而且，如果是从某一星球来的外星人，他们的外貌应该是相象的。可是现在人们见到的“野人”，彼此之间形象却大不一样。这也说明“野人”不大可能是外星人。

世界上许多专家认为，所谓的“野人”也许是外星人发送到地球上来的实验品，如同地球人发送到月球上去的动物试验品一样。这种说法不是没有道理的。第一，地球人不是已经在向外星发射探测试验品了吗？第二，有谁能肯定外星上像人这样的生物一定也是有智力的高级生命吗？也许那里是别的生物主宰的世界，而像人这样的生物则只相当于地球上的大猩猩！第三，在美国所见到的“野人”，他们的形象都不大一样，莫非外星人发来的试验品也像地球人进行试验时一样，有时用狗，有时则用猴子？第四，目前发现的“野人”一般都单独活动，且不在同一个地区反复出现。也许外星人将它们发送来，在完成试验后，又接回去了吧！

20.UFO的“特种部队”之谜

早在1973年，美国的《宇宙新闻》杂志发表了一篇研究“黑衣人”的专论，在世界上引起了广泛的反响。该文作者以大量的事实证明，“黑衣人”在地球上的存在可以追溯到很远的过去。但作者又指出：在几个世纪以前，“黑衣人”的活动没有像现在这样频繁，也没有像现在这么公开，这是因为“黑衣人”如果真的肩负着保护他们那个人种的使命的话，那么我们就完全可以认为，“黑衣人”受到现代飞碟学家们探索的威胁，远远超过以往任何时候，因为我们的祖先当时对他们始终持迷信的态度。

那么，这些“黑衣人”究竟是些什么样的人呢？有人说他们是外星人派到地球上的一支“第五纵队”。但到目前为止，人们所知道的只是一些支离破碎的情况：他们大都是彪形大汉；他们身穿黑色衣服；他们的面庞是“娃娃脸”或“东方人的脸”（这一点很重要）。在通常情况下，他们遇到人时总要详细盘问，然后把人身上有关他们的记录、底片、照片、分析结果、飞碟残片等等都统统拿走。但也有这样的情况：为了达到自己的目的，他们会对人施加心理压力，甚至还行凶杀人，当然这是极为罕见的。

世界上一些UFO专家认为，种种迹象表明，“黑衣人”的存在是毋庸置疑的。他们同人们接触的事例已不胜枚举，因此我们没有任何理由把这种接触说成是某种幻觉或有人想故弄玄虚。既然他们的存在是确凿无疑的，人们就必然会设法从理论上去解释他们。有人把“黑衣人”说成是美国中央情报局的特工人员，这种假设曾一度广为流传，而且还有人为此而发表文章。例如，加拿大杂志《魁北克 UFO》的一期中就有威多·霍维尔的文章，题目是《“黑衣人”与中央情报局》。作者指出，“21 年来，中央情报局一直深深地插手于飞碟问题”，“为了让诚实的目击者说出他们观察到飞碟的情况，中央情报局用过‘黑衣人’这种手段”。

威多·霍维尔写道：“在世界各地流传的有关飞碟的书籍，我们看到了许多‘黑衣人’的案例。这些‘黑衣人’被目击者碰上，因此目击者拍下了照片和 UFO 影片，有的还拿到了证明‘黑衣人’存在的物证。如果这些目击者不保持缄默，‘黑衣人’就会威胁他们，甚至连他们的家属也会遭到迫害。‘黑衣人’会把留下来的一切证据统统带走，并且不会再出现在同一个地方。”

“但十分可惜的是，当我们仔细地分析‘黑衣人’的问题时，‘中央情报局的假设’就站不住脚了。的确，‘黑衣人’竭力阻挠扩散有关飞碟现象的案情，这很可能是诸如中央情报局或美国海军部的特工人员干的，但是，人们不禁要问，直接受到飞碟研究工作威胁的飞碟主人为什么不这样干呢？到目前为止，尚没有飞碟主人阻挠扩散 UFO 现象的证据”。

英国潘塞出版社 1978 年出版的《宇宙问题》一书的作者约翰·A·基尔极其正确地指出：在“黑衣人”出现的各个历史时期，人们对他们的看法根据时代背景的不同而不同，先后曾把他们误认为是“国际银行家”、“共济会会员”、“耶稣会会员”以及最近的“中央情报局特工人员”等等。仅这一点就足以表明，把“黑衣人”说为中央情报局人员的假设是站不住脚的，因为这些

"神秘的人"早在驰名世界的这一情报机构创立之前就已活跃在地球上了。例如，在1897年，美国堪萨斯州曾有人看见一个"黑衣人"拿走了地上的一块金属板。不久，一个飞碟在此飞过，并扔下了一个东西，原来就是那块被"黑衣人"先前拿走的金属板。美国新墨西哥州圣菲市以南的加利斯托·江克辛村也有过一起同类事件。1880年3月26日，有4个人看见一个"鱼状气球"在他们村子上空飞过。有一个东西从"气球"上掉了下来，他们赶紧跑过去一看，原来是一个瓦罐一样的东西，上面刻满了潦草难认的象形文字。目击者把这东西送到村里的一家商店。那瓦罐在店里展出了两天，第3天，有一个自称是收藏家的人把它买走了。那人出了一笔极高的价钱。从此以后，就再也没人谈起这个瓦罐了。

这样的例子是举不胜举的，有些甚至发生在比以上两案更遥远的年代，这就使得"中央情报局特工人员"的假设根本站不住脚了。再说，难道所有的特工人员都有一副"东方人的脸"吗？前面已经说过，这一细节是十分重要的。请不要忘了，在美洲和地中海沿岸，当地土著人都有个习惯，那就是把孩子们的脑壳都绑成鸡蛋形状，这样的脸形不就是一位对人类形态学毫无知识的西方目击者所描绘的那种"东方人的脸"吗？现在，让我们再回到"中央情报局特工人员"的假设上来。据专家们说，"黑衣人"10次中有9次能在风声走漏之前就把目击者除掉。

1951年，在美国佛罗里达州最南端的基韦斯特发生了一件事。一天，好几个海军军官和水手正驾驶着一艘汽艇在佛罗里达海面疾驶。突然，一个雪茄状的物体出现在海浪上，发着一种脉动式的光，一个淡绿色的光柱从它的"壳体"上射出似乎一直射入了海底。目击者用望远镜看得一清二楚。还有一个有趣的细节是，出现这个雪茄物体的海面上即刻就漂浮起一大片翻起肚子的死鱼。忽然，地平线上出现了一架飞机，而那个雪茄状的神奇物体也随即升入高空，几秒钟之间它就无影无踪了。

汽艇刚刚在基韦斯特港系揽靠岸，艇上的军官和水兵就遇上了一群身穿黑色衣服的官员。这些官员把他们叫到一边，向他们提了许许多多问题，询问他们在大海上看到的情形。据一位目击者说，这些官员千方百计地想用提问的方式使他们的目击报告失去真实性。这些“黑衣人”要水手们对这件令人吃惊的事件保持缄默。

在飞碟史上，有不少“黑衣人行动”的“典型案例”。最令人震惊、同时也是最有名的案例要算是艾伯特·K·本德事件了。本德是“国际飞碟局”主任和《航天杂志》经理。

国际飞碟局是一个民办机构，其任务是从各个方面研究飞碟现象，《航天杂志》则是这一组织的刊物。1953 年 7 月，本德在这杂志上登出了这样一篇文章：“飞碟之谜不久将不再是个谜。它们的来源业已搞清，然而，有关这方面的任何消息都必须‘奉上面的命令’加以封锁。我们本来可以在《航天杂志》上公布有关这方面消息的详细内容，可是我们得到了通知，要我们不要干出这种事来。因此我们奉劝那些开始研究飞碟的人，千万要谨慎啊！”

1953 年底，3 个身着黑衣服的人来拜访本德，他们要本德放弃他的研究。几天之后，国际飞碟局就解散了，《航天杂志》也停办了。

翌年，即 1954 年 10 月，一家名叫《联系》的杂志骄傲地宣称：“我们了解到了关于飞碟性质的一个‘无可辩驳的事实’。”

可是谁也没有看到下文。据说，有一个“高级人士”下令禁止公布这个“无可辩驳的事实”的详细内容。

著名的英国《飞碟杂志》的创办者瓦维尼·格范先生因患癌症于1964年10月22日去世。从表面看来，他的死似乎没有什么奇怪的地方。大家知道，格范平时十分谨慎地在家珍藏着一大批有关飞碟的材料，可是，格范死后，在他家里连一份材料也没有找到。

另两名蜚声世界的飞碟研究家H·T·威尔金斯和弗兰克·爱德华兹正要宣布重要发现时，两人却都在异常情况下猝死身亡。

人们还知道，常常会有这种情况：“黑衣人”常用他们可怕的黑衣服来换美军服装。弗兰克·爱德华兹在他写的一本书里描写了美国一家大联合企业的干部所遇上的此类事情。这个干部于1965年12月目睹了一个飞碟，后来便有两名“军官”拜访了他，向他提了一大堆问题，然后对他说：“你应该怎么做，这用不着我们说，不过我们向你提个建议：请不要向任何人谈论此事。”

当然，在这个案例中，人们完全可以认为那是些真的“军官”。可是，好多目睹了飞碟的人也都有过类似的遭遇。至于这些“军人”至少可以说他们的行为既是反常的，也是令人吃惊的。当目击者谈论起他们时，就会说他们长的是“东方人的脸”；他们比我们一般人的身材要高大得多；他们坐的是“黑衣人”常用的那种车子，车身漆黑，车牌极其罕见。有时，目击者也向军事当局提出抗议，但军方回答说他们对此一无所知，根本不了解彪形大汉的来踪去影。约翰·A·基尔说，他已经调查了50多个案例，这些“军人”或是直接找到目击者，或是通过电话同目击飞碟或拍到飞碟照片的人联系。约翰·A·基尔曾走访了五角大楼，想验证一下那些人是否真是军队派去的。可是，五角大楼明确地告诉他，他们谁也没有听说过他调查的那50多起案例的

“黑衣人”的事情。

那么，他们到底是些什么人呢？他们的目的何在呢？他们拥有什么手段？他们来自何方？全世界的飞碟学家都在思考着这些问题。1971 年，加拿大的一家刊物《阿法杂志》第 6 期上以《神秘现象研究会的思想路线》为题发表了一篇研究“黑衣人”的文章，这篇文章内容丰富，立论明确。文章在分析了飞碟研究者通常遇到的困难后指出：“……我们认为，在‘黑衣人’、海底碟状物和水下失踪案这三者之间存在着一种直接的关系。”

“我们暂时做个假设，假定这些‘黑衣人’就是外星人。出于一些我们所无法理解的原因，这些人经常袭击飞碟学者。我们所看到的飞碟很有可能像人们所设想的那样已在地球上建立了基地，他们在那里降落，以便准备某项工作，或在基地留下一些人，负责监视我们的地球。海底对我们人来说是个——在将来很长一个时期里仍将是——不可涉足之地。他们把基地设在海渊中，他们的飞行器在这里降落或起飞。现在我们是在作神奇的畅想，但我们应该考虑我们畅想中的任何一种可能性。地球人更多的是想登上月球和我们这个太阳系的其它星体，于是便忽视了对自己所居住的星球的研究。因此，地球人对海底的探索十分缓慢和谨慎。人们不时地在报上看到一些消息，今天说‘尤里戴斯号’潜艇不见了，明天说‘放雷舍号’潜艇失踪了，后天又说某某潜艇不知去向。我想，这些潜艇也许离飞碟海底基地太近了吧，或者也许是艇上人员拍到了海底基地外层设施的照片?”

如同许多飞碟问题研究者一样，这篇专著的作者承认，外星人的假设是顺理成章的。文章的作者强调指出，他认为“黑衣人”不是对所有飞碟研究者或飞碟组织都统统反对的，他们袭击的对象，仅仅是那些偶尔“发现或查明了外星人在地球上落脚地的人”，至于那些找到证明外星人存在或出现的事实的人，“黑衣人”是不管的。这就说明了为什么像本德这样的人遭到了“黑衣人”的麻烦，而另一些同样杰出的研究者（他们得到的线索对“黑衣人”以及派遣“黑衣人”的人不甚危险）却从未接待过长着“东方人脸形”的“军人”的拜访。

关于这一点，约翰·A·基尔有过重要的论述。在有关“黑衣人”的目的问题上，他发现这些人十分明显地竭力反对和掩盖飞碟来自地球的假设，同时还鼓励人们对飞碟来自地外某个星球去进行猜测。本德恰巧在摈弃飞碟来自某个星球的假设时，受到了3个陌生人的登门拜访。他不得不中断了自己的研究。另有一些放弃了这种假设的研究，也都遭到了一个又一个的电话威胁和其它形式的威胁，而那些持飞碟来自外星观点的学者却安然无恙，可以太太平平地进行自己的研究。

约翰·A·基尔指出：“如果一个目击者给你送来一块飞碟上掉下的无法辨认的金属片的话，你不会遇到任何麻烦。可是，如果一个目击者给你拿来一块铝片、镁或硅片的话——这是地球上到处都可以找到的——那么，你就很可能在家里接待一个身穿黑衣、肩负‘说服工夫’的神秘客人的来访。”

十分有趣的是，很多研究者或机构丢失、损坏或神秘地失窃的大量重要物证恰恰都与飞碟的来源有关。

“黑衣人”的存在是无可否认的。至于说他们是否就是飞碟的主人，是否来自诸如百慕大三角地区海底裂谷或来自其他星球，这些问题仍是西方许多飞碟专家们争论的题材。这里介绍的“黑衣人”来自海底飞碟基地的说法，仅是许多观点中的一种。

21. 人类给 UFO“会诊”之谜

世界上第一个亲自研究 UFO 的科学家是海尔曼·奥伯特博士，他被誉为“宇宙航行之父”，是建立现代火箭理论基础的伟大科学家。他受德国政府之托，从 1953 年起的 3 年内，在约 7 万件目击报告中选出最可信赖的 800 件，从中推算 UFO 的航空工程性能，并得出这样的结论：“科学可以把不可能和不能证实的问题看作可能，为了说明观察事实，必须有效地考虑作业假说。在已有作业假说中，UFO 是地外智慧生命操纵的飞行物，最适合观察事实。”

法国天文学家、计算机学家贾克·瓦莱博士（现为美国斯坦福大学教授），1954 年对从西欧到中东集中发生的 200 件以上的着陆搭乘目击事件进行统计分析（他是第一个用统计学手法研究 UFO 的科学家），结果发现很多推翻否定论“法则性”根据的东西。

如目击事件与人口密度成反比，这和人口越多越易产生集团幻觉说相反；目击事件发生在日常生活中，且目击者无性别、年龄、职业和学历方面的偏颇，这和幻觉和病态妄想说相矛盾；从着陆痕迹测定或从状况推测的 UFO 的直径，都为 5 米左右，这暗示 UFO 现象与其说是心理的，不如说是物理的；目击的时刻分布和着陆地点分布的状况显示着存在智慧控制。

1966 年，瓦莱博士在公布他的研究成果时说：“只要不拒绝把 UFO 做为空中物体来研究，那么，不把 UFO 着陆的报道作为研究对象是没有道理的。只要承认有被智慧控制的可能性，就没有理由否定 UFO 着陆和搭乘员降落的可能性。”

目击 UFO 的科学家很多。较早的是著名天文学家、冥王星的发现者克·汤博。1979 年 8 月 20 日，他和妻子、岳母在新墨西哥州拉斯克鲁塞斯的住宅之外看到“6 至 8 个长方形的绿光群”，“这是在夜空模糊地浮现出轮廓的巨大船体的舷窗，随着远去，逐渐变小，最后消失。如果这是地面上某个物体的反射物，同样的现象应该频繁出现。我经常在自家庭院进行天文观测，但这样的现象也仅在那个时候见过一次。”

1973 年，斯坦福大学等离子体研究所的物理学家斯塔洛克以全美职业天文学家为对象进行调查，在 1356 位回答者中，有 56%的人持肯定态度，认为“值得进行科学研究”，有 4.6%即 62 人“亲眼见过 UFO”。如新墨西哥州萨克拉门托峰天文台一个台员说，1974 年 10 月 11 日傍晚，“我驾驶的小型卡车在山道上蜿蜒行驶，突然与前方上空水平飞行的 UFO 相遇引擎停车，卡车不能前进。这是个圆盘形物体。接着，它突然在垂直方向加速，几秒种内变小、消失。此时车子恢复正常”。

1979 年，产业科学的专业杂志《工业调查》（92%的读者具有博士、硕士或学士学位）对整个科学技术界进行调查，有 1200 名读者寄回调查卡片，其中“目击过 UFO”的占 8%，“见过类似 UFO 的东西”的占 10%，回答“UFO 确实存在”和“多半存在”的读者共占 61%，44%的读者认为“UFO 来自太空”。

UFO 研究中的主要流派的根本观点是：地球之外存在智慧生物，而 UFO 就是这一观点最现实 的证据。但是，由于近几年来，UFO 虽然仍在不断出现，而人们却没有充分证据来证明 UFO 就是外星智慧生物的宇宙飞船，因而一度使 UFO 研究陷入窘境，甚至有的主张以上观点的 UFO 专家的信心也开始动摇，认为 UFO 研究已经步入歧途。UFO 研究真的步入歧途了吗？回答是否定的。80年代后期出现的一些证据是令人鼓舞的，它们可能对UFO的研究产生重大影响。

1988年9月初，秘鲁星际关系研究所所长卡洛斯·帕斯对新闻界说，1988年9月中旬，当火星靠近地球时，将同以往几次一样，有大量飞碟前来地球拜访。他的预言很快就得到了证实，秘鲁和南非不久分别出现了飞碟群，目击者甚多。帕斯这位研究外星文明的专家，已从事该项研究20多年，在他出版的新书《我们认识的其他世界》一书中，他详细介绍了几十年来他和他的同伴们的研究成果。他说，他们通过26年的研究表明，迄今已证实存在86种外星人，这些外星人矮的只有2厘米，高的则达10米，其中85%能够呼吸地球上的空气，20%戴着假面具，5%穿潜水服，好像来自有水的世界。其中有极小部分根本就没有鼻腔，它们可以用皮肤进行呼吸。

在众多的自然之谜中，UFO是最大的一个谜，它最使人感到神秘莫测，引起了亿万人的强烈兴趣。可是，30多年来，UFO问题不仅没有明朗化，反而被搞得混乱不堪。虽然越来越多的公众相信部分UFO是外星人的飞碟，但正统的科学界（包括绝大多数科学家）和各国政府（法国等除外）却否认飞碟的存在，认为UFO无非是一些探空气球、流星、虚无飘缈的幻影或未知的大气物理现象。确实，限于目击者的知识水平，大部分目击事件是把飞机、气球等当成了飞碟，有些确实是一些未知的大气物理现象，如地光等等。1997年8月初，美国的一家报纸曾发表文章称：在50年代出现的大量UFO现象，其实是美国军方进行的秘密实验。此话一出，引起世界一阵哗然。虽然如此，但美国军方并没站出来证实这一点。除此之外，也确有相当一部分UFO是无法解释的，其中不少是科学家和飞行员目击的，难道一个天文学家能把一颗流星当作飞碟？难道飞机上所有人员都同时产生幻觉？

UFO 的一个特点是无法在实验室研究，也无任何公式可用，连确切的证据都没有。这正是它不为正统科学界承认的一个原因。人们习惯于借助电子和光学等等仪器提供数据，用公式演算分析去验证一个发现。但研究 UFO，却无任何仪器可用，也无法重演，故很难使人接受。一架飞机在我们头顶飞过后，我们可以继续知道它在哪里，在它飞行方向的下一个地方，人们也会看到飞机。但曾经是一个固态和有形的 UFO，昨晚干扰了汽车、飞机以后，现在它在哪里？在它消失的方向上可能再也没有人看到它，监视整个地区的雷达、红外探测器也没有发现它。事实上，它从现实中消失了。可见，对 UFO 的研究，同目前的传统科学有很大的差别。同时，由于一批狂热的 UFO 者常常夸大其词，甚至弄虚作假，凭空杜撰与 UFO 接触事件，伪造 UFO 照片，结果使 UFO 研究声誉大跌，使大部分科学家对 UFO 现象产生反感，他们既无兴趣也无时间进行研究。在这种情况下，就很容易得出 UFO 根本不存在的结论。

UFO 否定论者往往用现有的科学法则来说明 UFO 现象中的种种不可能，如“大气中不可能有飞碟那样高的速度，否则就要产生冲击波”、“这么大的加速度会把任何东西压碎”、“飞碟那么小，若是从别的星系飞来的，它的燃料放在什么地方?”等等。他们还往往把爱因斯坦的相对论搬出来，指责“UFO 的研究不按科学规律行事”。如果笼统地问，爱因斯坦的相对论绝对正确吗?可能人人都会持否定态度，但在具体问题上就是另一回事了。现在人们正在努力研究统一场理论和白洞问题，也有越来越多的人倾向于瞬时完成宇宙航行，起码不需要原来认为的那么多时间。

UFO否定论者曾嘲笑说："对于UFO研究者来说，只要有解决不了的问题存在，那就需要修改现代科学的理论。"

英国"飞碟"研究协会曾就这个问题对所收集的"飞碟"资料中有关"飞碟"的特征加以分类、比较和研究，结果认为传说中那种神话般的"飞碟"现象是不存在的。现在看来"飞碟"并不是什么"天外技术"的具体表现形式，可能是发生在地球上的一种自然现象。它的出现与地理条件关系密切，有可能是一种不明大气现象。例如，某些材料中谈到的一种"飞碟"呈卵形，直径1至3米，绕主轴旋转，接近地面并发出大面积电磁辐射的就属这类。现在科学家利用一定手段已能证实它的存在。并把它命名为"不明大气现象"（VAP），以便与可能存在的"飞碟"（UFO）相区别。

总之，"飞碟"现象是值得探讨的，它是一门值得研究的科学。

当然，科学界的大趋势仍是对UFO实在性的怀疑。但"观察事实"却传出了"地外宇宙飞船"的假说。美国声望很高的UFO学者J·哈依内克博士曾是一位有力的否定论者，但他接触了大量的目击报告和目击者后改变了态度。他曾担任过从大学天文系主任到天文台台长等一系列科学职务。1976年他在伊利诺州UFO研究中心对采访记者说："对这样的资料假装不知，直至否定目击者的人格，这是科学家的良心所不允许的。轻蔑与无视决不是科学方法的一部分。"

看来UFO存在与否的科学争论在未来还会长期地进行下去。但是有一点是确定的，轻易地否定，结果并不能改变轻易的肯定，这样做是不科学的。

虽然各国政府对UFO仍持否定态度，表面上漠不关心。但法国国防部实际上以1954年集中发生的事件为开端，就开始了秘密调查。1970年以来，其国家宇宙研究中心继续调查，该中心的科学计划部主任、天文学家克罗德·波埃尔用计算机对国防部收集的3.5万件目击报告与气球、飞机、人造卫星、流星和星星等严密对照，然后分析与已知现象不相等的约1000件事例，得出以下有趣的资料：

①UFO的基本形态为圆盘形、球形和卷叶形；②通常夜间发桔红色光，白昼呈磨光金属的颜色；③轨道无视物理学力学法则；④目击报告数大约是实际发生数的一成；⑤目击事件3成出现在白天，7成在夜晚，与人类户外活动时间成反比；⑥目击事件约有一成是着陆目击，其中半数有搭乘者出现；⑦目击事件与大气透明度成正比；⑧目击者没有职业、学历、年龄偏颇；⑨目击事件与磁场异常有相关性；⑩是物理现象，不是心理现象。

波埃尔的这一调查去掉了自体意识，给UFO研究带来很大的进步。

在美国，如果发生UFO目击事件，当地警察往往把它当作是谎言或误认而置之不理。即使作些调查，也几乎都是交给民间的UFO团体去进行。这些民间团体是由不要报酬的志愿人员组成的，他们的活动经费极为缺乏。但在法国，情况就完全不同，调查和跟踪未被确认的空中现象是政府的工作。1977年，在法国国家太空研究中心属下，成立了“未确认的大气太空现象研究小组”，专门从事UFO的调查和与此有关的工作。该小组的现任代表杨·杰克·贝拉斯科是这样解释的：“法国公民对UFO的兴趣越来越大，他们想了解事情的直相，因而希望有个政府的调查机构。另一方面，苦于应付不可解现象的军界也希望有一个政府的调查机构。”

这个小组一开始工作，就建立了与警察的密切合作关系。他们调查了11年来发生的1600起UFO目击事件，结果确认只有半数以上可以解释为自然现象或者是误认，但其余38%都不能作出科学的解释。

有这么多UFO事件不可解，使国家太空研究中心感到震惊。他们认真地检查了研究小组的研究结果。为了与国外的UFO研究者交流信息，他们还在巴黎和图卢兹召开了UFO研究会，主题之一是UFO的物证问题。现在的物证，一般总是地面上留下的凹坑、树林被砸的痕迹等等。美国代表、世界UFO学权威阿廉·哈内克博士介绍了他们收到的有关目击人员的眼睛和皮肤受到辐射伤害的报告，引起了各国代表的兴趣。

此外，法国有关在UFO着陆现场发现植物受到异常伤害的报告，也很引人注目。在一个田园地带，一个UFO着陆后又随即急速上升，在空中消失。立即赶到现场的警署官员发现，着陆地点的植物受到异常伤害，他们还采集了一些样品带回去。研究小组把样品交给植物学家去分析，结果确认植物所含的叶绿素减少了一半。其原因尚不能说明。

与会代表希望加强国际合作，在发生UFO事件时及时联系，交换情况。

尽管法国“未确认的大气太空现象研究小组”成立已经多年了，但还没有其它国家仿效法国设立政府的UFO研究机构。这是为什么呢？贝拉斯科认为：“UFO对于一般国家来说，并不构成军事和安全保障上的威胁，所以被置于政府的工作范围之外。”

为了弄清自称曾被飞碟诱拐过的人精神状态是否正常，最近美国3名专家对自称被飞碟诱拐过的人进行了心理学调查。调查费用由设在马里兰州的UFO研究基金会承担。

从事这项调查工作的是住在纽约的UFO研究家特德·布罗查、巴德·霍普金斯和阿弗罗迪特·克拉马。几年来他们专门处理飞碟诱拐事件，其中克拉马还是一位临床心理学家。他们选择了9名自称有过被飞碟诱拐经历的人作为调查对象。这9位都是在社会上有信誉、有稳定生活的市民，他们的职业各种各样，有网球教练、大学教授、音响技师等等。

克拉马等3人是这样考虑的，如果在这9个人中有哪一个或全体都是精神有缺陷、有障碍的人，那么用标准的心理实验是能够查找出来的。他们把这9位受验者送到临床心理学家利萨·斯莱特那儿。由其从公正的立场对受验者进行精神鉴定，所以不会告诉斯莱特这9个人曾与飞碟接触过，而且这9个人自己也会守口如瓶。

一系列实验结束后，斯莱特报告了结果。根据斯莱特的意见，这9个人没有共同的病态特征，仅有一点值得注意，这就是，经过心理学实验确认，全体实验者过去曾受过某种创伤，即受到过可以造成精神后遗症那样强烈的冲击。这些人一被问到涉及个人的问题，其语言和态度马上就变得含糊不清、模棱两可和靠不住，严重时甚至呈妄想病的症状。

而且，当斯莱特得知这些受验者其实就是自称有过被飞碟诱拐经历的人后，断然地说："从检查的结果看，还没有找到可以否认实际上发生过这样事情的根据。"

美国人是怎样看待E·T（地外生命）和UFO（不明飞行物）呢？最近美国盖洛普民意测验机构就这个问题，以美国成年人为对象进行调查。结果是：认为发生"第三类接触"（这是著名SF电影《和未知的遭遇》的原话，是指不仅目击到UFO，而且接触UFO的搭乘员）的人比过去有所增加，而否定UFO和E·T存在的人，在每三个人中只有一个。

1966年在盖洛普民意测验机构首次提出“您认为在宇宙的其他行星上也存在着与地球人相似的智慧生命吗”这个问题时，34%的人回答“是”，46%的人回答“不是”，剩下的20%的人则回答不知道。但是，在此后的20多年间，相信宇宙中存在其他智慧生命的人数逐渐增加，到1989年已达50%。

为什么会出现这种情况呢？异常现象科学调查中心的马尔西罗·托尔兹说：这与近年来非常热门的SF电影有一定关系。投入了巨额制作费，而又频受观众青睐的SF电影显然在公众的心理上产出了巨大的影响。马尔西罗·托尔兹进一步指出：“随着美国社会脱离宗教化的发展，美国人不再把《圣经》中关于人类是这个世界唯一的智慧生命的说教视为绝对的经典。另一方面科学家对外生命的探索表现出更大的关心。这些也是造成上述情况的原因。”

对于这次调查，表示曾亲眼目睹过UFO的人占9%，同1973年和1978年的数值差不多，比1966年的5%有所增加。

相信UFO和E·T的人，在未满50岁、大学毕业这个层次特别多。相信存在UFO的男女比例差不多。但在相信E·T的人中男性是60%，女性是40%。住在西部的美国人对于UFO和E·T表现更多的肯定倾向。由此可见，UFO现象在美国及世界各国都令公众所关注。

具有这样神秘莫测的形态和飞行能力的飞行体接连不断地出现，人们对此关心备至，探究工作也一直在各国悄悄地进行了。美国空军制造了同美国科罗拉多大学联合成立了UFO调查委员会，委员会成立于1948年。1976年前苏联国防部成立了UFO研究会等国家级研究机构。他们对UFO现象提出假设，研究结果大体有以下 4 种：

第一，自然现象学说。把闪电、流星、飞鸟群、人造卫星、气象观测器等错认为飞碟。它的代表性假设是“放电现象假设”。这种放电体形成了 5 万 ~ 10 万伏特强大电压，从暴风云中分离出来游荡在大气层中，并在发生闪电后瞬间消失。这种放电体就是 UFO 整体，晴天也会时常出现。这种假设能够解释有关 UFO 大部分特征。但是，放电现象最长不超过十几秒，且同暴风雨密切关联。而多数不明飞行物却同气象无关联。放电大小只有 4 ~ 5 厘米宽，UFO 比它大数百甚至数千倍。所以，这种学说没有多大说服力。

第二，同地球上文明体有关联的学说。提出强国秘密兵器说，如二次世界大战的法西斯余党制造碟形飞行体，并进行试飞。这种假设根据不充分，并且在常识上不合逻辑，所以这一学说也没有多大说服力。

第三，全身投影学说。即人类无意识的内在心理原形的投影现象说。换句话说，把虚像错觉为实体。这种理论说明不了 UFO 的全部现象，只能说明瞬间消失、分离与合体选择性出现的现象。但虚像不能被捕捉在雷达中。它也解释不了分明有飞碟着陆的痕迹以及飞碟被照相和摄像等事实。

第四，外界起源学说。就是说，飞碟是从地球以外的遥远的宇宙行星上飞来的飞行物体。他们是比人类更发达文明的生命体，像我们去月球或火星探索一样，他们也到地球上来。

这种学说按现代科学原理不可能完全说明 UFO 现象，但现在绝大多数人相信外界起源说。

认为 UFO 是外星人的飞行器者，据此提出了种种理由，归纳起来有以下几条：

第一，外星人之所以不与地球人进行公开的正面接触，是由于我们地球人的文明程度比他们低得多，他们还不能与我们直接沟通，正如人不能与猴子沟通一样。

第二，外星人已掌握无限延长生命的方法。同时，他们已不像地球人那样依靠食物维持生命，他们已能利用自然物质和自身的调和来维持生命，并且已能利用宇宙射线作为飞行器动力（能巧妙地转化宇宙的能量），因此不必携带食品和燃料。

第三，人类的历史在宇宙的演化中只是短短的一瞬，现有的科技水平只是人类认识自然世界过程中的一个阶段，并不是认识自然世界的顶点。客观世界的更为广泛、更为基本的运动规律尚未被人类揭示，因此我们不能用我们现有的科技水平来判断外星人的科技、文化发展概况，外星人的文明程度很可能遥遥领先于我们。

第四，按照宇宙全息统一论的观点，宇宙各处是全息的。既然在太阳系这个较为年轻的天体系统中能产生高级生命，那么我们就没有理由怀疑在无穷无尽的宇宙中某些星球上也能形成与地球相似的条件，其生物也必然从低级向 高级逐渐发展。最后产生出高级智慧生命体。如果外星人比地球人早诞生几千年、几亿年，其智慧可能远远高出我们。

22. 秦始皇“遭遇”UFO之谜

中国是地球上最古老的文明国度之一。古代中国在数学和天文学上长期处于世界领先地位。如果说外星人和他们的“飞碟”真的曾经访问过我们这个星球，那么，古代的中国必然也是他们访问的对象之一。这样，古代的中国人必然也看到UFO或其蛛丝马迹。

除我国古籍中原有记载的 UFO 和近代 UFO 事件外，难以解释的图饰文物和古岩画也均有大量发现。如西安半坡氏族的鱼民翼“飞头”图饰文物之谜，内蒙狼山的奇特岩画之谜，贵州安顺的龙宫岩画及巨光之谜等。这些实物是否也从一个侧面来说明外星人曾涉足中华大地呢?

信安郡（含衢州市）石宝山上，有一个天然石洞，高、宽、长各 20 多米，天生石梁和游龙凌空。梁上有一条石缝，号称“一线天”，鬼斧神工，妙手天成。

晋代时，有个名叫王质的人上山砍柴，无意中发现了这个石室，看见两个童子正在洞中边下棋边唱歌，怡然自乐。王质大为惊异，想看个究竟，就站在一旁边听歌、边观棋。

一会儿，一个童子随手递给他一样东西，像刺核，并示意他品尝。王质不知站着看棋过了多少时间，肚里已空得发慌，赶紧把刺核含在嘴里，便不再觉得饥饿，又聚精会神地继续观看弈棋。

两个童子的棋路古怪精妙，王质看得津津有味，情不自禁地评点感叹起来。走了几局，童子忽然对王质说：“怎么还不回去?”王质这才记起误了砍柴，忙举起手中的斧头，谁知斧柄已经烂尽。

他顾不得砍柴，急忙寻路下山，可来时的路再也找不到了。他好不容易才回到村里。但熟人一个也没见到，只凭家屋旁的太白井方依稀辨认出自己的老家。

他问了许多老人，都说有个老祖宗进山砍柴，一去不复返。王质方知人间已换了好几个朝代，真可谓“山中方七日，世上已千年”。

山不在高，有仙则名。石室山从此得名烂柯山，衢州城也就获得了“柯城”之美称。如今，烂柯山成了柯城的一个游览胜地。

其实这神奇的故事并非荒诞不经。爱因斯坦在相对论中就曾做过这样的阐述：速度达到光速时，时间就会变慢。

也就是说，如果有人乘坐速度达到光速的航天工具遨游世界时，等他重返地球时，他的妻子早已变老，石室山的故事就将重演。

这个故事是否足以说明，早在南北朝时期，即1300多年前，我们的祖先已经通过与外星人的接触过了呢？了解了“相对论”中的原理，并运用文学手段，把时间在特定条件下会变慢的奥秘表达出来，这正是烂柯山故事的弦外之音。

《拾遗记》卷四记载这样一件奇事：“有宛渠之民，乘螺舟而至。舟形似螺，沉行海底，而水不浸入，一名‘论波舟’。其国人长十丈，编鸟兽之毛以蔽形。始皇与之语及天地初开之时，了如亲睹。”而且此宛渠民能“日游万里”。他们还掌握着惊人的高效能源，若用于夜间照明，只需“状如栗”的一粒，便能“辉映一堂”，倘丢小河溪之中，则“沸沫流于数十里”。

秦始皇是与谁交往呢？这位皇帝自己认为“此神人也”。可是神人据说是“长生不老”的。

这件事倘真有，使人顿生奇想，用外星来客的观点给予解释便顺理成章了：一群具有高度文明的外星人很早就来到了地球并在其地建下了基地，称之为宛渠国，他们对地球进行详细的观察研究。这群外星人掌握着对现代地球人来说也异常发达的科学技术，他们大多活动于占地球表面积2/3的海洋之中，交通工具是被称为“论波舟”的潜水船，这船“形似螺”，与今天所讲的飞碟很相像。这些人“两目如电，耳出于项间，颜如童稚。”他们注意考察人类世界，一有什么新动向，哪怕“去十万里”也要“奔而往视之”。对于蛮荒时代的地球，他们“了如亲睹”。对于人类社会的重大进步和生产活动，比如“少典之子采首山之铜，铸为大鼎”之类事情甚为关心，曾赶到现场考察，结果看见“三鼎已成”。他们对当时中国社会组织结构的变化、生产的重大成果，也都一一“走而往视”。这看来都是有计划的严密的科学考察活动。

外星人在古代光临过地球的传说，中外都有。而《拾遗记》所记这件事的独特之处在于：这些外星人与当时称雄一方的秦始皇发生了十分友好的接触，并且谈古说今，介绍来历。

那么这群外星人为什么不帮助地球人呢？看来，他们大约始终恪守着“不介入”的立场吧。当然，这仅是一种推测而已。

清人纪晓岚在《阅微草堂笔记·槐西杂志》中记载了一起这样的事件：山东掖县林禹门的祖父，80多岁了，已经老昏得认不清人了，也不能走动。子孙们常常用椅子抬他到门外，让他消遣解闷。有一天，老人叫照料他的人回家取东西，自己一人坐在那儿等候，照看他的人取物出来后，老人及椅子都不见了。全家人悲伤而惊慌失措，就带着干粮四处寻找，终不见影踪。正好林禹门有个朋友从崂山来。路上，他老远就喊：“你是找你祖父吧？他现在崂山某寺中，情况很好。”林禹门急忙赶到崂山某寺，老父果然在那儿。那个地方距离掖县有几百公里远，和尚也不知道老人是怎么来的。老人自己说，只觉得有二人抬着他飞行，也不知道他们是谁。

这件事虽然出自纪晓岚的笔记小说，但看来绝非虚构。纪晓岚一直生活在富贵的士大夫家庭，还担任《四库全书》总纂官，留下了不少著述、文集。这种身世地位，必然规定了他那种极其“正统”保守观念。他心目中的小说，仅限于“寓劝戒，广见闻，资考证者”。《阅微草堂笔记》是他晚年追寻见闻之作，其中有作者亲见亲闻，也有转记他人提供的见闻。

林禹门祖父奇遇发生的时间、地点、人物都是具体而确凿的。事情发生在与作者同时代的做过州官的林禹门的祖父身上。林禹门是虞惇的老师，虞惇是纪晓岚的侄儿，可能是他把这桩怪事告诉了他的学生虞惇，虞惇又转告给他的叔父纪晓岚。时间也很具体。虞惇向纪晓岚谈这件事是在“壬子三月”即1792年三四月间。当时纪晓岚已68岁。林、纪二人，一个是老师，一个是叔父，年纪约相当。事情很可能发生在林禹门壮年之时，即1792年向前推30年左右。掖县今属山东烟台地区，崂山在今青岛市东北崂山县境，两地相距几百公里。

可以断定，林禹门绝对没有必要去造自己爷爷的谣。他解释不了这一离奇的事件，甚至不耻向他的学生求援。虞惇对其老师所谈的确信而重视。所以一有机会就向其叔——当时的“学术权威”求教。纪晓岚本来解释不了，却搬出鬼神来搪塞，说：“此事极怪而非怪；殆山魈（山中妖怪）狐魅，拨弄老人，以为游戏耳。”由此而看，这可能是外星人对地球老人开了一个善意的玩笑。

23. 与地球人同宗同祖的UFO之谜

1962年，医学和生理学诺贝尔奖获得者弗郎西斯·克里克和天体物理学家弗雷德·霍伊尔几乎同时发表了他们的著作，指出生命也许来自宇宙。然而，他俩设想的具体过程却是绝然不同的。克里克认为，地球上的生命是外星先进文明播下的种子；霍伊尔则认为，在宇宙中形成的有潜在活力的粒子被原封不动地送到了地球，但没有凭借外星智能的干预。

弗朗西斯·克里克在他的《生命自身》一书中充分论证了自己的观点。他阐述说，早在宇宙膨胀初期的20亿年中，最大的恒星在耗尽了它们的核能之后，便自行炸裂，变成一系列的超新星。宇宙大爆炸中留下的碎块又渐渐聚合成目前计有90亿年寿命的那些星球，它们的寿命比我们的地球长一倍。在我们银河系里，这样的太阳估计不下100万个，它们都有自己的行星，那里的物理条件适合生命的形成。如果这些生命与地球上的生命同速演进的话，那么在我们的地球开始形成时，他们就已经具有了十分先进的技术。

意大利物理学家恩里科·费尔米对这种设想表示怀疑：要是掌握无比强大技术的外星生命早在地球人出现前40亿年就存在的话，他们早该殖民于银河系了。他讽刺道："他们应该呆在我们这里，可是他们来了吗?"对此，弗朗西斯·克里克反驳说：制造庞大的宇宙飞船飞越以光年计算的距离，此非区区小事。遥远的文明可能放弃了可以无止境地发展下去的先进技术，转而对另一种生活方式发生了兴趣，即他们的注意力更多地用在了创造精神价值和更加愉快的生活方面。有可能他们已经自我毁灭，正像我们地球人一旦动用核武器将会自我灭亡一样。

然而，克里克认为，这些假想中的文明兴许会想到，应当用宇宙飞船将微生物播种到其它星球上去。这样，生命就有可能在各个适宜于它进化的星球上生存繁衍起来。

这种理论意味着，包括地球在内的其它星球早在40亿年之前就已经"受胎"，从而使生命在某些星球上得到了发展。由于各个星球环绕着银河系中心旋转，所以各个星球之间的距离拉大了。当然，克里克认为，目前尚无法证明地球上的生命就是来自宇宙，他只是认为，这种假设同现代科学掌握的材料没有什么矛盾罢了。

弗雷德·霍伊尔则比弗朗西斯·克里克更为肯定些。他曾说过，今天人们能够从宇宙中发现的有机分子，在适宜的条件下，能够凝集在石默尘埃上（石默尘埃是碳的一种形式），从而产生氨基酸，这是生命的基本物质。在彗星的运载下，氨基酸得到了良好的环境，形成了更为复杂的分子，它们甚至会产生微生物，随时准备飞向迎接它们的任何星球。这些微生物只要落到某个天体上，它们就必然遵循进化法则发展下去。在宇宙基因的偶然作用下，上述进化的步伐是会大大加快的。这种"宇宙生命"的学说是弗雷德·霍伊尔同他的学生、数学家钱德拉·威克拉马辛格于1962年提出的。当时，科学家们认为，宇宙中存在着一种宇宙尘埃，它们主要是由冰粒组成的。但是，这种假设不能说明人们观察到的另一个事实：从星球上射来的光的某些波长中有吸收现象。霍伊尔同他的助手指出，在0.3微米以上的波长里出现的这种吸收现象，是由直径小于0.5微米的石墨微粒造成的。这个论断得到了多次光谱观测的证实。然而，这个理论尚不足以解释星体射来的光线所以变弱的全部原因。

霍伊尔认为，银河系中存在的大部分碳、氮、氧都受到宇宙尘埃的包围。1975年，他提出假设说："宇宙中有甲醛聚合体。后来，射电天文学家果真发现了这种有机分子。事实上，最近15年来，科学家们在宇宙中找到了50多种复杂的有机分子，其中有甲酸、甲烷和乙醇等。"

十九世纪，人们将碳化物称之为"有机"物，它们是生命物质的基础。当时的人们认为它们只能存在于不受过多的红外线和紫外线影响的地球大气或其它星球的大气中。射电天文学家们发现，这样的分子在宇宙中比比皆是，而且不断有新的发现。在地球以外，甚至还存在着一种“生命前的化学”，即直接产生生命的分子化学。

霍伊尔没有半途而废，他锲而不舍，将自己的研究推向了深入。他写道：“产生分子结构的生物化学物质的最简单的方式是生物繁殖。在实验室的合适条件下，细菌分子在两小时内可以一分为二。两个分子又分裂为4个，4个变8个……依次类推，直到营养物质耗尽为止。”

“宇宙中大部分碳、氮和氧发生上述变化，需要数亿年的时间，较快的生物演变只有在形成新星的区域才有可能。在稠密的宇宙云以外的区域，液态水和有机营养物有可能在彗星等实体上保持数百万年。这期间，碳、氮和氧就会变成微生物，其中一部分微生物会像蒲公英似地扩散到宇宙物质中去。”

到了这个阶段，彗星就起了作用。根据霍伊尔和威克拉马辛格的观点，彗星具备产生生命的有利条件。当彗星运行到太阳附近时，即处在近日点时，它们核心部位的挥发性物质，特别是水就有可能跟宇宙尘埃和有机物质混合起来。这时，核心部位的温度可达300℃K（℃K是绝对温度），而当它们运行到远日点时，温度又会下降到100℃K。这种周期性的温差可以将难以适应的分子结构淘汰掉。太阳（和其它星球）的照射促进了聚合物和更加复杂的分子的出现，它们能适应气温的变化。

这样，就出现了第一批有生命的生物，当然那都是单细胞的。在宇宙范围内，这个过程显然比在星球上来得长久。大约40亿年前，当一颗彗星路经地球时，生命的种子就被播种到了我们这个星球上。

如果事情确是如此，那么，地球人类的祖先很可能就是来自外星，或者说，地球人类至少和外星人是同一个祖先。

24. 美国总统给UFO送礼之谜

吉米·卡特是美国很有声望的一位总统。他在总统竞选之时，当他与美国国民谈及UFO案例的时候，卡特就曾说过，他也是UFO目击者。并向国民表示对探索外星人问题上，他也有极大的兴趣。当吉米·卡特上任总统后，拨出大量资金进行宇宙开发和探索工作。其中最引人瞩目的就是“旅行者号”宇宙飞船，它的设计宗旨是对木星、土星、天王星、海王星进行“一箭四雕”的探测飞行。

出于探索外星文明的强烈愿望，在卡特任职期间于1977年7月美先后发射了“旅行者”1号和2号两艘宇宙飞船，它以17.2公里/秒的速度向外空飞去。1979年飞经木星，1981年飞经土星，1986年飞经天王星，1988年飞经海王星，1989年飞经冥王星，随后将飞离太阳系，向更深的宇宙太空飞去，并预计在14.7万年和55.5万年后将飞抵太阳系外的另二个恒星星系。计算表明2000年时该宇宙飞船将飞出太阳系外沿。该宇宙飞船的设计寿命（正常发送信息回地球）为25年。“旅行者号”上带有录制着我们地球人特征、地球风貌及美国前总统卡特向外星文明致意信息的铜制镀金唱片。这位美国前总统在文中这样写道：

这艘“旅行者号”宇宙飞船是美利坚合众国建造的。我们是一个具有2.4亿人类生命的集体，我们与居住在地球上的40亿人类共同生存着。我们人类现在仍以国家划分，但是这些国家正在迅速地成为一个单一而又综合的文明世界。

我们向外星致文。此文可能在未来的10年中长存，届时我们的文明世界将会发生深刻的变化，地球的面貌也大为改观时，这一信息可能依然存在。在银河系2千亿颗恒星中，一些（也许很多）恒星的行星上有人居住，并存在着遥远的宇宙文明。如果一个文明世界截获了“旅行者号”，并能理解它所携带的录制内容，就请接受我们如下的致文。

这是来自一个遥远的小型世界的礼物，它是我们的声音、我们的科学、科学的意念、我们的音乐、我们的思考和我们的情感的象征。我们正努力延续时光，以期能与你们的时光共融。我们希望有朝一日在解决了所面临的困难之后，能置身于银河文明世界的共同体中。这份信息将把我们的希望、我们的决心、我们的亲善传遍广袤而又令人敬畏的宇宙。

美利坚合众国总统

吉米·卡特

1977年6月16日于白宫

1960年美国射电天文学家达莱克首先开始地外文明探测工作。他在美国国家射电天文台利用直径为26米的射电望远镜探测离我们最近的两个太阳系星球。探测波长为21厘米。

随后，一些国家曾采用天文望远镜探寻外星人的踪迹，但收效甚微。目前，美国宇航员正在贯彻一项探索外星智慧生命的大规模计划。科学家用带有巨型天线的射电望远镜接收下大量无线电讯号，然后通过电脑控制的新型信息处理装置，同时在13.1万个频道上进行迅速的分析和处理，将传递信息的信号与杂音立即区分开来，使观测效率大大提高。1988年6月，一座精度更高的射电望远镜又在波士顿投入工作，它的天线直径28米，可以同时在20多万个频道上进行观测。据乐观人士估计，借助先进的空间科学技术，在未来50年内，将可望接收到外星人的信号。

美国科学家还打算派遣由宇航员或机器人驾驶的高速宇宙飞船前往宇宙深处拜访外星人。事实上，1983年6月飞离太阳系的“先驱者10号”无人驾驶宇宙飞船，就已作为人类派出的第一位友好使者，携带着地球和太阳系的方位图，以及特制的裸体男女图像，向茫茫宇宙进军。为了加快未来星际飞行的速度，科学家们正在研究新的动力装置。据认为，利用热核反应可使飞船速度达到光速的10—20%，即到达最近的恒星只需20年左右。被人誉为“第二代航天器”的“光帆”又叫“太阳帆”，是在飞船上挂起一张厚度只有大约百万分之一米超薄铝箔制成的巨帆，借助太阳和其他恒星的光压飞行，而无需消耗任何燃料。光帆通过加速度，可以在较短时间内达到可观的速度。如与激光器配合使用，还可双倍加快飞行速度，据认为，若在绕太阳的轨道上安置一台大型激光器，就能使光帆的速度接近光速，这将大大缩短星际航行的时间。有了成本低廉而高速的光帆，银河系就不再像原来那样高不可攀了。可以相信，人类与外星人建立起联系，为期不会太远了。

25.UFO的家园之谜

近百年来，发生在百慕大地区的飞机失踪、轮船下沉事件频繁出现，引起了无数科学工作者的重视与兴趣，他们对神秘的百慕大三角区投入了极大的耐心和热情，他们通过最现代化的设备和最先进的技术对它进行考察和探索，提出了各种可供参考的假设：

海龙卷说。发生在海上的龙卷风叫“海龙卷”，它的破坏力特别巨大，如果船只和飞机遇到海龙卷，很快就被卷得无影无踪。只不过海龙卷毕竟是短暂的和局部的，而且不可能经常发生。

“探访”前苏联农庄的 UFO。

反旋风说。有科学家认为百慕大海区存在一种反旋风和下沉的涡旋。反旋风的顶部在海面上是看不见的，它在水下的部分会形成一个强有力的旋涡，船只如果进入旋涡的中心，很容易被卷进海底，飞机在空中碰到反旋风，飞行员就会偏离航线，迷失方向，最后机毁人亡。

激光说。激光跟普通光不一样的地方是，激光可以在时间和空间上把光能高度集中起来，这样就可以产生几万度的高温，能使任何东西在一瞬间就化成一道烟似地消失掉。太阳是激光的强大辐射源，海面和大气就好像是两面特别巨大的反光镜，移动的气流，也就是高空的强风，起着有效的操纵机构的作用。只要这束激光一起作用，辐射流就会引起一场暂时的大雾。如果它的功率特别大，是可以一瞬间把船只和飞机烧成灰烬的。

磁场说。飞机和船员在魔鬼三角遇难的日子，正好是新月和满月。这时，月亮、地球和太阳处在同一直线上，引潮力最大，引起地球磁场干扰振动，构成一个强大的磁场。美国和法国曾组成一个联合考察组，在百慕大三角海底发现了一个巨大的金字塔！建造金字塔的石头可能含有氧化铁，由于受海浪的长期冲击和地磁作用，表面的氧化铁就磁化到了饱和状态，以后又一点一点地往里边深入，使得整个金字塔成了一块巨大的磁铁，这种磁铁不但严重影响了干扰了船只和飞机上的罗盘以及无线电，还会把船只和飞机吸进海底。

超时空说。1991 年，一架波音 727 客机从东北方接近迈阿密机场。机场塔台正以雷达跟踪飞机，飞机突然从屏幕上消失，10 分钟后又安全降落。塔台人员登机检查，发现机上人员的手表与仪器上的计时器，都比正确的时刻晚了 10 分钟！科学家认为：在磁气涡动中，多维空间与我们存在的时空间出现交集。有的交集比较大，所以船舰进入多维空间便告消失，有的交集小，在短暂的消失后，又回到我们的时空里来。

UFO 说。有猜测说，来自外星球的 UFO，习惯于在百慕大三角区抓捕地球上的飞机船舰去做实验，就像渔民习惯到某一个固定地方去抓鱼。

每一种假说都只考虑了一种情况，事实上，从前边的列举中可以清楚地知道：百慕大海域不仅能使船只、飞机方向失控，罗盘磁场偏离，无线电系统失效，还能使神秘失踪的飞机、轮船又神秘地显形，它能无缘无故，不露声色地吞噬人的性命，却又让一些生命体游离于灾难以外。意思是说，它只想与人类过不去。

1963年时，美国海军在波多黎各东南部的海面下边发现了一个怪物，立刻派出一艘驱逐舰和一艘潜艇前去追踪，追了4天也没近前，因为这个怪物能一下子钻到8000米的海底，而人类各种笨拙的潜水器根本不可能达到那么深的海底，唯一的收获是看到那个怪物有一个螺旋桨。在西班牙，工人们曾在海底发现过一个体积特别大，圆顶透明的东西，正是这个也曾在百慕大海域内出现过的东西支撑了科学家们的判断：百慕大三角海区可能是外星人的一个海底发射场，那个怪物也许就是外星人的飞碟，那些失踪了的船只和飞机，也许就是被外星人弄走了！

百慕大三角区处于地球北纬30°线上，更令人迷惑不解的是，在地球南北30度线上，常常都是飞机、轮船失事的地方，人们把这些地方叫“死亡旋涡区”。在北纬30°线上，有百慕大、日本本州西部、夏威夷到美国大陆之间的海域、地中海及葡萄牙海岸、阿富汗五个异常区，加上南半球的五个异常区，等距离分布于地球上，如果把这些区域间用线连起来，整个地球就会被分割成20多个等边三角形，这些区域的海流、涡旋、气旋、风暴及海气相互作用，加上磁场，都远较其他地区剧烈和频繁。这些在地球上排列整齐、分布均匀的死亡涡旋区，给人类带来了不少灾难，也为人类增添了探寻其奥秘的兴趣。

1973年，北大西洋公约组织在大西洋上举行联合军事演习时，一艘主力舰发现了不明潜水物。当时，这个半浮于海面的巨大物体被当成不明国籍的间谍潜艇，于是，一声令下，炮弹、鱼雷纷纷向它飞来，但不明潜水物毫无损伤，而且当它悄悄下潜时，整个舰队的无线电通讯设备统统失灵，直到10分钟后潜水物完全消失后，舰队的无线电通讯才恢复正常。

同年4月，一个名叫丹·德尔莫尼奥的船长，指挥船只到达百慕大三角区附近的斯特里姆湾的明澈的海面时，一个形如两个圆粗的大雪茄烟似的怪物浮出水面，它长约40~60米，时速达60~70海里，两次都是在下午4点左右出现，地点一直在比未尼岛北部和迈阿密之间，而且都是在风平浪静的时候。这位船长不知该怎样应对，下令水手小心翼翼地躲开，可是这个神秘的怪物却总是先主动地消失在船体的龙骨之下，显得极其友好。

有科学家据此猜测，在神秘的百慕大三角区海域里，一定隐匿着外来文明！因为那种超有潜水物所显示的导乎寻常的能力，实在是地球人不可企及的。海洋是地球的命脉，因此倘有地球本土之外的文明存在，那么它对地球海洋的关注是必然的。这些超级潜水物也许已拥有它们的海底基地。海洋是地球上最险恶的环境，同时它能够提供生态情报，这对外来文明就可构成足够的吸引力了。

1968年1月，美国TG石油公司在土耳其西部一处270米的地下，发现了一条深邃的穴道。穴道高约4~5米，洞壁光滑异常，如人工打磨一般。穴道向前不知延伸到何处，左右又连接着无数的穴道，宛如一个地下迷宫，工人在万分惊恐的情状下突然发现一个白色巨人，高身足有4米，无声无息就来到了工人面前，巨人在手电光下闪闪发亮，伴随着雷鸣般的吼声，所有的工人都被声浪掀翻在地，很显然，巨人对一群偶然闯进自己家门的不速之客发怒了！

如果这事确凿，那么巨人当是生活在地下的高级智能生物无疑。发现巨人的地点在地图上与百慕大正处在同一纬度！这是一个令人兴奋无比的发现！此后，一些学者一直坚持，在百慕大魔鬼三角海域下面有个大洞，海水就是从这里流进去，穿过美洲大陆，然后在太平洋的东南部的圣大杜岛海面重新冒出来。大家可以推测，在地下数百米深处有如此庞大的地下迷宫，你还担心地

这些漩涡可是百慕大失踪案的罪魁?

球是钻不透的吗?这个通向百慕大海域的大洞口肯定会产生巨大的涡旋,在外星人出入洞口时,超乎想像的涡旋能量肯定会轻而易举就吞噬了刚好经过的一只轮船或一架飞机了。

也许地下真有一个我们暂时不可知的世界?或者说百慕大魔鬼三角果真是那个世界通向地面的出入口?照此推测,水下不明潜水物或巨人真是地外世界派遣到我们这个世界来的探测器或密探了!

26. 动物的“占卜”之谜

动物真的有超常感本能吗？它们真的能够预感危险，能作心灵感应吗？

在美国，有只两岁的英格兰血统牧羊犬博比，它的主人名叫布雷诺，家住美国俄勒冈州。1923年8月，布雷诺带着小狗博比从俄勒冈州去印第安纳州的一个小镇度假时，博比不幸走失了。从此博比开始了它神奇、惊险、而又极不平凡的超常旅程。博比最初弄不清楚俄勒冈州的方向，急得它到处乱窜，整天绕着圈跑，它大约跑了1600百公里的路却只走对了300公里。到了秋天，博比似乎渐渐地找对了方向，走上了回家的路线，它一路向西经过伊利诺州和依阿华州一直往前走。回家的路上，博比吃尽了苦头，它有时能遇到好心人留它住宿，但有时也饿得抓松鼠和野兔吃，有几次还差点给逮野狗的人捉住。博比不停地往西走，渡过了好多条河流，其中包括流水湍急的密苏里河。到了寒冷的隆冬季节，它忍饥挨饿越过大雪的洛矶山脉。等到漫长的旅程快结束时，博比已瘦得皮包骨头，它脚下的肉趾因长途跋涉连趾骨都露了出来。到了1924年的2月，博比在奔跑了6个月之后，终于一瘸一拐地走进俄勒冈州西威顿郊外的一间破旧农舍，它深情地望着这间小屋，这是它小时候和主人住的地方。第二天一早，博比又拖着异常沉重的脚步，艰难地走到城里，走进它主人房间。当时布雷诺刚下夜班正在二楼睡觉，博比在走完了3000里长的旅程之后，用尽最后的力气一跃跳上床，亲切地去舔主人的脸。

对于傅比这次艰难的3000里旅程，很多人觉得简直难以置信，为了进一步证实这次旅程，俄勒冈州的“保护动物协会”主席返回到博比走失的原地点，勘查了这条小狗所走过的所有路径，访问了沿途许许多多见过、喂过、收留它住宿、甚至捉过它的人。当这一切被证实后，博比成了美国历史上最受尊敬的狗英雄，得了许多奖章，它回家的路上所走过的城市还给它颁赠了荣誉钥匙，最荣耀的是这条小狗还得了一个金项圈。

在人们都赞扬博比的忠诚、勇敢、坚毅的同时，科学家却想到了一个不可思议的问题，博比在几千里外是怎么找到路回家的？当初他的主人是开车走的公路，博比并没有沿着它的主人往返的路线走，而它走的路与主人开车走过的路一直相距甚远。事实上，根据动物协会勘查的结果，博比所走过的几千里路是它从来没有走过、没有嗅过，也根本不熟悉的道路。

对博比这次旅程经历研究的结果使人们相信，这条小狗之所以能回家，是靠着一种特殊的能力和感觉觅路的，这种本领与已知的犬类感觉完全不同。有人认为动物这种神秘的感觉和能力是一种人类尚未了解的超感知觉，或者称之为超常感。这个名词源于希腊文的第23个字母，用于代表自然界动物的超自然感官本能。它指的是有些动物能够以超自然的感觉感知周围的环境，或者与某人、某事，或一其他动物之间有着心灵的沟通。然而，这种沟通似乎是通过我们人类并不知道又无法解释的某些渠道进行的。

在意大利，有只名叫费都的小狗，它的主人去世后它非常伤心，以至为它的主人默默地守墓13年，不论别人怎么想把它弄走，它始终不肯离去。后来这条狗的忠诚被人们传为佳话，住在这个城里的居民很受感动，每天都有人前来墓地看望、陪伴着它，后来还颁赠给费都一枚勋章，以表彰它的忠贞不二。

多少年来，在世界各国都发现了很多动物的超常感行为。例如，它们有的会跑到从来没去过的地方找到主人，有的能预感到即将来临的自然灾害，有的似乎还能预感到自己主人的不幸和死亡。

赖恩教授曾任美国杜克大学心灵实验室主任，在任职期间他主持多项工作，这些工作主要是研究动物有没有超常感的能力。1952年，赖恩教授亲自调查跟踪了一件引人深思的事例，美国加利福尼亚州安德森一所中学的校长伍茨有只名叫休格的小猫，有一年，伍茨和全家迁往俄克拉荷马州的一个偏僻的农庄，因为小猫休格害怕坐汽车，就把它留给了邻居。14个月后，一只猫忽然从打开的窗子跳了进来，趴在了伍茨太太的肩膀上。伍茨太太回头一看印记特征，原来它的骸关节有极为罕见的畸形，查后知道这只猫的确是休格。后来，他们和邻居取得联系才知道，自从把它交给邻居才三个星期之后就失踪了，令赖恩教授感兴趣的是，这只小猫究竟是怎么找到去伍茨家的路的？从加利福尼亚到任克拉荷马州之间的距离是2400公里，它怎么能够穿越那些非常崎岖险峻的山区？还有，这只小猫从来没有来过俄克拉荷马州，它是怎么知道它的主人住在这里呢？赖恩教授通过研究认为，动物不仅有着与和它们亲密的人之间的特殊的感情联系，而且还有着一种人类难以想像的能力，那就是它们有着预见和预知的能力。

赖恩教授还勘查过有关鸽子的趣事，因为过去人们都知道鸽子有长途归还的习性，但没有人听说过鸽子还有超常感追踪的本能。这个连名字都没有的鸽子，只是在脚上戴着个标识圈，上面写着167号。1940年，有个名叫珀金斯的小女孩，在西维基尼亚州她自己家的后院看见了这只鸽子，就作为宠物收养了它。第二年的冬天，珀金斯有一天夜里突然得病，家人急忙送她到200公里以外的一家医院去做手术。她的鸽子被留在家里。然而，这只鸽子给了她们全家意想不到的惊醒。手术后的珀金斯在医院疗养时，一个下着大雪的冬夜，珀金斯忽然听到窗外有翅膀扑打着玻璃的声音，她回头一看是只鸽子，就连忙让护士把窗子打开，鸽子飞了进来，鸽子脚上的标识圈证实了珀金斯的惊喜，果然是167号。

在德国有只名叫夏洛特的猎狗，它的主人有时出门没有告诉家里人什么时候回来，而可爱的夏洛特每次都有办法使主人回到家里能吃上一顿热饭。每当主人回到家里之前的4小时，夏洛特准能提醒预料不到的家人。它总是连跑带跳地走到花园的大门口，蹲在那里守候，这时不论周围发生任何事，谁都没有办法把它弄走，而家里的厨师一看到夏洛特在等候主人，就连忙动手准备饭菜了。

同样使人惊异的是，有些动物异常的行为似乎可以预示危险的来临，有人发现动物会以非常奇异反常的行为预示诸如地震、雪崩、旋风、洪水以及火山爆发等。

1976年唐山大地震之前的四五天，就有好多人发现家里鸡犬不宁，猪、狗乱叫，一向很怕见人的老鼠一反常态拼命地逃离房屋，往大街上乱窜，动物园里的动物也莫名其妙地横冲直闯。据有关报纸称，1999年8月在土耳其发生大地震之后，地震严重的灾区平时人人喊打的老鼠一下子身价百倍，很多惊恐不安的灾民之所以想在家里养一只老鼠，原因很简单，因为他们发现地震来临之前，老鼠总是先有异常的表现。

动物的主人在大祸来临时，可能会影响动物的超自然感觉。反过来，也可能影响动物的主人。曾担任加拿大总理22年的麦肯齐·金就曾预感到他自己十分喜欢的爱犬帕特要大祸临头的遭遇。有一次，总理的手表突然掉在地上，时针和分针在4点20分停住了。这位总理说："我不是个通灵的人，不过我当时就知道，仿佛有个声音在告诉我说，帕特在24小时内就要死了。"第二天晚上，帕特爬到它主人的床上，躺在那里静静地死去了，时间恰好是4点20分。

动物的超常感，引起了世界各国的科学家越来越普遍的重视，并作了大量的研究。科学家们发现，某些动物确实具有一些非常奇特的感觉本能，并能以独特的方式利用人类具有的五种感觉本能，还有一些动物的某些感官功能是我们人类完全没有的。现在我们已经知道，蝙蝠在黑暗中飞翔靠的是回声定位法（声纳）来指引方向，蝙蝠能发出高频率的尖叫声。然后收听飞翔路线上各种物体反射回来的声波并以此来判断方位。响尾蛇和腹蛇也具有一种奇异的官能，这两种蛇的鼻孔后面一点的地方有特殊的热源探测器，这种探测器极端敏感，能察觉别的动物走过时所引起的微小的温度变化。而还有一些动物的超常感则是我们现在还没能完全了解到的。1965年，荷兰的动物行为学家延伯尔根在他的著作中写道："许多动物的非凡本能以特殊生理作用为基础，至今，我们还没有了解这些作用，因而，才把这些本能叫做'超感知觉'。"

动物世界有着许多不可知的领域，是一个充满神奇的奥秘的世界。即使今天的动物学家研究已经有了很大的发展，但是动物所具有许多奥妙我们始终还不能提供圆满的答案，动物的超常感本能就是其中之一。

27. 长眠不醒之谜

冬眠是一些不耐寒的动物度过不利季节的一种习性。每年霜降前后，气温逐渐降低，池塘中的蛙鸣消失了；令人生畏的蛇也不知盘缩到何处了；长着肉翅膀的蝙蝠倒挂在阴暗的屋梁或洞壁上，开始了它的长睡；鼷鼠、仓鼠、穴兔、刺猬等也躲入洞穴，进入了一种不吃不动的休眠状态。此时动物的体温降到同气温接近，呼吸和心率极度减慢，新陈代谢降到最低限度。

然而热血动物与冷血动物的冬眠又有所区别，冷血动物的温度，由外部的环境决定，它们体温的升高或降低完全是被动的。而热血动物的冬眠则能把自己的体温精确而有目的地加以控制。它们能够逐步降低体温，一直降到一定的限度，进入冬眠状态。当它们出眠时便把制造热量的器官充分调动起来，在几小时内把体温恢复到原有水平。

这种热血冬眠动物所具有的制造热量、补偿体温消耗和保持恒温的高级的、复杂的生理现象引起了科学家的注意，并作了不少研究，但迄今为止，有关动物冬眠诱因和生理机制还是众说纷纭，莫衷一是，

行为生物学有把引起动物特有行为的外界信号称为刺激。外界刺激越多，内部本能的适应能力越强。因此，他们认为动物冬眠主要是外界刺激所致。这外界刺激主要来自两方面：一是环境温度的降低。有人对刺猬的冬眠生理作过研究，发现刺猬的正常体温维持在 33～37℃，当环境温度降低到使刺猬的直肠温度低于 32.5℃时就会进入冬眠。二是食物不足。因此冬眠是动物度过冬季食物不足的困难的一种生理适应。实验中发现，笼养的小

囊鼠在供食充分的情况下，即使在冬季低温时也不会进入冬眠。

但有人不同意上述观点，理由是：人工降温并不能保证所有的冬眠动物都入眠；不少冬眠动物每到冬季就会自动停止或拒绝进食，而并非是食物不足。美国的本格里在专门研究了动物的冬眠之后提出了生物钟学说，认为有一种生物节律控制了每年冬眠动物所发生的代谢变化，恒温动物的冬眠变温现象是进代生态上的一种次生性退化，是和动物迁徙和冬季贮藏食物相似的一种生态适应，是在进化中已固定下来的一种生物节律。但本格里的学说缺少事实的支持。

科学家们用黄鼠进行了研究。他们从正在人工条件下冬眠的黄鼠身上抽出血液，注射到活蹦乱跳的、生活在盛夏的黄鼠静脉中，后者随即进入了冬眠状态。这表明，正在冬眠的黄鼠血液中，可能有一种诱发冬眠的物质。据观察，冬眠黄鼠的血中有3种至今无法鉴定的颗粒；与正常的黄鼠相比，冬眠黄鼠血液中的红细胞较结实，且不易分解，其中有许多呈皱褶状。实验结果还证明，已连续冬眠了二三周的动物的血液，比刚进入冬眠期的动物血液，诱发冬眠的作用更强烈。进一步的研究还表明，诱发冬眠的物质主要存在于血清之中，这是一种小到足以通过分子筛的物质。通常，动物对外来的物质总是排斥的。令人奇怪的是，将正在冬眠的旱獭的血清，注射到黄鼠的静脉中后，黄鼠不仅不产生排斥反应，反而呼呼入睡，开始冬眠。科学家们还发现，在动物的血液中还有一种与冬眠物质相对抗的物质，它可以维持动物正常活动和保持清醒。冬眠物质与抗冬眠物质相结合形成冬季合体起抵消作用，当冬眠物质浓度超过抗冬眠物质时，才会引发冬眠。科学家们还用刚出眠的黄鼠的尿注射到夏季黄鼠体内也成功地诱导了冬眠，表明这种物质会被代谢排出。然而，现在科学家们还不了解，冬眠诱发物质和抗诱发物质到底性质如何，为什么会引起动物的生理发生这么大的变化。

1983年，科学家从松鼠脑中抽提了一种抗代谢激素，他用这种激素注射到无冬眠习性的小鼠时，会明显降低它的代谢率，体温也降至10℃左右，看来激素代谢也可能是诱导冬眠的另一途径。

最近，又有科学家从动物细胞膜上的变化这一新角度探讨了冬眠机理，但细胞膜变化与神经传导如何联系作用，细胞膜变化是否真是冬眠的关键还有待研究。

总之，要解开冬眠之谜，还有待于人们不懈的努力探索。

28. 天生的"指南针"之谜

鸟类中有许多是候鸟，它们每年集体迁移。候鸟的这种特性，已经是人所共知的事实了。然而，人们还是只知其一不知其二。

十八世纪，在瑞士的巴塞尔，有一位补鞋匠，他在露天地搭了一个棚子。每年，都有一只雌燕飞回来在他的屋檐下筑巢定居。他给燕子喂食，和它交谈，轻轻地爱抚它，久而久之，燕子和他有了感情。它总是准时飞走，又按时返回。

这位补鞋匠想弄清燕子究竟飞往何处。于是在它的脚趾上缚了一张纸条，用法文写了几句话：

"燕子

你是那样忠诚，

请告诉我，你在何处越冬?"

燕子飞走了。第二年春天，它又回来了，还带回来一张纸

条:

“它在雅典

安托万家越冬

你为什么要刨根问底地打听?”

补鞋匠惊奇极了，要知道，瑞士的巴塞尔离希腊雅典有上千公里啊。当补鞋匠把自己的发现告诉其他人后，一时间这事成了一个街谈巷议的话题。后来学者风闻了此事，便开始对燕子环标放飞，大致掌握了燕子的迁徙规律。

除了燕子，鹬、鹧鸪、夜莺，也都是长途迁徙中一员。

随着研究的深入，科学家们发现两项惊人的事实：首先，不论是有许多年远途飞行经验的老鸟，还是初生的一代，它们飞行时都能依循过去的途径，决不会花费时间去再开辟新路。其次，它们飞行时，如遇不到气流或其它情况，总是面向目的地作直线飞行。科学家得出结论说，候鸟的飞行和认路，显然与遗传的本能有关。它们的祖辈经历了几万年，从求生中逐步累积下来这种本领，并且形成牢固的潜在能力一代一代遗传给子女。美洲有一种金黄色的小鸟，春夏巢居加拿大，夏末迁居南美。它们飞越大洋，作3000公里不着陆飞行。途中全是海天一色，它们完全是凭着本能准确无误地到达目的地的。

企鹅是不会飞的鸟类，但其迁移和归巢本领也极强。南极洲有几种企鹅，每年从极地边缘泅泳重洋而抵南美，等到夏季返回老家，它们甚至认得上次栖息过的地方。

那么候鸟这种本能的认巢迁徙本领，确定方向的能力，受外界什么力量影响呢?

有人曾提出磁力线说，认为地球磁极是自北向南伸展，鸟类能感到这条磁力线的存在，靠它做向导，但是对信鸽的试验已经否定了这种设想的存在。

有人认为白天飞的鸟，靠太阳的位置来定向，于是有人做了这样的试验：将一种候鸟椋鸟放在一个特殊设计的鸟笼内，这个笼子有6个距离相等的窗，每一窗都可以看到天空，笼中的鸟在迁徙季节都面向着迁徙时所应飞的方向：春季向东北，秋季向西南。当人们把窗口的太阳光改变方向，结果鸟立刻根据新方向调正了方向。

昼行夜息的候鸟依靠太阳的位置确定飞行方向，那么昼伏夜行的鸟靠什么辨别方向呢?

有位动物学家想出一条妙计：模拟它们迁徙时周围的环境，以观察它们的反应。

夜晚飞行的鸟看到的是星空，于是人们仿制了一个大“天象仪”，里边装上小灯泡表示北极星，半人马星座的织女星以及横贯广袤夜空的银河。天象仪缓缓转动，恰如夜空在转动。

几十只黄莺放在里边，它们在人造的树间跳来跳去。动物学家打开天象仪的灯泡，他发现，黄莺静止不动片刻之后，都采取了同样的姿势：头朝北，尾向南。这是它们从出发地飞向第一站时的方向。当动物学家再次矫正天象仪方位时，他发现黄莺也立刻调整了方向；头朝西，尾向东。接着，动物学家再次调整方向，使星空看去像它们向最后一站飞临时的位置，黄莺们又如预料的那样调整航向，头朝西北，尾向东南。这些路线完全是黄莺迁徙时的路线，分毫不差。可见，夜间飞行的候鸟是靠天上的星星定位的。

多少年来，万物之灵的人类解决外出定位问题，发明了不少仪器仪表，如果有人来到莽莽原始森林或茫茫大洋之上，没有指南针或罗盘，是一定要迷路的，可是小小的候鸟却不存在这些问题。是谁教给它们这么精确的定位本领呢?

29. 天使的翅膀之谜

鸟类是大自然的宠儿，它是地球上最早的“空中居民”之一。

鸟类也是人类之友，千百年来有许多种鸟被人类所驯化，丰富了人类社会的物质生活。

然而，很多年来人们对鸟类的起源一直感到是个谜，直到十九世纪，科学家们才把注意力集中到鸟类古化石的研究上，希望能从中探索出鸟类由来的奥秘。

令古生物学家们惊喜不已的是，他们终于发现了一块奇异的化石。这是1861年在巴伐利亚省索伦霍芬的附近所出现的奇迹：在当地的距今1.5亿年左右的石灰岩中，发现了一具似乌鸦大小的、既像爬行类又像鸟类的化石。仔细地辨认，它的嘴中仍有成排的尖齿，已经长成翅膀的前指端仍有爪，还有一些其它特征使它很像爬行动物。但是对化石的进一步研究，又可看出它已经长有羽毛，它的骨盆结构比爬行类发达。更重要的是，它还是恒温的热血动物。羽毛和恒温是鸟类的重要特征之一，这就说明它更接近是鸟类。对化石是爬行类还是鸟类的鉴定上，科学界发生了激烈的争论。最后，人们还是趋向“它属于鸟类”的意见。鉴于它还带有许多爬行类动物的特征，又是当时所发现的最古老的鸟，科学家把它定名为“始祖鸟”。

始祖鸟的化石发现之后，人们发现了鸟类是由爬行动物演化而来的。然而，100多年来，科学家对鸟类究竟是由哪一种爬行动物演化而来的一直争论不休。最近几十年，有人还对始祖鸟是否为“鸟类最早的祖先”的定论提出了疑问。虽然是假设和理论上的推测，但问题的提出是令人注目的。有的学者认为：由体温不恒定的、无羽毛的爬行动物进化到恒温热血的、有羽毛的鸟类，是个漫长的过程，在始祖鸟之前还应该有一系列的过渡类型的鸟类，始祖鸟不可能是最为原始的鸟类。还有的学者认为：始祖鸟在鸟类的发展史上可能还只是鸟类演化中的一支旁系，一些证据说明在它之前的几千万年就有了十分类似现代鸟的种类。总之，很多古生物学家似乎不肯相信，始祖鸟就是鸟类的真正祖先，而推测将会发现比始祖鸟早得多的鸟类。

这种推测最近几乎接近被证实时，又引出了新的争论。这又是两块化石所引起的。美国得克萨斯州工业大学的古生物学家查特吉在波斯特城附近距今 2.25 亿年的地层中发现了两具乌鸦大小的化石鸟。查特吉组织的研究最近表明：它们的形态要比始祖鸟更像鸟类，有鸟类特征的细长前肢、龙骨状胸骨。它们的头骨完全像现代鸟类，而且颌的背部已没有牙齿。这都说明它们比始祖鸟更能够进化到较晚期的鸟类，虽然它们还具有一些爬行类的特征，如颌的前端还有四颗牙，有一条尾巴和带爪的指。更重要的是，这两块在北美洲大陆发现的鸟类古化石比那块 100 多年前在欧洲大陆发现的始祖鸟化石，要整整早 7500 万年！

所以，这种更古老的鸟类化石，被查特吉取了个比始祖鸟更为原始的名字，叫“原鸟”，即“祖先鸟”的意思。但是，有些科学家对这一化石的鉴定，立刻又有了新的怀疑。美国耶鲁大学的古生物学家奥斯特朋就说，原鸟化石是“一个离奇的和不大可能的发现”，因为鸟类的脆弱骨骼是难以保存得如此完好的，而且化石上还有一些特征与鸟类不符。这些争论虽然刚刚拉开序幕，但是可以肯定，这场争论已经比过去 100 多年来的争论更接近揭示鸟类起源的谜底了。

因为新化石原鸟的发现，使人们不得不对近些年来地理学的研究所提供的涉及鸟类起源的新线索刮目相看了。有些研究大陆漂移说和板块学说的科学家早在70年代初期就认为，始祖鸟可能不是鸟类的真正祖先。他们发现：很多现代鸟类中的候鸟，每年都在南北两大半球之间往返一次，最远的几乎要曲折飞行3万余里。它们为什么要选择那么曲折的飞行路线，进行这样远距离的飞行呢？如果在地图上把各个大陆重新合并在一起，一个有趣的答案就出现了。原来的曲折飞行路线奇迹般地变直了，距离也自然大大地缩短了。古地球的联合大陆的解体、漂移是缓慢而漫长的历史，候鸟在不觉中按照原来的飞行路标飞行，这些在移动的飞行标志逐渐使候鸟的飞行路线变得曲折而遥远了。如果这个推测被证实的话，鸟类的历史至少要推前到2.3亿年以前了。因为古大陆解体与漂移正是这个时间开始的，这时的鸟类已经有了迁飞的能力的话，那当时的鸟类就应该是生活在1.5亿年时的始祖鸟的祖先了。

谁是鸟类的真正的祖先？还有待科学家的不断探索、研究。可以预言，知道它的日子不会太远了。

30. 动物的生死相依之谜

在动物世界里，有一些分属不同种属的动物，虽然生活习性各异，强弱对比悬殊，但为了生存，有时也会越出常规，彼此间不仅不相互争斗和逐杀，且相互合作，甚至生死相依。这就是妙趣横生的动物共生现象。动物共生主要有两种形式。一种是互惠共生，双方各得其所；另一种是偏利共生，仅对其中一方有利，对另一方既无利也无害。对此，科学家作了大量的调查和研究，揭示了其中许多鲜为人知的秘密。

在自然界里，蚂蚁种类繁多，数量惊人。它们中的有些种类能同其他昆虫建立起互惠共生关系。牧蚁会牧养蚜虫，红蚁能帮助大蓝灰蝶羽化就是两个很有趣的例子。

通常，在有蚜虫的地方，往往也有牧蚁，因为蚜虫的排泄物（称为蜜露）中含有氨基酸和糖分，这恰恰是牧蚁的美味佳肴。旦牧蚁想进餐时，就会用触角去拍打蚜虫的背部，促使蚜虫分泌蜜露。有时，牧蚁还会用树叶和小树枝专为蚜虫搭一只小巢，每晚将蚜虫集中在小巢内，甚至在迁移时，牧蚁也会带上蚜虫一起启程。一旦发现有其他昆虫企图染指它们时，牧蚁则会义不容辞地担当起蚜虫保护神的角色，对来犯者群起而攻之。玉米地里的牧蚁甚至还会在秋天来临时，将玉米上的蚜虫卵收集起来，藏到地下的蚁穴中，使之冬天不被冻死。当春回大地时，牧蚁会将蚜虫卵取出，放到新栽种的玉米根部。这些卵孵化后，新蚜虫就能从玉米根部吸取汁液，牧蚁也自然又可以享用新鲜的蜜露了。

某些鳞翅目昆虫的幼虫（如大蓝灰蝶的幼虫），其背上也有腺体，也能分泌蜜露，因而大蓝灰蝶也成了另一种蚂蚁——红蚁的共生对象。大蓝灰蝶习惯在麝香草叶上产卵，卵孵化后，幼虫便以麝香草叶为生，同时从其背上的腺体中分泌出蜜露。因此，在长有麝香草的场所，红蚁特别多。当大蓝灰蝶幼虫准备化蛹时，它们会停止进食麝香草叶片。这时，红蚁就会将这些幼虫拖入地下蚁穴，让“客人”食用蚁穴中的一部分蚁蛹。大蓝灰蝶幼虫饱餐后，就会自己附着在蚁穴顶部化蛹，并在蚁穴中度过寒冷的冬天。当春天来临时，这些蛹羽化成蝶，爬出蚁穴，飞去交尾产卵，红蚁则又去寻找新的大蓝灰蝶幼虫，从它们那里获得食物，与它们生死相依。

在海洋中，最佳的共生搭档非海葵和雀鲷莫属。海葵有一套特殊的守株待兔式的绝招。在海葵口腔周围，有一丛像花瓣一样散开的触手。许多鱼类一旦贸然闯入海葵触手所能触及的范围，就会被紧紧缠住。随即，海葵分泌毒素，使其麻痹，然后享用这些送上门来的美味。不过雀鲷却例外。这种小鱼不仅不会被海葵伤害，还能与海葵合作诱食。

当一条雀鲷选择了一个海葵作为它的藏身之地时，就会游近海葵，与海葵开展外交来往。开始时，它并不触及海葵，几分钟后，它开始一次又一次地在海葵触手间穿梭往来，以其尾和鳍触碰海葵的触手，使其鳞片表面的粘液在海葵触手分泌的少量毒液作用下发生化学变化，从而使其鳞片表面的粘液对海葵触手分泌的毒液产生免疫力。约一小时后，雀鲷就能安然地在海葵的触手间栖息，不用担心海葵的触手会将其缠住。

作为对海葵提供庇护所的回报，雀鲷会以其鲜艳的肤色引诱那些较大的鱼。当那些贪嘴的鱼游入海葵的触手间时，海葵就会毫不客气地用触手将其俘获，然后饱餐一顿。海葵吃剩的残屑，则成为雀鲷的美味佳肴。此时雀鲷在海葵的触手间有恃无恐，面对大鱼的进攻毫无惧色。

与雀鲷相比，鲫鱼似乎更聪明，能不费吹灰之力借助鲨鱼等来获取食物。鲫鱼长约 80 厘米，它的第一背鳍已进化成一个椭圆形的吸盘，常会吸附在鲨鱼、蝠鲼和海龟等身上。它“搭乘”这些在伙作免费旅行，同时可分享它们的食物。因为这些大家伙用餐时会产生许多食物碎屑，鲫鱼借此饱餐一顿。

同一种类的动物间，容易建立共生关系。在不同种类的动物间，保持良好共生关系的，也不少见。

蜜貛是生活在南非丛林中的一种动物。它最喜欢吃的是野蜂和蜂蜜，遗憾的是它发现蜂巢的本领欠佳。然而，它的天然盟友指蜜鸟能帮助它寻找蜂巢。指蜜鸟是一种小型的非洲小鸟。它最感兴趣的是组成蜂房的蜂蜡和野蜂幼虫。但是，指蜜鸟要将蜂巢弄碎，则显得力不从心。于是，指蜜鸟与蜜貛这一对飞禽走兽相互依赖，取长补短。

当指蜜鸟发现树枝上的蜂巢之后，就会马上飞到蜜貛身边。起初，它在蜜貛周围飞来飞去，以引起蜜貛的注意。如果蜜貛粗心大意，还不接受暗示，指蜜鸟就会发出尖叫，同时，身体作出特殊的姿势。当蜜貛接受了指蜜鸟的信号之后，就会跟随指蜜鸟来到筑有蜂巢的树下，然后爬上去，将蜂巢咬碎，美美地吃上一顿蜂蜜大餐。此时，指蜜鸟则不慌不忙地停在附近的树枝上，看着它的搭档狼吞虎咽。待蜜貛饱餐离去后，它就会飞过去，独享被蜜貛咬碎的蜂房蜂蜡和野蜂幼虫。

如果指蜜鸟和蜜貛间的合作堪称配合默契的话，那么，尼罗河鳄鱼与埃及鸻鸟之间的合作就更称得上是亲密无间的了。

每当尼罗河中的鳄鱼饱餐之后，它就会游到岸边，懒洋洋地躺在岸边，张开大嘴。这时，鸻鸟就会像接到命令似的乖巧地跳进鳄鱼的嘴巴，用长喙在鳄鱼的尖牙利齿上啄食食物残渣和寄生虫。当鸻鸟为一条鳄鱼做完“清洁”工作后，鸻鸟就会飞到另外的“主顾”那里，继续效劳。通过这种合作，鳄鱼清洁了口腔，而鸻鸟则填饱了肚子。正是各得其所，双方满意。

有趣的是，鳄鱼凶猛残暴，经常攻击人畜，但对这位娇小的鸻鸟朋友，它却温柔有加，从不伤害。有时，鸻鸟在鳄鱼口中为它“清洁”口腔，昏昏欲睡的鳄鱼会不自觉地把嘴闭上。这时鸻鸟只要用尖喙在它嘴里啄一下，它就会乖巧地张开大嘴，让鸻鸟继续工作。

昆虫、海洋动物和飞禽走兽之间建立的是体外共生关系。此外，某些哺乳动物还能与某些微生物建立牢固的体内共生关系。

通常，所有食草动物都需要胃中有某种共生微生物的帮助，才能消化摄入的食物。对于人类而言，由于人类的胃中缺乏能分解植物纤维的共生微生物，所以在食入蔬菜和谷物后，就只能吸收其中的蛋白质和矿物质等营养，却无法吸收其中的纤维素。然而，在大类的肠道中，却有另一种共生细菌——大肠杆菌，它能为人体提供对凝血至关重要的维生素 K。人虽然也能通过摄入卷心菜和蛋黄等食物来获取部分维生素 K，但人体内维生素 K 的主要来源还是依赖肠道中共生的大肠杆菌。

动物间妙趣横生的共生现象，吸引了许多动物行为学家，他们对此作了大量的研究，发现了其中的许多奥秘，但仍有不少未解之谜。例如，动物间的共生关系最初是如何建立的？一种动物（如鸻鸟）如何知道与别种动物（如鳄鱼）共生是没有危险的……为彻底解开这些谜，科学家正在进一步研究。

31. 日月星辰失踪之谜

百慕大是世界闻名的一个地方，位于美国北卡罗来纳州正东约 600 公里的海上。百慕大是由 360 多个岛屿组成的群岛，这些岛屿好似圆形的环，躺卧在大西洋上。由于百慕大群岛与美洲大陆之间有一股暖流经过，因此这里气候温和，四季如春，岛上绿树常青，鲜花怒放。百慕大又被称为地球上最孤立的海岛，因为与最接近的陆地也有几百英里之遥，因此，百慕大群岛四周是辽阔的海洋，具有蓝天绿水，白鸥飞翔，花香四溢的秀丽风景。不过，百慕大之所以出名，并非是由于它的美丽的海岛风光，而是提起百慕大，人们就会联想到恐怖而神秘的“百慕大三角海区”。

百慕大三角海区是以美国的佛罗里达半岛南端为一点，与加勒比海的波多黎各岛和百慕大两点夹成一个想象中的三角形区域，在这里航行的舰船或飞机，常常神秘地失踪，事后不要说查明原因，就是连一点船舶和飞机的残骸碎片也找不到。以致，最有经验的海员或飞行员通过这里时，都无心欣赏那美丽如画的海上风光，而是战战兢兢，提心吊胆，唯恐碰上厄运，不明不白地葬送鱼腹。

是什么原因导致许多船舶和飞机在百慕大三角区发生事故呢？这是长久以来使人们迷惑不解的又一个自然之谜，它吸引着各国的科学家不遗余力地探索着其中的奥秘，企图寻找出合理的答案。但是直到今天，还未曾有人能得出使人信服的答案来。面对着一桩桩不可思议的事实，人们把这一海域称为“魔鬼三角”、“死亡三角区”、“危险的航区”、“船舶与飞机的坟场”等等，一时使“百慕大三角区”成了科学幻想小说的诱人的题材，也成了航海家和飞行员望而生畏的航区。

百慕大三角海区是何等恐怖与神秘呢？

早在400多年以前，著名的航海家哥伦布就曾经在百慕大三角海区遭遇过神奇可怖的自然景象。那是1502年，哥伦布第四次到美洲去途经大西洋百慕大三角海区。有一天，哥伦布同船上的同伴们从舱里走出，站在甲板上，欣赏着这里美丽的海上风光。当时晴空万里，风平浪静，像镜子一样的海面，反射着耀眼的日光，船头激起的浪花，像一堆堆雪白的珍珠。那天水相连、一望无际的海空，使人心旷神怡、精神振奋。正当哥伦布与他的同行者沉醉于美丽迷人的海上美景时，却风云突变。刹那间，天昏地暗，狂风四起，一时海水卷起了几十米高的浪头，像一堵堵水墙朝甲板袭来。此刻，航船犹如航行在峡谷之间，几乎见不到天日，在大海上剧烈地颠簸着。哥伦布紧张地指挥着船员们，他们企图朝向最近的佛罗里达海岸停靠。尽管船上所有的人齐心协力扭转航向，然而，船上所有的导航仪器却在一瞬间全部失灵，船员们顿时晕头转向，辨不清方向，航船好似脱了缰的野马，再也不听从船员们的驾驭，只好任其漂泊，船上的人们但求保全航船能闯出危险的境地。最后，他们总算幸运，经过了几个日夜的努力，才在狂风恶浪中脱险了。一切又恢复了正常，船又平稳地向前航行了。哥伦布在他的航海日志上，对这次惊心动魄的遭遇有详细的记载。

事后，哥伦布在给西班牙国王的信中，对这次在百慕大三角海区的遭遇做过这样的描述："……当时，浪涛翻卷，一连几天，我两眼看不见太阳和星辰……我这辈子见过各种风暴，可是从来没遇到过时间这么长、这么狂烈的风暴。"

哥伦布对在百慕大的遭遇的记载是目前所见关于百慕大三角区奇异事件最早的资料。根据记载，他们在这里遇上了几天几夜的强烈风暴，同时船上磁罗经的指针指的已经不是真正的北方，而是从北方向西北方偏离了6°。哥伦布从这里第一次发现了磁差现象。除此以外，他还第一次发现这个地区在气象方面的异常现象：如气候变化十分迅速和有狂烈的热带风暴。

如果说哥伦布的遭遇未能引起人们足够的注意的话，那么此后在百慕大三角区不断出现的一件件更为神奇莫测的事件，就越来越引起人们极大的注意和兴趣了。

关于船只和海员在"百慕大三角"连人带船神秘失踪的事件，最早的记载是1840年8月，在百慕大附近的海面上发现了一艘停泊在那里的法国帆船“洛查理号”。这只船上扯着帆，装载着的水果和绸缎等货物都十分完好，船体也没有任何损坏。可是船上却一个人影也没有，唯一活着的生物是一只饿得半死的金丝鸟。至于这艘船究竟遇到了什么意外，船上的人到哪里去了，谁也无法知道。

随后，1872年也发生过同样使人莫名其妙的事件：一艘双桅帆船“玛丽亚·采烈斯特号”在亚速尔群岛以西100海里外发生了意外，向人们发出呼救信号。当11天以后，这艘船被人们发现时，船上已空无一人，但餐厅桌子上还摆着面包、黄油等丰美的食品，一些茶杯里还有没有喝完的咖啡和水。壁上的挂钟还在滴嗒滴嗒地走着，缝纫机上还放着盛有机油的小瓶子。这一切都说明，船舶没有遭遇过任何强大的风浪。然而这些现象怎么解释呢？

在十七世纪中，人们认为，这种不可理解的事件是由于海盗作怪，海盗劫持了船上的人员而丢弃了船。可是，海盗为何只劫持人而对船上那些顺手可得的货物钱财却毫不动心呢？何况，自从十九世纪以后，海盗在世界上几乎绝迹，而百慕大三角海区船舶失踪的事件仍然有增无减。1944年，一艘古巴船“鲁比康”号在百慕大三角海区同样遇到了船在人亡的事件。当人们发现这只漂浮在海面上的船时，只有一只狗孤零零地卧在甲板上，可惜它不能向人们诉说它的主人究竟遭到了什么不幸，流落到何方！

船舶航行在百慕大三角海区遇到意外情况时，往往在船上发出呼救信号后不久，有的甚至还没来得及呼救就神秘地失踪了，连一点残骸也留不下。1925年，有一艘日本远洋商船“来福丸”号满载货物从波士顿港开出，当船离港不久，发现北方出现了强烈的低气压，威胁着船的顺利航行，船员把罗盘的刻度转向南方，企图改变航向，从百慕大群岛旁边，开进平静的海区，躲过北方的低气压的威胁。但不久，某个海军基地突然收到“来福丸”号发出的呼救电报，电报说：“危险迫在眉捷，已无法逃脱，请迅速救援!”基地收到电讯后，立即派出救援船赶去出事地点，到达后却再也找不到“来福丸”号的踪迹。

有人说，船舶在海上失事的事件也不足为奇，何况，当时科学技术水平有限，船上的装备仪器也比较落后，船舶难免发生事故，人们也无从寻求失事的原因。然而现代，一些装有现代化仪器设备的船只，在百慕大三角海区突然失踪的事件也并非绝无仅有。

1963年2月2日，美国“玛林·凯恩”号油船例行出航。这艘船上装配着现代化的导航仪器及先进的通讯设备。在出航的第二天，船上的报务员还向海港报告说：“油船已正常地航行到北纬26度40分，西经73度的海面上。”然而谁也想不到，这却是“玛林·凯恩”号油船发出的最后一份报告，此后，这只船竟无声无息地失踪了，好像掉进了深洞里。事后派船去搜寻，海面上连一滴油也未见到。

如果仅只是船舶常常在百慕大三角海区遭到不明原因的灭顶之祸，还不会引起人们很大的震惊，然而，飞机在这个地区上空飞行时，也常常遭到莫名其妙的“飞来横祸”，就像有一股神奇的力量控制着这里海空。这就使人感到问题的严重了。

有关飞机在百慕大三角区神秘失事的第一份记录是1945年美国海军第十九中队的五架“复仇者”强击机突然全部失踪的事件，事情经过是十分离奇的。

那是1945年12月5日，在佛罗里达州美国洛德代尔堡海军航空基地，五架“复仇者”强击机在指挥塔的指令下，于14点

10分从跑道上滑行起飞，冲向了蔚蓝色的天空，进行例行的巡逻飞行。他们的飞行航线是先往东飞行108公里后，再向正北方飞行120公里，然后再转向西南，返回基地，这条航线是他们已经飞行过多次的熟悉的航线。

机组共有14人，指挥第十九中队的编队长是有丰富经验的老飞行员查尔斯·泰勒中尉。其它四架飞机上的飞行员们也都是经过严重训练，掌握了各种飞行技术的优秀飞行员。

飞机起飞时，万里无云，是非常好的飞行天气。飞机飞到预定的高度后，电波传来了泰勒中尉清晰的声音："一声正常，发动机的声音很好，风速不大。"

当起飞一个多小时后，基地指挥部收到了泰勒中尉的报告说："发生了异常现象，我们不知为何偏离了正确的航线。"

地面指挥塔命令道："报告你们现在的位置。"

泰勒答道："位置已搞不清，不知在什么地方了。"

地面指挥塔命令泰勒把飞机调向西方。但是得到的回答却是："方位仪出了故障，指针不动，已经辨不清方向，看到的只是大海……"

基地指挥部此时尚未意识到问题的严重性，他们认为，飞机上带的油量是充足的，可以再飞上四个小时，飞行员的技术也是完全可以使人放心的。因此，指挥部命令方位仪还能正常工作的另一架飞机代替泰勒担任编队指挥，同时命令五架飞机对准正西方向，也就是对准270度航向返回基地。

过了十几分钟以后，基地指挥部又收到空中的无线电通讯说："我是中队长……，警报！我们现在迷失了航向，看不见陆地，哪儿也见不到陆地……，不知哪是西边，一切都乱套了，连大海也好像跟往常不一样了。"

这时，泰勒也报告说：“我们现在好像在墨西哥湾上空，我们对准了30度航向飞行，45分钟后，再转向正北……”

基地指挥部开始感到困惑不解了，五架飞机怎么会离开了航线几百公里，跑到墨西哥湾的上空了呢？是什么原因使飞机完全失去了控制？指挥员们紧张起来了。

到了下午6时，再也看不到飞机的影子了，基地指挥部根据各方面的因素推算，飞机又飞到了基地东北方384公里地方的上空，那里离最近的海岸也有92公里远。

临近黄昏时，五架飞机就像没头的苍蝇一样，忽而向西，忽而向西北方向乱飞着，无线电通讯情况也逐渐恶化，五架飞机已经收不到地面的任何指令。不过，基地的指挥部还能听到五架飞机上彼此联系的对话，这时，所有报务员的声调都显得很惊慌，从他们的对话中知道，所有导航仪表都不顶用了，读数各不相同，不知为什么飞行员看不到太阳，如果能见到太阳，则还可以根据太阳来测定方位。又过了一会儿，地面基地收到飞机上最后的微弱声音，报务员惊喊道：“开始往水里沉了，……我们完了。”到下午7点04分，就再也听不到空中的任何声音了。

基地立即派出一艘大飞艇“马丁·马里纳”号前去救援，飞艇机组共13人，艇上载有全套营救设备。飞艇沿着五架失踪飞机最后飞行位置的海域进行搜索。谁知，“马丁·马里纳”号飞艇起飞十多分钟后，就同地面失去了联系，飞艇及艇上的13名人员也不明不白地失踪了。

就这样，仅在几个小时之内，泰勒中队的五架强击机，一艘救援的大型飞艇，连同飞行人员27人，好像被天空吞噬掉了。

美国当局对这次不明真相的重大飞行事故极度重视。美国海军采取了许多办法，进行了历史上规模最大的一次搜索救援活动。这次救援活动，出动了包括航空母舰在内的21艘舰艇，几百条快艇和摩托艇，300多架飞机，对飞机可能失事的各个海区，都进行了仔细的搜索，几乎搜遍了百慕大到墨西哥湾的每一米海面，结果是没有发现丝毫遇难的迹象。最后官方委员会的报告说："我们甚至都无法大致地猜测到出了什么事。"

自从美国海军航空基地五架强击机在百慕大三角海区的上空失事以后，飞机在这里就接连不断地发生意想不到的事故。在1948年12月27日夜间10点30分，一架DC—3型民航班机，从旧金山机场起飞，途中经过百慕大三角海区上空时，地面指挥塔曾听到机长传来的声音说："……这是怎么回事？都在唱圣诞歌哪！"到28日凌晨4点30分，飞机上还发出过电讯说："正在接近机场，灯光可见，准备着陆。"机场也做好了接受飞机降落的各项准备工作，但是却久候不到，这架飞机一直没有在机场降落，而是在着陆前就神秘地失踪了，乘客也无一生还。

飞机不断在百慕大三角区上空失踪，使这个海区更增加了恐怖和离奇的色彩。在这里失事的飞机，有的直到最后几分钟还同机场保持着正常的联系，几乎是在一瞬间消失的。有的飞机则在失事前发出了奇怪的报告，例如，仪表突然失灵；天空发黄；晴天起雾；海上变得异常等等，可是谁也没来得及提供更为详细具体的情况，就茫无踪迹了。

有人统计，从1840年到现在，飞机和舰船在百慕大三角区发生意外事故的不下千余起。近年来，在美国注册的，在这个海区发生神秘失踪事件的舰船就有100多艘，其中还包括有两艘核潜艇。仅以离美国佛罗里达海岸25英里以内的海域统计，每年就有1200余人丧生，而且连尸体也找不到。

几个世纪以来，关于百慕大三角区之谜就真的捉摸不到一点蛛丝马迹吗？也并不尽然，事实告诉我们，在人们还没有完全弄清楚自然界的许多谜之前，它并非完全是神秘莫测的。多年来，侥幸从百慕大三角区灾难中逃出来的人，从他们亲身经历中，给人们提供了不少值得探索的事实，虽然这些事实带有浓厚的传奇色彩，但事实总是真实的写照。

1951年10月里的一天，巴西的一艘装甲舰在亚迷尔群岛西南部港上停泊，突然舰船和人员一起失踪了。第二天早晨，人们多方寻找这艘装甲舰的下落，其中一架水上飞机在海面上侦察时，飞机上的人员发现海面下边有一个庞大的黑物在飞快地前进，速度快得惊人，绝不是任何海底生物能够达到的，而游速很快的一些鱼类又绝无这么庞大的体积。还有人反映当天夜里与次日凌晨，在这个海区曾发现了一种奇异的极其明亮的光。当时没有谁能够说清这奇怪的异物和异光从何而来。

美国一个海难救险公司的船长亨利介绍了他在百慕大三角区的一次奇遇：有一次他们执行完了一项任务后，从波多黎各返回佛罗里达去，途中，船上罗盘的指针突然剧烈地摆动起来，虽然船上的机器仍然在运转，但却没有功率，海浪从四面八方向船身袭来，人们看不到水平线，船的周围都被雾包围着。见此状，船长立刻下令全速前进，最后他们的船终于从大雾中逃脱出来。再回头望去，浓雾外边海浪并不大，而且海面的其它地方也并没有这么大的雾。船上的人员都说，平生从未见到过如此的现象。

有一位老飞行员在一天夜里，驾驶着飞机在百慕大三角区上空飞行，当他飞行到了7千米以上的高空时，突然发现飞机两翼侧面上出现了发光的东西。开始，他误以为是机舱玻璃反光，但不久，强光照花了他的眼睛，以致使他无法看清仪表上的数字。于是，他急忙关闭了自动操纵杆，改用手操纵飞机的飞行，这时，飞机亮得像个透明的玻璃体，抬头却连星辰也看不到了。这样过了几分钟后，亮光才逐渐暗淡下来，一切又恢复了正常。当时天空中奇怪的亮光是从哪里发射出来的呢？这位富有经验的老飞行员却回答不上来。

在海面上航行的船上人员还发现过空中出现的庞大黑物。1972年9月，一艘“噩梦号”轮船航经百慕大三角海区，在行驶中，船上所有的灯光突然全部暗下来，罗盘也失灵了，船上的人员预感到可能会有不妙的事情发生，于是赶快根据陆地的灯光定向，转舵向西面陆地开去。航行了一段以后，发现对岸的灯光转到南边去了，原来船正朝向北方行驶着，但是却无论如何也纠正不了船的航向，这时，高空出现了一块庞大的黑物，将星星也遮住了，然后，有一道亮光窜进那漆黑的黑物里去，不久，一切又都不见了，船也恢复了正常行驶。这个黑物同海面下发现的黑物是否同一物体呢？它究竟是何物，是来自海底，还是来自空中？这都是耐人寻味的怪现象。

在百慕大三角区还发生过空间看不到的神奇的力量。事情就发生在1977年2月的一个晚上，一位探险家随同他的四位朋友乘着一架水上飞机，航行在百慕大三角区的上空，当他们正要在飞机上吃晚饭时，突然盘子里的刀子、叉子等餐具都变弯了，飞机上的钥匙也全变了形，当时罗盘上的指针偏转了几十度，后来还发现，录音机的磁带里录下了强烈的海的噪声，他们赶紧加快速度，逃离了这个恐怖的航区。

无数起铁的事实，使人不容置疑地确信，在百慕大三角海区存在着一种或多种尚不知晓的巨大力量，使它成为世界闻名的危险的航区。其实，在地球上，像百慕大三角海区这样常常有船舶或飞机莫名其妙的失踪的神秘地区不止一个。

32. 魔鬼树之谜

神奇奥秘的大自然创造了无数奇景，而其中一些奇妙的植物更是让人惊叹，它们的奇妙功能对于人类来说还是一个谜团。

譬如，非洲有一种树皮内含大量的磷的树，白天与普通树一样，一到晚上从树干到树枝都发出明亮的光，人们夜间可以在树下看报读书甚至可做针线。至于磷为何积蓄并透过树皮发光，至今仍是一个谜。

前苏联奥莱拉西部地区发现了一片闪光的森林，森林长11公里，宽3公里。其中没有任何动物。林中树木仿佛被刷了一层荧光涂料，晚上射出一种使人毛骨悚然的绿光，即使在浓雾之夜，1公里外还能看到这片闪光的森林，现在这片森林的发光原因还未查明。

生长在巴拿马有一种树，树上结着一条条像蜡烛样的果实，奇妙的是它们含有60%的油脂，当地居民将其摘下也正是为了当蜡烛用，点燃后光亮柔和，而且无烟。马来西亚有一种西谷椰子，树干挺直，高达十六七米，树干中心柔软，用刀把树中心部分刮出浸入水中后，水液就会变成乳白色米汤，含有很多淀粉。经过加工，可做成大米似的颗粒，吃起来味道也与大米差不多。

在津巴布韦恰希河西岸生长着一种叫“休洛”的酒树。它会分泌出有芬芳香气并含有强烈酒精气味的液体，当地人都把它当作天然美酒饮用。

南非有一种玛努拉树，它有肥大的掌状叶片。这种树上所结出的果实具有酿酒的本领，它所酿出的酒颇有“米酒”的风味，醇香馥郁。

在非洲这个地方，由于大象的胃内温度很适合于酿酒孝母菌生长，大象在暴食了这种酒果之后，又喝进了一些水，于是往往酒疯大发，有的狂奔不已，上窜下跳，拔起大树，毁坏汽车，更多的则是东倒西倒，呼呼大睡。

南太平洋岛屿的居民吃的传统“面包”不是用面粉做的，而是从树上摘下来的，这种树叫释迦果树，又称“面包树”。

面包树是四季开花、结果不断的大乔木，一般高10多米，最高的有40~60米，树干粗壮，树叶茂盛，叶大而美，一叶三色，当地居民用它编织轻巧漂亮的帽子。面包树雌雄同株，雌花丛集成球形，雄花集成穗状，它的枝条、树干和树根部均能结果。每个果实是由一个花序形成的聚花果，大小不一，大的如足球，小的似柑桔，最重可达20公斤。

面包树的结果期很长，从头年11月一直延续到第二年7月，一年可以收获三次。它的果肉充实，味道香甜，其中含有大量的淀粉，还有维生素A和及少量的蛋白质和脂肪。人们摘下成熟的面包果，放在火上烘烤到黄色时，就可以食用。这种烤制的面包果松软可口，和面包的风味差不多，也可用来制作果酱和酿酒，是当地居民不可缺少的木本粮食。

在马达加斯加的山区，有一种奇特的面条树，每年四五月间开花，六七月结出条状的果实，最长的有2米，当地居民叫它“须果”。食用时，把它放在水里煮软，放上佐料，就成为一碗味道鲜美的“面条”了。

在北非摩洛哥西部，生长有一种奶树。这种树的花球凋零时，在蒂托处会结出一个“奶苞”，苞头尖端生长了“奶管”。“奶苞”成熟后，“奶管”里便滴出黄褐色的“奶汁”来。而奶树根上恰巧又丛生着许多幼树，这些幼树像小孩一样依偎在母亲身旁，大奶树分泌出来的“奶汁”，由奶管滴出，下面的“子女”们便用狭长的叶面吮吸“奶汁”。有趣的是，当幼树长成后，大奶树便自然地从根部发生裂变，和小树脱离并“断奶”，大奶树被分离部分的树冠也随即开始凋萎，以利于幼树经风雨、见世面，接受阳光雨露，开始独立生长。

无独有偶，而在中美洲的哥斯达黎加有一种“牛奶树”。如果在它的树皮上砍一道口，就会流出与牛奶差不多的汁液。这种汁液是一种富含营养的饮料，可与最好的牛奶相媲美。

糖槭树是多年生的落叶乔木，高达30~40米，原产北美洲，以加拿大为多，因此加拿大被称为“槭树”之国。槭树被称为世界三大糖料木本植物之一。含糖量很丰富，一般有15年树龄的糖槭树就可来割树汁。

每逢春天，人们在树干上打孔，插上管子，让白色的树汁顺管子流入采集桶内。每棵竟可采集100多公斤树液。这种树液的含糖量为0.5~7%，高的可达10%，一株15年的糖槭树每年可采制几公斤糖，每株树可连续採糖50年，有的可达百年以上。用树汁熬出的糖浆，香甜如蜜，俗称“枫糖”。它的主要成分是蔗糖，其余还有葡萄糖和果糖，营养价值非常高。

另外，柬埔寨也有一种糖棕树，它的花朵特大且含丰富的糖汁。当地人把锯成一节的毛竹挂在树上，用刀划破花朵，即有汁液滴入竹筒里。这种花的汁液可作饮料，也可以熬糖或酿酒。一株糖棕树可年产糖50公斤以上。

“盖房要用梓柯树，不怕火灾安心住。”这是流传在非洲安哥拉西部的谚语。梓柯树是多年生的常绿树，高大雄伟，枝繁叶茂，叶片细长，向下垂挂，把全树围得密不透光。在浓密的叶丛中，有许多皮球般大小的“天然自动灭火器”——节苞。它并不是果实，而是“自卫”的武器，在它的外表，有无数网状小孔里面装满透明的液体。

节苞怕见阳光，一旦被太阳光或火光照到，里面的液体便会从细孔中喷射出来，科学家曾在节苞的启示下成功地设计微型的自动灭火器。有人曾想试验一下梓柯树对火警的灵敏程度，在树下打火点烟，火光一闪，一条条白色的浆液便向他射来，烟未点燃，已是满头白浆了。有人想在树根下生一堆篝火，但因为梓柯树有把火警消灭萌芽状态的“特异功能”，终不能如愿。

亚马孙河流域广大地区的小灌木“瓜拉那”的果实含有性质特别的籽儿：它能止泻、止神经痛，也有助于排除组织中的积水。由于它含的咖啡因超过咖啡 3 倍，所以只要把它弄成粉状，空腹吃一汤匙，就会感到精力充沛。在西非的热带草原上生长着一种小树，树体内含有大量能杀菌的生物盐，所以，人们称它为“药树”，该树无需加工，就能治疗疟疾、贫血和痢疾。它的树皮、树根晒干后就是天然的“奎宁”，牙痛者嚼一块“药树”的新鲜树皮，疼痛即消。

墨西哥奇亚巴州生长着一种名叫“特别斯”的树，树皮燃烧后研成粉，能治烧伤，可以帮助创面很快长出新皮肤。墨西哥红十字医院用它治愈了 2700 名大面积烧伤者。经卫生专家测试，它含有极强的镇痛剂、两种抗生素和强大的皮肤再生刺激激素。

科学家们发现，有一种名叫三尖杉的树，有治癌的疗效。方法是：用它的根、茎分离可得到 20 多种生物碱，其中三尖杉酯碱和高三尖杉酯碱，可治疗某些癌症。据研究，250 千克三尖杉木材可提取 1 克三尖杉酯碱，它对治疗白血病、淋巴肉瘤都有较好的疗效。另外在爪哇岛，科学家们发现有种树的树皮可用来治疗艾滋病。

印度有一种奇异的树，它的树叶带有很强的电荷，人若碰上，就会遭到电击。这种“电树”能影响指南针的磁针，人们把指南针放在距离“电树”25米以外的地方，就能看到磁针剧烈地摆动。另外印度扁桃树被称为“活指南”。该树在南亚诸国分布很广。其树枝不是向上，而是水平向外伸展，与树干成直角。更为奇特的是，部分树枝始终指向南方和北方。迷途的人只要看到此树，会立即辨清方向。

正如本书在昆虫部分所谈到的美国太平洋沿岸的蒙特利松林里的松树上，一到秋天就会停满千千万万个五彩缤纷的大蝴蝶。这种松树与众不同，树皮深绿而近似墨黑；树叶很长，呈绿色；树皮粗糙，表面布满带须芒的青苔。当数不清的彩蝶从北方飞过来时，就会不约而同地纷纷降落下来，爬满松树的枝枝杈杈并且双翅紧合纹丝不动。一霎时，这儿成了“蝴蝶世界”，一棵棵黑不溜秋的松树变成了五光十色的蝶树。等到过了寒冬到来年春暖花开时，成群的蝴蝶才悄悄飞走，这种奇异的生物现象，至今仍是世界的“自然之谜”。

非洲北部地区有一种名符其实的“炸弹树”，果实大如柚子，果皮坚硬呈金黄色。到成熟时它会突然爆开，犹如小型手榴弹，杀伤力很大，外壳碎片能飞出20多米远。爆炸后往往在附近能拣到被炸死的鸟类。

在南美洲亚马逊河流域生长着一种树木，分泌的液汁竟然可以直接用做汽车燃料油。这种树树干周长可达1米。当地印第安人每年一次在树上钻些小孔，就可以从每树上收15~20公升液汁。经分析表明这种液汁是烃类混合物。圭亚那出产一种绿心木，木质呈黄绿色或橄榄色。不仅木色别致，而且质地非常坚实，据说用钢锯锯木材时，锯口会冒出火花，把它放到河里，便如石落水，直沉到底。木材的防腐、耐火、耐蛀性能特强，用途也很多。

在巴西，生长着一种名叫“莫尔内尔蒂”的灌木。这种树属木本类植物，然而白天时，它会不停地发出一种委婉动听的乐曲声，到了晚上，它又会连续不断地发出一种哀怨低沉的泣声，等到天亮时，它又变为悦耳动听的乐曲声。

在美洲南部的巴西，生长着一种奇特的树。因为它的树皮可做成衣服，故而被当地居民称为“衬衣树”。这种树高大粗状，呈圆柱状。它的树皮竟可以十分完整地剥下来，仍保持原来的原柱形状。如果把这种树皮放到水里浸泡，然后取出用木棍轻轻捶打，漂洗干净、晾干，就可像布匹一样柔软结实。当地的印第安人十分喜欢用“衬衣树”皮来做衣服。

在非洲，有一种树被人称为“裙子树”，其叶排列在一条条紫褐色的叶茎上，像接起来的布条，光洁柔软不易折断，当地人将它作裙子穿，既凉爽又可防毒虫咬。

德国的新勃兰登堡区不久前发现一株树干分别由三种不同颜色和纹理构成的奇树。经查证，它是由橡树、松树和山毛榉三种异种树壁合而成的天然树。树龄约60年至80年。据说在欧洲这种“三位一体”的天然树还是首次发现。

位于地中海南岸的北非国家阿尔及利亚，冬季湿润，夏季干热。在这里有一种十分奇特的树，主干挺直，树皮红色，树粗叶阔，进入树林，仿佛来到了一座绿顶红柱的天然宫殿之中。当地居民称它为“普当”，意思是“能除污秽的树”。用它洗除衣物，洁净清爽，因此称它为“洗衣树”。当地居民只要把脏衣服捆在树身上，几小时后，在清水中漂洗一下，就很干净了。

原来，在普当树的树皮上有很多小孔，能分泌黄色的碱性汁液，这是它自觉排除体内的多余碱性的一种适应环境的方式。

33. 植物超人之谜

有人把《红楼梦》誉为一部综合性的“百科全书”，实在是很贴切的。书中第九十四回，写了发生在大观园内的一件怪事：怡红院中，那些本该在3月开花的海棠树，在花木凋零的11月，却突然开满了鲜花。

这一怪现象轰动了整个大观园，面对盛开的海棠，众说纷纭。有人说，恰逢季节迟了些，虽是11月，暖和得很，温度是催发开花的主要原因；有人说，贾宝玉在认真读书了，这海棠莫不是报喜的？尽管是瞎猜，因为说的是恭维话，倒也让人心里满意。聪明过人的探春不言不语，心里却想：“必非好兆，大凡顺者昌，逆者亡；草木知运，不时而发，必是妖孽。”大观园内还有一位聪明人凤姐，她抱病卧床不能前来凑热闹，但却暗地使人送来红绸两匹，让给海棠披挂上，以冲冲邪气。

艺术作品中的细节描写是为主题服务的，海棠花开得不合时宜之后不久，主人翁贾宝玉无由地丢失了“命根子”——“通灵宝玉”。大观园乃至整个封建家族开始走向衰落。

现实生活中，植物是不是真的具有这种能预测的“天灾人祸”的超能力呢？如果有的话，它又是如何获得这不同寻常的能力的呢？

让我们轻轻地揭开“先知”的面纱，看看能否看清它的“庐山真面目”。

植物究竟具不具备预知“天灾人祸”的能力呢？虽说预知“人祸”的超能力大多在文学作品中才能看到，现实中却不多见；

但植物预知“天灾”的本领却常见于报端，有相当多的科学家面对这一有趣的问题，进行了大量的观察和研究。

有人发现含羞草能预知地震的发生。含羞草的叶子排列整齐、对称，轻轻地触动一下它的叶尖，整个叶子都迅速合起来，真像低眉顺目、含羞自持的少女一般。通常情况下，含羞草的叶片是白天打开，夜晚闭合。日出前30分钟舒展枝叶，日没30分钟后，枝叶收拢，非常规律。假如一反常规：白天闭合，夜晚舒展，则表示大自然将发生变异，这种变异很可能是地震发生的前兆。有人观察到，如果周围60公里的范围内将发生大地震时，约40分钟前，含羞草会发生行为改变，会在白天将叶子闭合起来。

含羞草不仅能预知地震，台风、低气压的逼近、雷雨的袭击、火山爆发等等，它都会发生变化。

一些树木也有这样奇异的超能力。1976年唐山发生7.8级大地震，在地震来临之前，蓟县穿芳峪一个地方的柳树，在枝条前部20厘米处，出现枝枯叶黄的现象。人们发现，当树木出现重花（二次开花）重果（结二次果）或者突然枯萎死亡等异常情况，那么很可能是地震将要发生了。

科学家们观察到，地震发生前，许多植物的生物电位会发生变化。1983年5月26日，日本秋田发生7.6级地震。震前20小时左右，日本观测点上的合欢树生物电位开始激烈地上下波动；震前10小时，又平静下来；震前6小时，再次异常。地震之后，异常消失。除了合欢树以外，还有一些植物能产生与合欢树一样的生物电位变化，像桑树、女贞、凤凰木、漆树等等。

印度尼西亚的爪哇岛上，有一种植物，人们称它为“地震花”，可能是属于樱花草一类的植物，它们生长在火山坡上，火山爆发之前，便会开花。岛上的居民把这种植物当作观测装置，只要发现它开花了，马上就要作出应急准备、采取应付火山爆发的措施。

还有一些可以预报天气变化的植物，干旱、大雨、阴天、晴天都可以预报。

广西忻城县马泗，有一棵150岁的青岗树，人们可以根据它叶子的颜色变化获知天气情况。在一般晴天，树叶呈深绿色；天将下雨，树叶变成红色；雨后转晴，树叶又变成深绿色。

一种叫做踌躇花的植物，如果盛开，则第二天准是大晴天；如果花显得“没精打采”，那么第二天很可能是坏天气。

还有人观察到，如果玉米根长得结实，南瓜藤长得特别多，榧树叶特别茂盛，那么，这一年很可能有台风来袭。

关于植物能预测天气、环境异常变化的例子很多，有的是在一定的条件下发生的，离开这一条件，可能就发生不了；有的虽然出现了异常变化，但导致变化的原因或许是多种多样的。这是一个相当复杂的事情，就拿重花重果为例，有时气候变化以及病虫害的侵蚀，同样的会产生重花重果。所以，在作判断的时候，还要运用分析方法，借鉴其他方面的观测依据，不能仅凭某一现象的出现就下结论。

正因为存在着复杂性，给科学研究带来了一系列待解之谜，一旦把植物预知大灾难的超能力之谜揭开，那么将在人与自然的斗争中，树立起一座划时代的里程碑！

随着工业化程度的提高，世界都不同程度地面临一个重要的、严峻的问题——环境保护。大量的废气排放于大气中，大量的污水涌入江河湖海里，人类自己给自己营造了一个看不见的敌对阵营。环境污染问题引起了世界各国政府的重视，每年花于治理的费用惊人，更不用说投入的人力、物力了。

在动用大量资金治理“三废”带来的恶果时，人们还利用各种手段进行监测，把一些指标控制在最低限度之下，以防陷入旧问题未根除、新问题又产生的恶性循环中。

科学技术的发展，为环境监测提供的有效的手段。科学家们发现，这些为人类造福的手段中，也包括了植物。

植物具有监测环境的超能力，是大气污染的报警器。

植物既无仪表，又无警笛，何以成为环境监测的工具呢？

其实，在某些特定的情况下，植物的监测能力比人造的器械还要灵敏呢。

据说在南京一工厂附近种植了很多雪松。雪松树姿优美、常年碧绿，深受人们喜爱。一年春天，正当雪松萌发新梢的时候，针叶却发黄、枯焦。这是怎么回事呢？谁是“谋害”雪松的“凶手”？后来查明，让雪松受害的是两种有害气体：二氧化硫和氟化氢。刚好，附近工厂里常常会放出这两种气体，雪松对它们特别敏感。后来，人们只要看见雪松“犯病”了，一对号，发现是同一种“症状”，就知道在它周围的大气中含有二氧化硫或氟化氢。

敏感植物对于二氧化硫的反应非常灵敏，它们在二氧化硫的浓度只有百万分之0.3时，就能产生反应；而人只有当二氧化硫的浓度为百万分之1~5时，才能闻出气味，百万分之10~20时才会引起咳嗽和流泪。

具有监测大气污染能力的植物种类相当多，它们组成了一支保护人类健康的卫兵队伍。如花苜蓿、胡萝卜、菠菜可以监测二氧化硫的污染；菖兰、郁金香、杏、梅、葡萄可以监测氟的污染；苹果、桃、玉米、洋葱可以监测氯的污染等等。

例如菖兰，它就是很有效的氟污染报警器。菖兰对于氟的敏感浓度是百万分之0.005，也就是说，空气中只要含有这么一丁点儿氟，它的叶片边缘和尖端就会出现淡棕黄色的带状伤斑，而且受害组织与正常组织之间有一明显的界线。人对百万分之0.005是没有什么反应的，只有当浓度在百万分之8时，才开始对人有防范氟气体进一步扩散的措施，还是来得及的。

由此可见，植物对于有害气体的预报，往往采取一种富于牺牲精神的表达方式，它不会拉警笛，更不知道亮红灯，而是以自己的枝叶伤势做出无声的呼吁，呼吁人们警惕来自身边的毒害，呼吁人们赶紧采取措施，否则人也会同它们一样伤痕累累。

不同的植物对于不同的气体污染，所产生的反应也不一样。虽然多数是从叶片发生“症状”开始，但“症状”的形态、位置却大不一样。有经验的科研工作者，只要根据植物叶片伤斑的位置、形状，就可以大致知道致污染的来源是什么，程度如何。由于它们的灵敏度很强，很有典型意义，一旦发现，便给环境保护提供了极好的依据。

谁都知道，植物是容易着火的。几千年来，从钻木取火延续到今天，柴薪做饭取暖是人们生活的重要组成部分。尽管现在许多城市已经使用液化气、电作为生活能源，但还有一大部分离不开柴薪。

在与柴薪打了几千年的交道之后，人们知道了哪些植物容易着火，于是这些植物常常用作引火，像松枝、柳杉等含树脂多的植物，自然比含水分多的植物容易产生火焰。如果单从取火的用途来选择植物，有经验的人会避开那些燃烧时不容易产生火焰的植物。

实际上，燃烧时不易产生火焰的植物，就是可以防火的。像常绿树珊瑚树、女贞、冬青等，阔叶树银杏、白杨、臭椿等几十种树木都被认为具有防火能力。其中最优秀的要算珊瑚树，它的防火能力最为显著，哪怕所有的叶子全被烧焦也不会产生火焰。

提出这样的问题，从常理看来，简直是很可笑的。是呀，从古到今，只有神话故事中，才有植物可以说话的事儿发生，现实生活中，树木是没有说话能力的。

可是，在美国华盛顿大学有两位科学家发现了这样一件怪事情：

为了做一项实验，两名研究者选择了华盛顿州西特尔城附近的一片树林。他们曾经发现，在这片树林的柳树和桤木上，凡是经过一些捕食性动物（如某些毛虫）侵袭的树叶，就会发生营养质地的变化。那么这种营养质地的变化程度如何呢？正是两位研究者要知道的问题。因为他们已经获得了其他一些植物在昆虫侵袭之后的变化情况，例如藿香蓟，它的组织内含有使捕食性动物变态的化学物质，一旦介壳虫、蚜虫侵袭了它，这些虫类反而在化学物质的影响下变态，从而不能产卵。

实验开始时，两位研究者将几百条毛虫放在树上，然后观察这些树木如何调节机制来抵御毛虫的袭击。不久，他们就发现树木有了反应，散发出属于生物碱或萜烯化合物一类的化学物质。这些化学物质散布在树叶间，很难被昆虫消化。

就在这时，两位研究者意外地发现了另一奇怪的现象：大约在 30 以 40 米远的另一片树林里，同样散发出了防御状态的化学物质，这是一片并没有放置毛虫的树林，而且又隔着一段距离，它们是怎样获得了“注意危险”的警告信号呢？美国的学者大为惊讶。

他们觉得，肯定是那些受毛虫侵袭的树木把信息“通知”了那片本来宁静的树林，要它们加强预防。可是他们是怎样“通知”的？通过什么形式？而对方如何接收又怎样作出防御的反应……

这一发现，导致出一系列难解之谜，引出了新的困惑，动摇了传统的、固有的观念。人们对植物的能力有了进一步的认识：它们不是不会说话，而是用它们自己的方法来“说话”，来沟通它们的世界，传递它们的信息。一些科学家认为，现在远不是下结论的时候，更有说服力的解释有待于大量地实验之后才能作出。

关于植物的超能力，已经广泛地引起了世界上许多人的注意，有人通过自己或者别人的观察、研究，试图作一些解释，但是这些解释是不是很完整，很确切呢？

比如说，植物到底有没有神经？一部分人认为植物是没有神经的。它们根本就没有神经细胞，更谈不上神经纤维和神经中枢，不能用动物的生存模式来解释植物。而有些学者则认为，植物的敏感度有时强于动物，它们不仅有神经，而且植物的神经与动物的神经没有本质上的差别。

还有人认为，植物之所以具有感应月球和地磁的超能力，是因为植物拥有交流信息的“天线”装置，植物的刺或毛是一种导波管，类似“天线”的作用。由于有这些导波管，植物便可以感应可见光、红外线或微波光线，可以敏锐地感应化学物质、气味，还能接受压力、空气电离子、温度和湿度等等，因而使得植物拥有了特殊的超能力，能与人类、星球或原始星云作信息交流。

科学家们的观点、假设为人类探索自然之谜拓开了思路。从中我们可以看到地球植物所蕴藏着的奥秘和潜力是不容忽视的、那么等待着我们的又是什么呢？当然，肯定不是下结论的时候，而是更加艰难的努力探索。

34. 有大脑的植物之谜

在其他方面植物与人类也存在着类同性。莱比锡大学医学博士兼物理学教授古斯塔夫·西奥多·费希纳由于对测量电流和颜色的感知等课题写出了40多篇论文而享有盛誉。他以一种人们难以意料的机遇获得对植物的深刻的认识。1839年，他开始凝视太阳，希望发现图像的本质。那些奇特的图像，在正常的视觉中止之后，似乎长期留在他的视网膜上。几天后费希纳恐惧地发现，他将成为盲人。他因过度工作而精疲力竭，同时，不能面对朋友和同事已成为他新的苦恼。他戴上脸罩隐居于暗室里，生活在孤独中，希望恢复视力。三年后一个春天的早上，他意识到他的视力已恢复，便走进白日的光明中。他愉快地沿着马尔德河走着，立即看出了河岸旁他称之为花朵和树木的“灵魂”的东西。“当我站在河边，注视着花时，我看见了它的灵魂自花中升起，在花中飘荡，它越来越清楚，直到精神的形态清晰地浮悬在花上。也许它想站立在花房之顶以获得更充足的阳光。它相信不会为人所见，当一个小孩出现时，它大为惊讶。”由此，1848年他在莱比锡出版了《南娜》（或称《植物的活的灵魂》）一书。他认为，植物是有神经的生命，因此，它们似有某种神经系统可能藏在它的奇异的螺旋形纤维中。他还认为，我们完全有理由同意这样一种看法，即植物有神经，它们之所以看不见，只是由于人类忽视而不是由于植物的天生的缺陷。

根据费希纳的看法，植物的灵性同其神经系统的联系，就像人类一样。虽然它们都是散布于两者全身，然而却与它们指挥的器官分开。费希纳写道：“我的任何肢体都不独自行动，只有我，我的全部精神，才意识到对我发生的一切。”

费希纳创立了一门新的学科，称之为“心理物理学”。它反对身与心之间的人为的距离，坚持两者的结合是一个现实中的不同方面。心是主体，身是客体，像一个圈，既有凹面，又有凸面，取决于观察者是站在圈外还是圈内。费希纳说，因为难以同时抓住两个观点而易形成混乱。费希纳认为，一切事物以不同形式表现，而一切事物共有的宇宙魂，就是它们的意识。它与宇宙一同存在；宇宙一旦消失，它也消亡。他的生命哲学的基础不言自明：一切生命只有一个，不过是因为本身的分离而有不同的形态。一切事物的臻善至美和圆满结局是最大限度的愉快，不是个别而是全部。费希纳说，这是他的全部道德准则的基础。

因为植物是生根的，费希纳宣称，它们通过摇曳枝叶、蠕动根须以表现其行为，很像动物伸出爪抓物，或者是因畏惧而逃跑，但是它们缺乏像动物所有的行动自由。

费希纳认为“植物人”安静地生活在它们扎根的地方，它们可能感到奇怪，为什么人类这种两足动物如此奔忙。“除了跑、叫、吞食的灵魂之外，它们在安静中开花，放出香味，以露珠解渴，生长蓓蕾以表示情意，难道不是灵魂？”费希纳问道：花朵难道不是发出香味来彼此沟通联系，用这种比人类的语言和呼吸更为愉快的方式来理解彼此的存在吗？除了相爱的情人之间，谁能以这种微妙的方式，谁能发出这种自然的芳香来表现自己呢？

费希纳说：“从内部发出声音，从内部发出香味，正如同人在黑暗里可以从声音中听出是谁，花在黑暗中也可以从香味中彼此辨认。它们都具有一切物体的原本的灵魂。”这位德国先哲断然认为，最后人类的身躯为植物的生存服务，呼出二氧化碳供植物呼吸，死后的尸体又肥沃植物，难道这不是终极目的之一吗？花朵和树木不也是最后同泥土、水、空气、阳光一起将人类躯体化作光辉灿烂、色彩斑斓的各种花朵吗？

查理·达尔文在1859年出版了一本震惊世界的《物种起源》之后，在其余生23年的大部分时间除致力于他的进化论的精心创作之外，还对植物的进行了深入的研究。达尔文在他那本长达275页的《植物的运动力量》一书中肯定了在一天中某些特定的时间进行运动是动物和植物共同具有的习性。他写道，这种最令人吃惊的相似之处是“它的感觉的定域性，将一种力量由兴奋部位转移至引起运动的另一部分”。在这本巨著的最后，提到了植物根基的效能——植物的萌生部分，成长为最初的根——他大胆地说明：“无需夸大其词，根尖的作用正像低等动物的大脑，像大脑位于躯体的顶端的低等动物一样，从感官获得印象以指导各种运动。”

1970年，电子工程师乔治·劳伦斯获知，乌克兰人用无线电频率和超声波振幅刺激谷种，像30年代初期一样获得了高产，美国农业部也运用同样的方法获得成功。因此，他放弃了学院的工作，独立地发展高级仪器，他希望用此类仪器使谷种获得刺激，谷物能按照商业规模较好较快地生长。

1971年2月，在《大众电子学》上，劳伦斯撰写了自己如何用极高压静电刺激植物生长的理论进行试验的文章。他断言，这是一种无数工程人员梦寐以求的、用电子使植物获得营养的发现，将解决由于化学肥料中硝酸盐的污染威胁世界生态平衡以及水的供应问题，他呼吁重视这种主张。

1971年10月的一天，他带着野外工作助手来到离著名的帕尔马山观测台不远的类似沙漠的地方，目的是为了记录野生橡树、仙人掌和丝兰发出的信号。劳伦斯选择这个地的原因，按他的说话，是因为这里是“电磁‘边缘’区，无人为干扰，因而是个理想的、获得清净而无杂音的植物反应的区”。

劳伦斯捕捉植物信号的仪器与巴克斯特、索文、桥本的仪器的一个重要区别是，他的仪器与植物活组织连起来后，放于一个法拉第管后面，置于一个控制温度的槽子里，屏幕上就可以显示出哪怕是极为微弱的电磁干扰。劳伦斯发现，植物的活组织能够感觉出信号，而且比电子传感器还要精确。他相信，由活体传出的“生物射线”再由生物媒介来接受，效果最好。

劳伦斯的仪器与其他试验者使用的仪器相比，还有一个更重要的区别，那就是它无需将电极连于植物上，只要植物远离它们的邻物，排除了信号的干扰就可以，而这在沙漠地区则是常能办到的事。劳伦斯只用一个有宽缝隙的无透镜管对准植物，光轴与法拉第管轴平行。如距离远，他用一个望远镜筒替换无透镜管。

他的试验是在冬天进行的，此时大部分植物处于休眠状态，这样他更加可以肯定不会有其他植物发出假信号来影响他的工作。

那天，他和他的助手在午后稍事休息，吃点东西。他们坐在离他们仪器约10码远的地方，仪器此时是对着天空的。

劳伦斯咬一口肉肠，他的仪器上那种稳定的哨音声被一系列清晰的脉冲干扰了。劳伦斯还未品味到肉肠的味道，却品味到了“巴克斯特效应”。他认为这些信号可能是由于他杀死了香肠中的某些细胞而引起的，但随即又想到，肉肠中的细胞早已死亡了。劳伦斯检查他的仪器时，惊异不止。这种声音信号继续发出清晰的、连续不断的脉冲，长达一个半小时以上，一直到机器原来的哨音恢复，表明再没有什么才停下来。信号必然是来自什么地方，而他的仪器又始终是向着天空。劳伦斯脑中产生了某种古怪的念头，有某种东西或某人由外层空间发出信号。

劳伦斯不愿作出不成熟的结论，说他通过植物活动组织收到了亿万里外的信号。他用几个月时间改进他的装置，名为“用于接收星际间信号的生物动力站”。

1972年4月，他认为他的装置已非常精良，可以再次把它对准他上回嚼肉肠时获得反应的同一方向作进一步试验。作为一位激光专家，他懂得如何细致地辨明方向，然后确切地将仪具对准，确定方向在大熊星座，即俗称北斗星的方向。为了保证他的装置尽可能远离各种生物形体，劳伦斯驱车来到干旱的莫哈维沙漠中部一个23英尺高的火山山包上。这个火山口为30平方英里的平整火山熔岩所包围，寸草不生。劳伦斯将他的望远镜——一个法拉第电子管、一架照相机、一个电磁干扰监测器和植物组织箱——指向大熊星座的方向，打开发声信号。间隔90分钟之后，他的仪器开始收到一种虽然短促，但可找到规律的信号。根据劳伦斯的说法，他在监测天空的一个单一的地方时，大约每隔3~10分钟收到一次一系列迅速的脉冲，一直延续了好几个小时。

劳伦斯成功地重复了他在1971年的观测，但他不知道这是否是一种很偶然的科学发现。他认为极有可能是星际间的飘流物为它们原来星体执行任何任务。劳伦斯说：“这些信号可能是在天球赤道上绕动，这个赤道有稠密的星球。我们可以从这一星域获得某些东西，而不是从大熊星座。”

劳伦斯在莫哈维沙漠证实了他的第一次观测之后，又继续在他的实验室作试验，将他的仪器指向同一座标，让它日夜不停地监测。劳伦斯说，他一等就是几个星期，有时等待几个月。结果是收到了，收到的确实是信号。有一种信号发出的音频脉冲，他坚持认为这就是地球上也发不出来的。

1973年6月5日，对贝纳迪诺一家学院的研究部宣布，根据副院长劳伦斯的指导，创办了世界上第一个生物体星际沟通联络的观察所。劳伦斯制定了他称之为“天体学”的新的研究计划，计划将一个3吨重的无线电望远镜和生物动力野外站的生物信号接受系统连接。

该院院长爱德华·约翰逊告诉记者：由于无线电天文学不能察知来自空间的信号，学院支持劳伦斯的主张。无线电联络已过时，以生物信号联络的方法应予以试验。

劳伦斯认为，“也许植物是真正的与外星生物的联络媒介，因为它们将早期的矿物世界转变为适于人类生存的栖息地，我们现在所要做的是消除任何神秘主义，要使植物作出反应，包括沟通联系，不应死抱着保守的物理学不放。我们的仪器制造应反映出这方面的行动。”

1966年2月的一天上午，有位名叫巴克斯特的情报专家，正在给庭院花草浇水，这时他脑子里突然出现了一个古怪的念头，也许是经常与间谍、情报打交道的缘故，他竟异想天开地把测谎仪器的电极绑到一株天南星植物的叶片上，想测试一下水从根部到叶子上升的速度究竟有多快。结果，他惊奇地发现，当水从根部徐徐上升时，测谎仪上显示出的曲线图形，居然与人在激动时测到的曲线图形很相似。

难道植物也有情绪？如果真的有，那么它又是怎样表达自己的情绪呢？尽管这好像是个异想天开的问题，但巴克斯特却暗暗下决心，通过认真的研究来寻求答案。

巴克斯特做的第一步，就是改装了一台记录测量仪，并把它与植物相互连接起来。接着，他想用火去烧叶子。就在他刚刚划着火柴的一瞬间，记录仪上出现了明显的变化。燃烧的火柴还没有接触到植物，记录仪的指针已剧烈地摆动，甚至超出了记录纸的边缘。显然，这说明植物已产生了强烈的恐惧心理。后来，他又重复多次类似的实验，仅仅用火柴去恐吓植物，但并不真正烧到叶子。结果很有趣，植物好像已渐渐感到，这仅仅是威胁，并不会受到伤害。于是，再用同样的方法就不能使植物感到恐惧了，记录仪上反映出的曲线变得越来越平稳。

后来，巴克斯特又设计了另一个实验。他把几只活海虾丢入沸腾的开水中，这时，植物马上陷入极度的刺激之中。试验多次，每次都有同样的反应。

实验结果变得越来越不可思议，巴克斯特也越来越感到兴奋。他甚至怀疑实验是否完全正确严谨。为了排除任何可能的人为干扰，保证实验绝对真实，他用一种新设计的仪器，不按事先规定的时间，自动把海虾投入沸水中，并用精确到十分之一秒的记录仪记下结果。巴克斯特在三间房子里各放一株植物，让它们与仪器的电极相连，然后锁上门，不允许任何人进入。第二天，他去看试验结果，发现每当海虾被投入沸水后的 6～7 秒钟后，植物的活动曲线便急剧上升。根据这些，巴克斯特提出，海虾死亡引起了植物的剧烈曲线反应，这并不是一种偶然现象，几乎可以肯定，植物之间能够有交往，而且，植物和其他生物之间也能发生交往。

巴克斯特的发现引起了植物学界的巨大反响。但有很多人认为这难以令人理解，甚至认为这种研究简直有点荒诞可笑。其中有个坚定的反对者麦克博士，他为了寻找反驳和批评的可靠证据，也做了很多实验。有趣的是，他在得到实验结果后，态度一下子来了个大转变，由怀疑变成了支持。这是因为他在实验中发现，当植物被撕下一片叶子或受伤时，会产生明显的反应。于是，麦克大胆地提出，植物具备心理活动，也就是说，植物会思考，也会体察人的各种感情。他甚至认为，可以按照不同植物的性格和敏感性对植物进行分类，就像心理学家对人进行的分类一样。

人们对植物情感的研究兴趣更趋浓厚了。科学家们开始探索“喜怒哀乐”对植物究竟有多少影响。

有一位科学家每天早晨都为一种叫加纳菇茅的植物演奏25分钟音乐，然后在显微镜下观察其叶部的原生质流动的情况。结果发现，在奏乐的时候原生质运动得快，音乐一停止即恢复原状。他对含羞草也进行了同样的实验。听到音乐的含羞草，在同样条件下比没有听到音乐的含羞草高1.5倍，而且叶和刺长得满满的。

其他科学家们在实验过程中还发现一个有趣的现象：植物喜欢听古典音乐，而对爵士音乐却不太喜欢。美国科学家史密斯，对着大豆播放“蓝色狂想曲”音乐，20天后，每天听音乐的大豆苗重量，要比未听音乐的大豆高出四分之一。

看来，植物的确有活跃的“精神生活”，轻松的音乐能使植物感到快乐，使使它们茁壮成长。相反，喧闹的噪音会引起植物的烦恼，生长速度减慢，有些“精神脆弱”的植物，在严重的噪音袭击下，甚至枯萎死去。

前苏联科学家维克多做过一个有趣的实验。

他先用催眠术控制一个人的感情，并在附近放上一盆植物，然后用一个脑电仪，把人的手与植物叶子连接起来。当所有准备工作就绪后，维克多开始说话，说一些愉快或不愉快的事，让接受试验的人感到喜悦或悲伤。这时，有趣的现象出现了。植物和人不仅在脑电仪上产生了类似的图象反应，更使人惊奇的是，当试验者高兴时，植物便竖起叶子，舞动花瓣；当维克多在描述冬天寒冷，使试验者浑身发抖时，植物的叶片也会瑟瑟发抖，如果试验者为感情变化而忧伤，植物也出现相应的变化，浑身的叶片会沮丧地垂下“头”。

为了能更彻底地了解植物如何表达“感情”的奥秘，不久前，英国科学家罗德和日本中部电力技术研究所的岩尾宪三，特意制造出一种别具一格的仪器——植物活性翻译机。这种仪器非常奇妙，只要连接上放大器和合成器，就能够直接听到植物的声音。

研究人员根据对大量录音记录的分析发现，植物似乎有丰富的感觉，而且在不同的环境条件下会发出不同的声音。例如，有些植物的声音会随着房间中光线明暗的变化而变化，当它们在黑暗中突然受到强光照射时，能发出类似惊讶的声音。有些植物遇到变天、刮风或缺水时，会发出低沉、可怕和混乱的声音，仿佛表明它们正在忍受某种痛苦。在平时，有的植物发出的声音好像口笛在悲鸣，有些却仿佛是病人临终前发出的喘息声。还有一些原来响声很难听的植物，当受到温暖适宜的阳光照射或被浇过水以后，声音会变得较为动听。

尽管有以上众多的实验依据，但关于植物有没有感情的探讨和研究，迄今还没有得到所有科学家们的肯定。不过在今天，不管是有人支持还是有人反对、怀疑，这项研究已发展成为一门新兴的学科——植物心理学。在这门崭新的学科中，有无数值得深入了解的未知之谜，等待着人们去探索、揭晓。